Tableau d'assemblage – Key to map pages
Übersicht – Quadro d'insieme .... 2 - 3
Mapa índice – Overzichtskaart

Légende – Key – Zeichenerklärung – Signos convencionales 4

Legenda – Verklaring van de tekens 5

Paris au 1/10 000 .... 2 - 73

Bois de Boulogne .... 74 - 75

Bois de Vincennes .... 76 - 77

La Défense .... 78 - 81

Forum des Halles .... 82 - 83

Paris Expo 84

Index des rues – Street index
Straßenverzeichnis – Índice .... 85 - 145
Indice – Straatnamenregister

Portes de Paris – Einfahrtsstraßen ins Pariser Stadtzentrum
Las puertas de París – Porte di Parigi – De poorten van Parijs .. 146 - 147

Paris à vélo – Paris by bicycle
Paris mit dem Fahrrad – Parigi in bicicletta .... 148 - 149
París en bici – Parijs op de fiets

Téléphones utiles – Useful telephone numbers
Nützliche Telefonnummern – Numeri di telefono utili .... 150 - 157
Teléfonos útiles – Nuttige telefoonnummers

Aéroports – Airports – Flughäfen .... 158 - 161
Aeropuertos – Aeroporti – Luchthavens

Autobus – Bus .... 162 - 167

Métro .... 168 - 169

RER .... 170 - 171

TABLEAU D'ASSEMBLAGE - KEY TO MAP PAGES - ÜBERSICHT

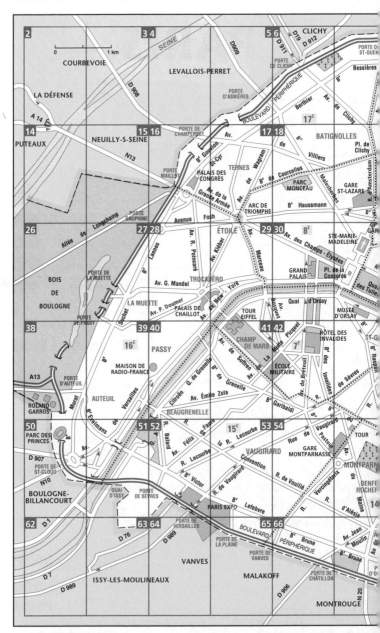

QUADRO D'INSIEME - MAPA ÍNDICE - OVERZICHTSKAART

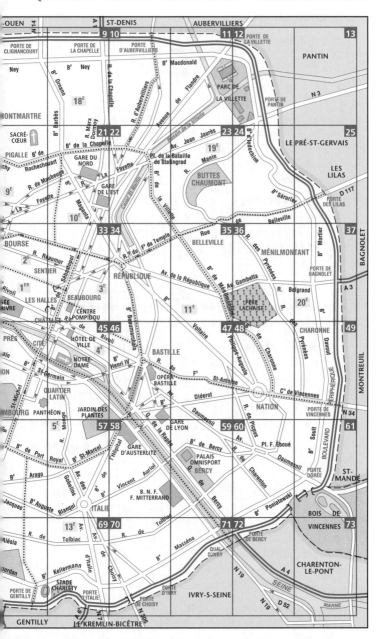

ZEICHENERKLÄRUNG

LEGENDA

Verkehrswege

Autobahn	Autostrada
Autobahnring	Tangenziale
Straße im Bau	Strada in costruzione
Straße gesperrt oder nicht befahrbar	Strada con divieto di accesso o impraticabile
Straße mit Verkehrsbeschränkungen	Via a circolazione regolamentata
Einbahnstraße - Treppenstraße	Via a senso unico - Scalinata
Fußweg - Fußgängerstraße	Via pedonale - Strada pedonale
Radweg	Pista ciclabile
Gewölbedurchgang - Tunnel	Sottopassaggio - Galleria

Gebäude

Edifici

Bemerkenswertes Gebäude	Edificio di particolare interesse
Öffentliche Gebäude	Principali edifici pubblici
Katholische oder orthodoxe Kirche	Chiesa cattolica o ortodossa
Evangelische Kirche - Synagoge	Tempio - Sinagoga
Moschee	Moschea
Kaserne - Feuerwehr	Caserma - Pompieri, Vigili del Fuoco
Krankenhaus - Markthalle	Ospedale - Mercato coperto
Postamt - Polizeirevier	Ufficio postale - Polizia

Verkehrsmittel

Trasporti

Bahnlinie - Hochbahn	Ferrovia - Metropolitana leggera
Metro- oder RER-Station	Stazione della Metropolitana o RER
Taxistation - Parkplatz	Posteggio taxi - Parcheggio
Parkplatz: Busse und LKW	Parcheggio: Autocarri, camion
Tag und Nacht geöffnete Tankstelle	Stazione di servizio (aperta h. 24/24)

Sport - Freizeit

Sport - Divertimento

Schwimmbad: Hallenbad - Freibad	Piscina coperta, all'aperto
Eisbahn - Tennisplatz	Pista di pattinaggio - Tennis
Turn-, Sporthalle - Stadion	Palestra - Stadio
Sportplatz T.E.P.	Campo sportivo

Sonstige Zeichen

Simboli vari

Denkmal - Brunnen - Fabrik	Monumento - Fontana - Fabbrica
Hausnummer	Numero civico
Grenze: Pariser Stadtgebiet u. Departement	Confine di Parigi, di dipartimento
Arrondissement u. Vorortgemeinde	Confine di "arrondissement", di comune
Bezeichnung des Planquadrats	Riferimento alla pianta

SIGNOS CONVENCIONALES		VERKLARING VAN DE TEKENS

Vías de circulación | Wegen

Autopista		Autosnelweg
Autovía de circunvalación		Randweg
Calle en construcción		Straat in aanleg
Calle prohibida, impracticable		Verboden of onberijdbare weg
Calle reglamentada		Beperkt opengestelde straat
Calle de sentido único		Straat met eenrichtingsverkeer
Camino peatonal - Calle peatonal		Voetgangersweg - Voetgangersgebied
Pista ciclista - Escalera		Fietspad - Trapsgewijs aangelegde straat
Pasaje cubierto - Túnel		Onderdoorgang - Tunnel

Edificios | Gebouwen

Edificio relevante	Bijzonder gebouw
Principales edificios públicos	Belangrijkste openbare gebouwen
Iglesia católica u ortodoxa	Katholieke of orthodoxe kerk
Templo - Sinagoga	Protestantse kerk - Synagoge
Mezquita	Moskee
Cartel - Parque de Bomberos	Kazerne - Brandweer
Hospital - Mercado cubierto	Hospitaal - Overdekte markt
Oficina de correos - Policía	Postkantoor - Politie

Transportes | Vervoer

Línea férrea - Metro aéreo	Spoorweg - Bovengrondse metro
Estación de metro o RER	Metro- of RER-station
Parada de taxis - Aparcamiento	Taxistandplaatsen - Parkeerplaats
Aparcamiento para autocares	Parkeerterrein: Bus, vrachtwagen
Estación servicio abierta noche y día	Dag en nacht geopend tankstation

Deportes - Ocio | Sport - Recreatie

Piscina cubierta, al aire libre	Zwembad overdekt, in openlucht
Pista de patinaje - Tenis	IJsbaan - Tennis
Gimnasio - Estadio	Sporthal - Stadion
Terreno de educación física	Sportterrein

Signos diversos | Diverse tekens

Monumento - Fuente - Fábrica	Monument - Fontein - Fabriek
Número del edificio	Huisnummer
Límite de Paris o de departemento	Grens van Parijs en departement
Límite de distrito o de municipio	Grens van arrondissement, ven de gemeente
Coordenadas del plano	Letters die het graadnet aanduiden

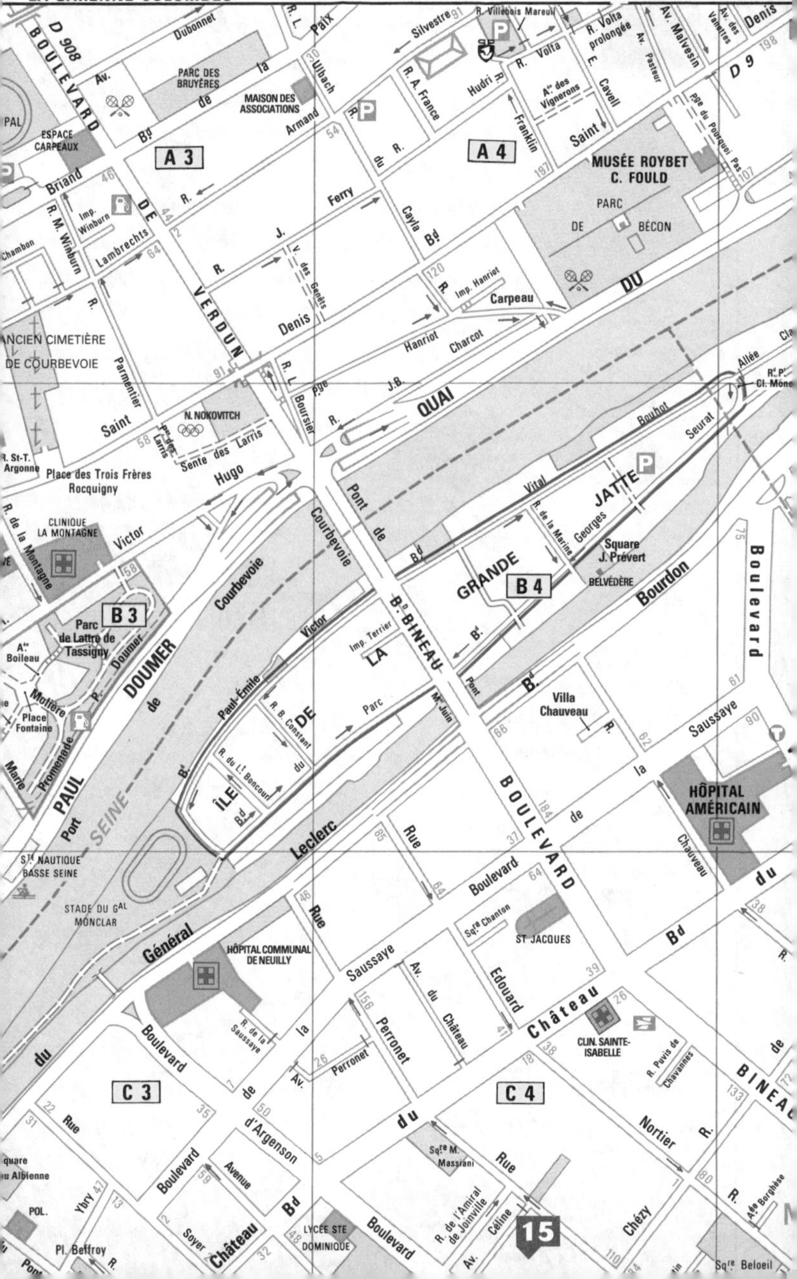

BOULEVARD D 908

PARC DES BRUYÈRES

MAISON DES ASSOCIATIONS

R. L. Paix

R. Dubonnet

R. Ulbach

Armand

R. A. France

Hudri

R. Silvestre

R. Villebois Mareuil

R. Volta

R. Volta prolongée

Av. Malvesin

Allée des Vignerons

R. Franklin

Saint

E. Pasteur

D 9

Denis

D 9

Cavell

PAL

ESPACE CARPEAUX

Briand

R. M. Wilhorn

Imp. Winburn

Lambrechts

B⁴

R.

J.

R.

Ferry

Cavla Bd

Denis

Imp. Hanriot

Carpeau

MUSÉE ROYBET
C. FOULD

PARC

DE

BÉCON

A 3

A 4

DU

ANCIEN CIMETIÈRE
DE COURBEVOIE

Parmentier

Saint

N. NOKOVITCH

Sente des Larris

Hugo

Hanriot

Charcot

J.B.

QUAI

Boubot

Seurat

Allée

Cl. Monet

R. St-T.
Argonne

Place des Trois Frères
Rocquigny

Victor

Courbevoie

Pont de Courbevoie

GRANDE

JATTE

Georges

Square
J. Prévert

BELVÉDÈRE

Bourdon

Boulevard

CLINIQUE
LA MONTAGNE

Parc
de Lattre de
Tassigny

R. Doumer

DOUMER

de

R. Paul-Émile

R. de l'¹ Bescourt

ÎLE

Victor

Imp. Terriat

LA

DE

Parc

B⁴

B⁴

Villa
Chauveau

Saussaye

B 3

B 4

SEINE

Port

Promenade

PAUL

Leclerc

Rue

Boulevard

Edouard

St JACQUES

Château

BOULEVARD

de

la

HÔPITAL
AMÉRICAIN

S¹ᵉ NAUTIQUE
BASSE SEINE

STADE DU G^al
MONCLAR

Général

HÔPITAL COMMUNAL
DE NEUILLY

Saussaye

Av. du Château

Perronet

Château

CLIN. SAINTE-
ISABELLE

R. Pavis de
Chavannes

Bd

BINEAU

C 3

C 4

du

Boulevard

Rue

de

d'Argenson

Château

Avenue

Bd

Perronet

Av.

du

Rue

Nortier

Chézy

R.

square
u Albienne

POL.

Pl. Beffroy

Yvry

Soyer

LYCÉE STE
DOMINIQUE

Boulevard

R. de l'Amiral
de Joinville

Céline

15

R.

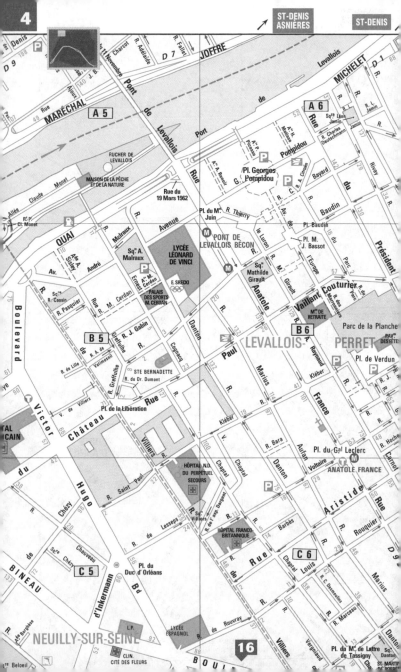

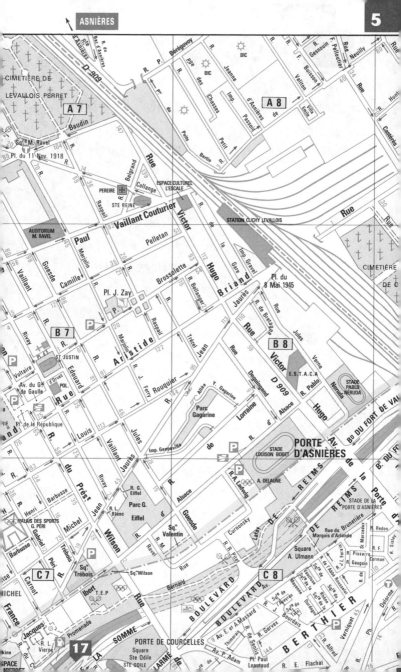

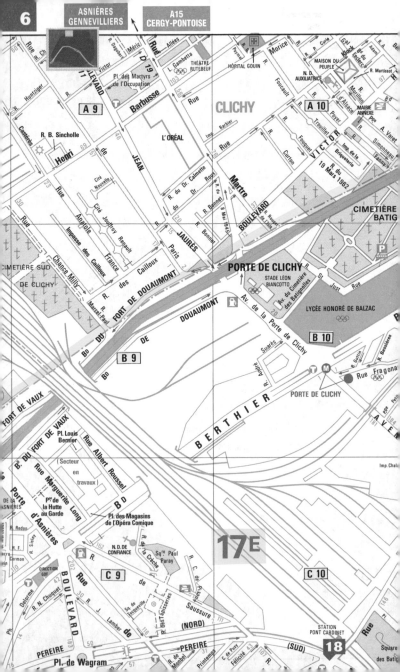

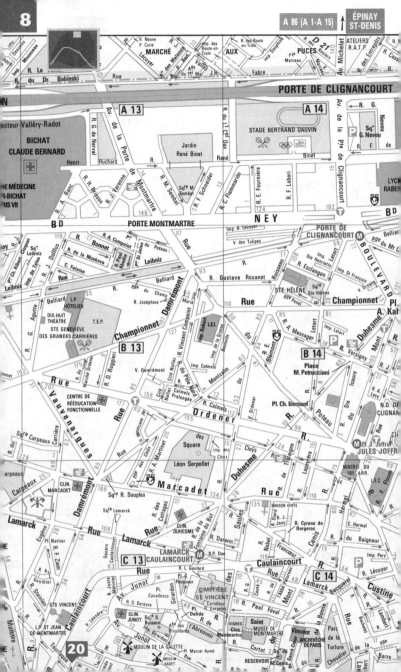

SAINT-DENIS

Imp. Marteau

CIM
DE

Baudin

80 R. A.

Lessona

R. M. Bourdarias

Professeur   Gosset

A 15

STADE DES
POISSONNIERS

Av. de la Pte des Poissonniers

A 16

la

PORTE DE LA CHAPELLE

Av. de
Pte de la Chapelle

STADE
DE LA PORTE
DE LA CHAPELLE

R.   Jean   Cocteau

PORTE DES
POISSONNIERS

NEY

BOULEVARD

Poissonniers

M

PORTE DE
LA CHAPELLE

T

37   Rue

Belliard

Chapelle

Imp. du Gue

P

R. du Pré

Duhesme

Rue   42

Championnet

Imp.
Masseran

Rd Pt de
la Chapelle

Square
R. Queneau

Pl.
Mac Orlan

Championnet

Rei d'Alger

poe Kracher

Roi
ger

de la Chardonniere

N.D. DU
BON CONSEIL

B 15

Boinod

des

des

B 16

R. Raymond Queneau

Rue

R. M.
Genevoix

la

R. Jean

Cottin

M

SIMPLON

Clignancourt

36   du

R. Lachaise

2

ST-SAVA

Amiraux
sq.
Amiraux-Boinod

Simplon

d'Andrezieux

de

V. des Roses

R.

des

Madone

ORNANO

Jaudioure

50

du

R. E. Chaine

23

Nord

Allée

Imp. de
la Chapelle

LYCÉE
CH. DE
FOUCAULD

Sqe
de la
Madone

la

R.

Sqte Ornano

R.

ener

50

R. des
Portes Blanches

18E

Hameau de
la Chapelle

STE JEANNE
D'ARC

Rue

MAN

T

12

Sue

R.

CLIN.
ORDENER

79

ST DENYS DE LA CHAPELLE

Imp. du Curé

Pl. de Torcy

Martinique

MARCADET POISSONNIERS

M

Rue

Rue

Imp.

ST PAUL

56

Rue

47

22

Marcadet

Ordener

MARX DORMOY

M

R. L'OLIVE

Rue

R. de La

100

d et

Clignancourt

Simart

Labat

Léon

Ernestine

R. Émile

Rue

Pl. Paul
Eluard

Dormoy

CLIN.
PARIS 18

Ramey

M

BARBÈS

15

R. P. Budin

13

R. Jean Robert

C 16

C 15

Poissonniers

48

R.

Doudeauville

bat

43

R.

27

d'Oran   2

Duployé

58

106

R.

76

Doudeauville

aix

Imp. Dupuy

Custine

Poulet

R. de Panama

Léon

R. de Laghouat

21

de la   Chapelle

M

Pl. du
Château Rouge

Deltan

R. de Suez

Myrha

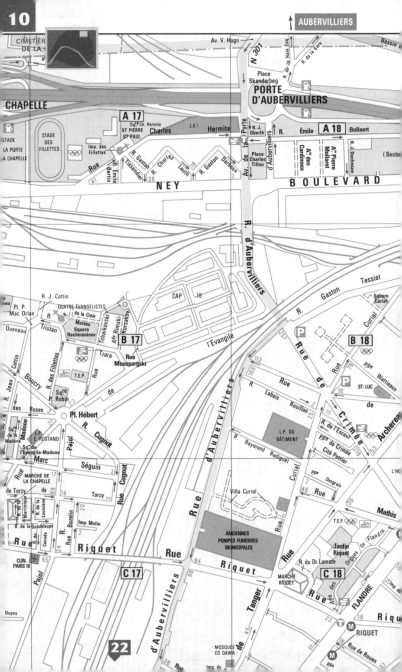

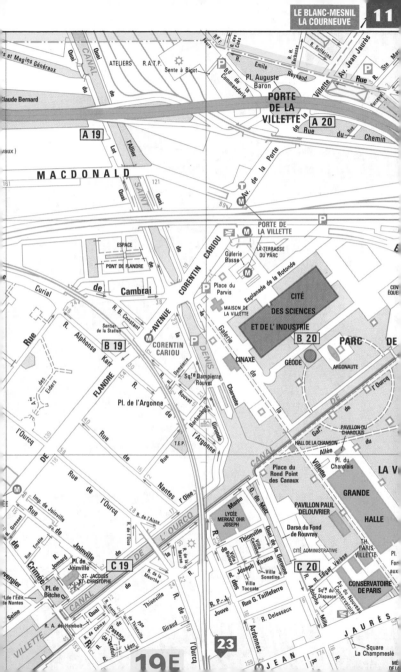

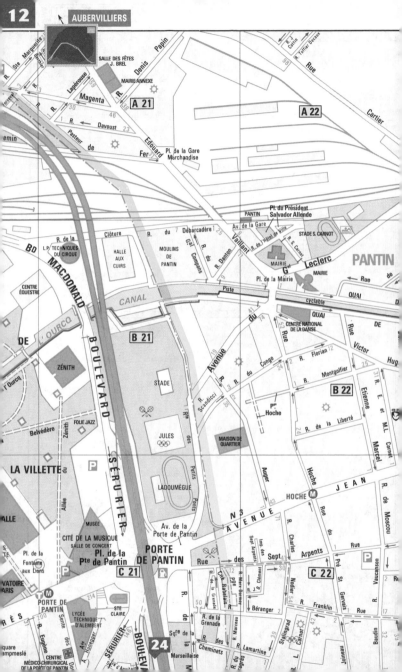

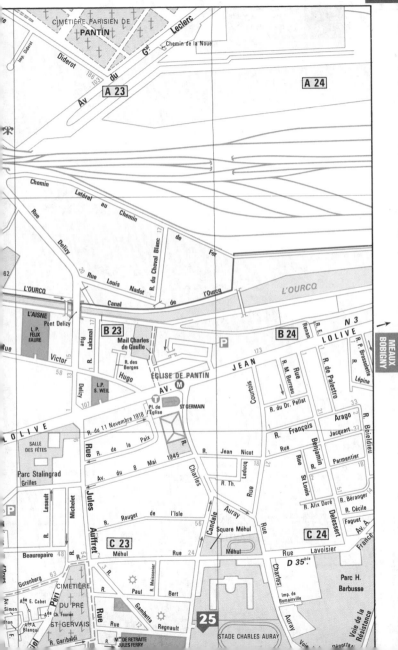

CIMETIÈRE PARISIEN DE **PANTIN**

Leclerc

Chemin de la Noue

Diderot

Imp. Diderot

du

A 23

A 24

Av.

Chemin

Latéral

au

Chemin

de

Rue

Delizy

R. du Cheval Blanc

Fer

Rue

Louis

Nadot

L'OURCQ

Canal

de

l'Ourcq

L'OURCQ

L'AISNE

Pont Delizy

B 23

Rue Lakanal

Mail Charles de Gaulle

P

B 24

Renan

R.E.

LOLIVE

R.P. Brosselette

N 3

L.P. FÉLIX FAURE

R. des Berges

JEAN

Courtois

Rue R.M. Berreau

R. de Palestro

Lépine

Rue

Victor

ÉGLISE DE PANTIN

M

AV.

ST GERMAIN

R. du Dr. Pellat

Arago

Jacquart

Boieldieu

Hugo

L.P. S. WEIL

Pl. de l'Église

R.

R. François

Rue

Benjamin

Parmentier

Delizy

LOLIVE

R. du 11 Novembre 1918

R. de la Paix

1945

R.

Jean Nicot

St Louis

SALLE DES FÊTES

Rue

Av. du 8 Mai

R. Th.

Leduc

Rue

R. Béranger

R. Alix Doré

R. Cécile

Parc Stalingrad

Grilles

Michelet

Jules

R. Rouget de l'Isle

Auray

Candale

Square Méhul

Faguet

Av. A.

France

C 24

P

Lesault

R.

Auffret

C 23

Méhul

Rue

Méhul

Rue

Lavoisier

Charles

Delessert

D 35bis

Beaurepaire

R.

Gutenberg

CIMETIÈRE DU PRÉ ST-GERVAIS

A de E. Cabet

A de Ch. Fournier

A de A. Blanqui

Av. Simon

Péri

R.

R.

Paul

Bert

R. Meissonier

Gambetta

Rue

Regnault

Imp. de Romainville

Charles

Auray

Parc H. Barbusse

Voie de la Résistance

25

STADE CHARLES AURAY

R. Garibaldi

Mon DE RETRAITE JULES FERRY

MEAUX BOBIGNY

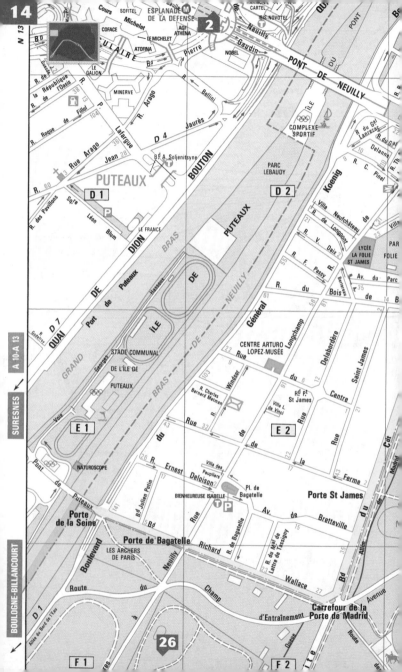

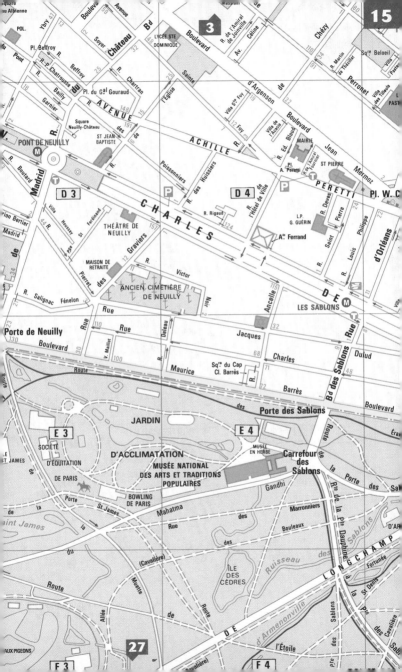

3

POL.

Pl. Beffroy

R.-P. Chatrousse

Bailly

Garnier

Square
Neuilly-Château

PONT DE NEUILLY Ⓜ

Ⓣ

R. Boutard

Madrid Ⓣ

D 3

de Madrid

rion Bertier

Ybry

Château

R. AVENUE

Steyer

Boulevard

Avenue

Beffroy

Chartran

Pl. du Gᵃˡ Gouraud

ST JEAN
BAPTISTE

LYCÉE STE
DOMINIQUE

Boulevard

Sainte

l'Église

Ville Sᵗᵉ Foy

d'Argenson

de

Av. de l'Amiral
de Joinville

R. de l'Amiral
de Joinville

Céline

Chézy

Sqʳᵉ Beloeil

R. Martin

R. Martin
de Thézillat

Perronet

Villa
des Tilleuls

L
PAST

ACHILLE

Poissonniers

R. des Huissiers

Ville de
l'Accès

Boulevard

Pl.
A. Peretti

Ed. Blaud

Ville Sᵗᵉ Foy

MAIRIE

Ⓣ

ST PIERRE

Jean

R. de l'Amiral
Fourbier

P E R E T T I

Mermoz

PL. W. C

D 4

P

R. de
l'Hôtel de Ville

P

L.P.
G. GUÉRIN

Av. Devès

R. Saint Pierre

R. Louis

Philippe

d'Orléans

THÉÂTRE
DE NEUILLY

Villa

Houssay

St Ferdinand

R.

R. Rigaud

Avᵉ Ferrand

C H A R L E S

MAISON DE
RETRAITE

R.

Pierret

Graviers

des

Victor

Salignac Fénelon

Noir

ANCIEN CIMETIÈRE
DE NEUILLY

Ancelle

D E M

LES SABLONS Ⓜ

Ⓣ

Porte de Neuilly

Boulevard

V. Maillot

Rue

Rue

Deleau

Jacques

Charles

Barrès

Rue

Bd des Sablons

Dulud

Boulevard

Maurice

Sqᵘᵉ du Cap
Cl. Barrès

R.

Porte des Sablons

Route

JARDIN

E 3

SOCIÉTÉ

E
T JAMES

D'ÉQUITATION

DE PARIS

Porte

St James

E 4

MUSÉE
EN HERBE

Carrefour
des
Sablons

Érar

D'ACCLIMATATION

MUSÉE NATIONAL
DES ARTS ET TRADITIONS
POPULAIRES

BOWLING
DE PARIS

Gandhi

Route

de

la

Porte

des

Sa

de

la

du

aint James

Muette

Mahatma

Rue

des

Bouleaux

Marronniers

Rⁱᵉ de la Pᵗᵉ Dauphine

Sablons

D'AR

Route

(Cavalière)

ÎLE
DES
CÈDRES

Ruisseau

des

L O N G C H A M P

Fortunée

Allée

de

Route

DE

d'Armenonville

l'Étoile

des

Sablons

Pᵗᵉ

St Denis

des

Cavalière

UX PIGEONS

F 3

(avalière)

27

F 4

3

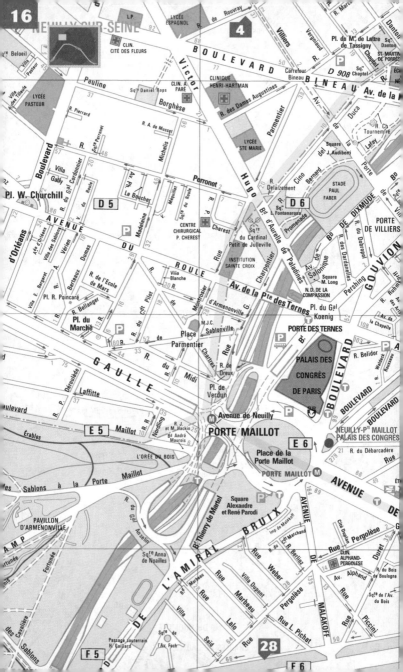

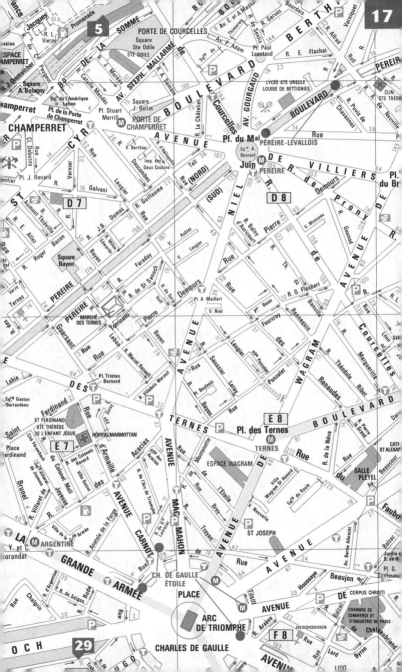

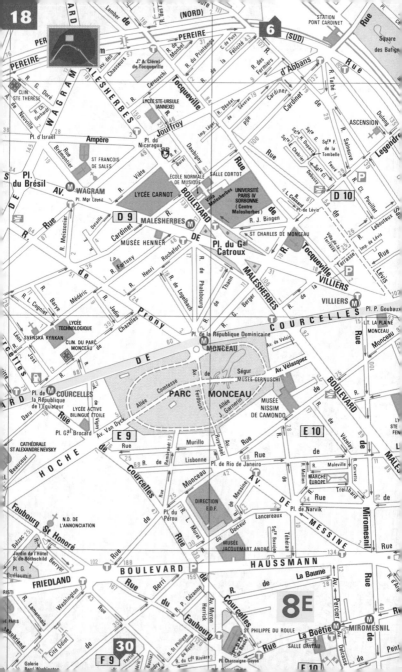

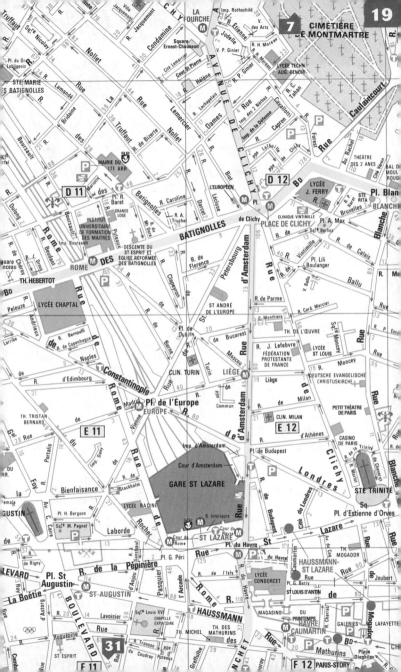

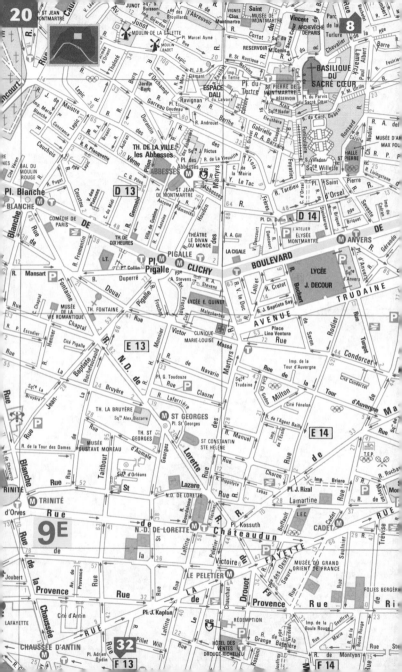

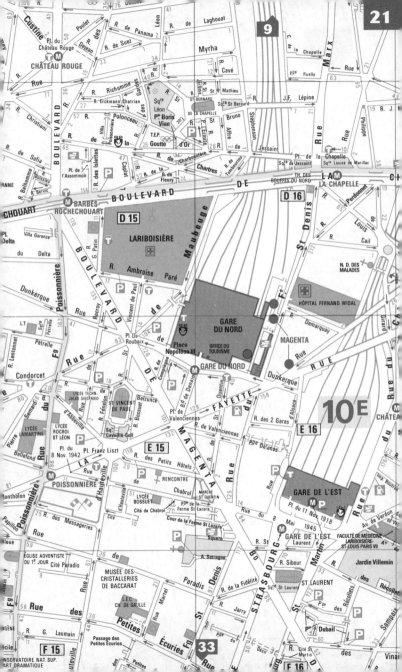

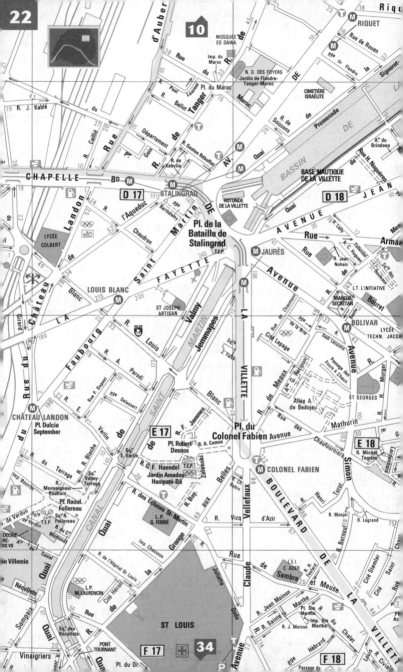

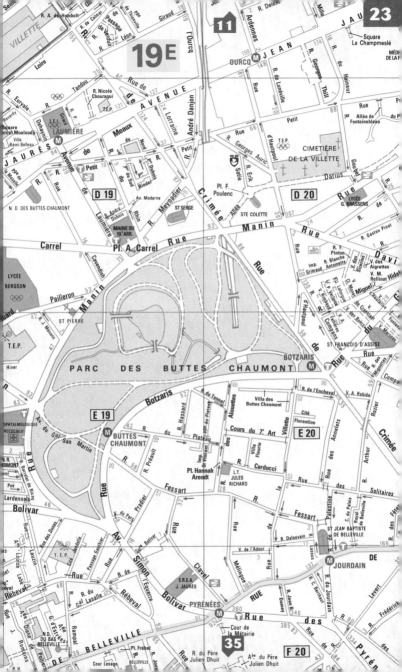

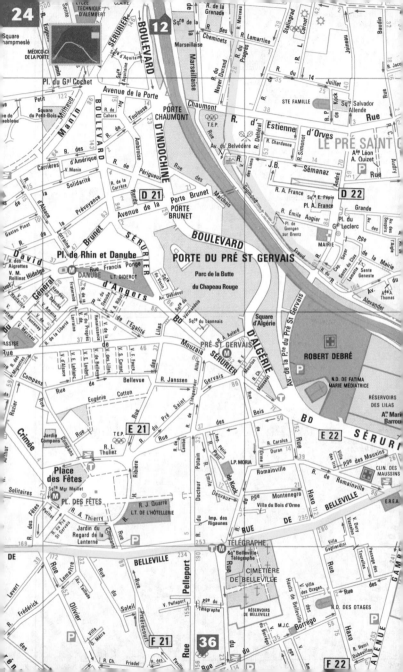

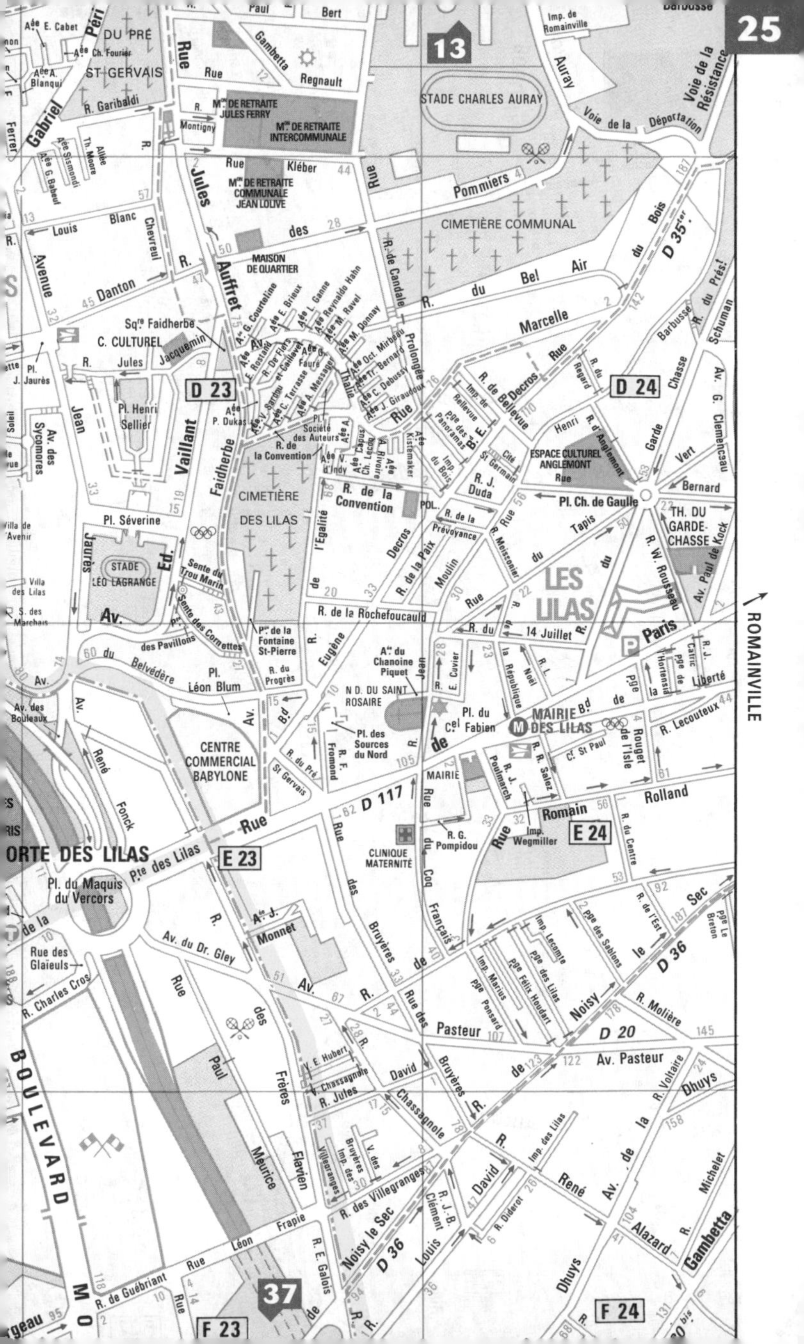

DU PRÉ
ST-GERVAIS

STADE CHARLES AURAY

Voie de la Résistance
Voie de la Déportation

Mon DE RETRAITE
JULES FERRY
Mon DE RETRAITE
INTERCOMMUNALE

Mon DE RETRAITE
COMMUNALE
JEAN LOLIVE

CIMETIÈRE COMMUNAL

Bel Air

D 35

MAISON
DE QUARTIER

Sqre Faidherbe
C. CULTUREL

D 23

Marcelle

R. de Bellevue

R. de Decros

D 24

ESPACE CULTUREL
ANGLEMONT

Pl. Henri
Sellier

Pl. Ch. de Gaulle

TH. DU
GARDE-
CHASSE

R. de
la Convention

CIMETIÈRE
DES LILAS

R. de la
Convention

Pl. Séverine

STADE
LÉO LAGRANGE

LES
LILAS

R. de la Rochefoucauld

14 Juillet

Paris

CENTRE
COMMERCIAL
BABYLONE

N.D. DU SAINT
ROSAIRE

Pl. des
Sources
du Nord

MAIRIE

MAIRIE
DES LILAS

PORTE DES LILAS

E 23

Rue

D 117

CLINIQUE
MATERNITÉ

Romain

E 24

Rolland

Pl. du Maquis
du Vercors

Av. du Dr. Gley

Monnet

Pasteur

Noisy

D 36

D 20

Av. Pasteur

BOULEVARD

David

Chassagnola

Dhuys

R. des Villegranges

Noisy le Sec
D 36

David

René

Av.

de

la

Dhuys

Gambetta

ROMAINVILLE

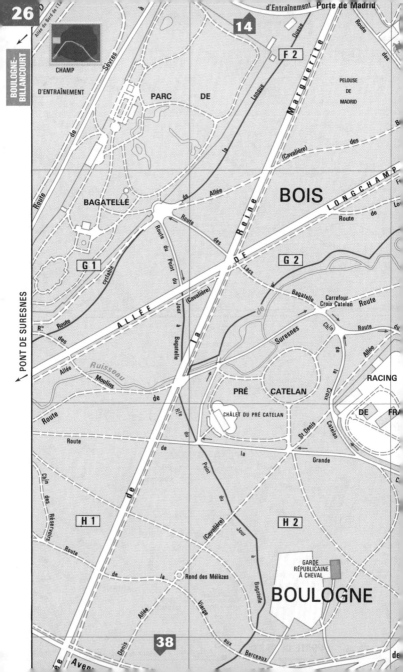

X PIGEONS

F 3

15

l'Étoile

F 4

PORTE DAUPH

ALLÉE

(Cavalière)

des Poteaux

Allée (Cavalière) des

PAVILLON
DAUPHINE

Neuilly

Allée

Ruisseau

Allée

Madrid

d'Armenonv

DE

Sablonneuse

de

Suresnes

rte des Lacs

UNI
PAR
PARIS-D

Bout des Lacs

PAVILLON
ROYAL

Route

de

la

Porte
Dauphine

E.S.I.T

champ

Carrefour du
Bout des Lacs

Sq.te R. Schuman

Av. de

Pologne

Suresnes

St Denis

Maréchal

Sq.re du
G.al Anselin

G 3

Inférieur

Inférieur

INFÉRIEUR

Inférieur

Allée (Cavalière) des Lacs à la

G 4

LANNES

LYCÉE
PASCAL

Avenue

Square
C. Debussy

R.

Square

Lac

Catelan

du

Lac

Chantemesse

du

R. Gérard
Philipe

B.d Flandrin

Boulevard

PELOUSE

Route

de

la

Muette

Av. L. Barthou

BOULEVARD

AVENUE
HENRI MARTIN

**Place
Tattegrain**

R. Adolphe Yvon

HE

CHÂLET DES ÎLES

DE LA MUETTE

Neuilly

Sq.re Alexandre-1er
de Yougoslavie

98

AVENUE

P

R. Gu
Maupass

R.

Augier

LAC

Ceinture

du

Avenue

de

St Cloud

St Cloud

PORTE DE LA MUETTE

**Place de
Colombie**

Rue

115

Sq.re
R. E. Labiche Sandeau

R. E. Fournier

R. G.

Jules

Octav

Feuillet

H 3

Route

des

Dames

Fortifications

Maunoury

R. Ernest
Hébert

H 4

SUCHET

Raphaël

O.C.D.E.

R. André Pascal

Leygues

de Bornier

R. N.

Dehodencq

Octave

Feuillet

O. FEUILLET

R. Verdi

Allée

des

Maréchal

des

Sq.re des Écrivains
Combattants morts
pour la France

R. L. Boilly

**MUSÉE
MARMOTTAN**

Av. Prudhon

O.C.D.E.
Alfred

Sq.re Alfred
Dehodencq

R. Pétrie

R.

Albéric

Magnard

Franqueville

R.

R. Maspéro

R. Conseiller Collignon

Chemin

Rte des

PORTE DE PASSY

39

DU

Av.

JARDIN

Rozier

R. d'Andigné

Avenue du Ranelagh

Chaussée de la

R. d'Ardigné

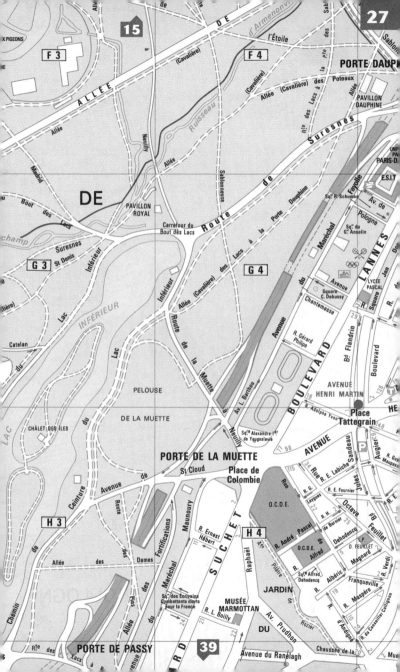

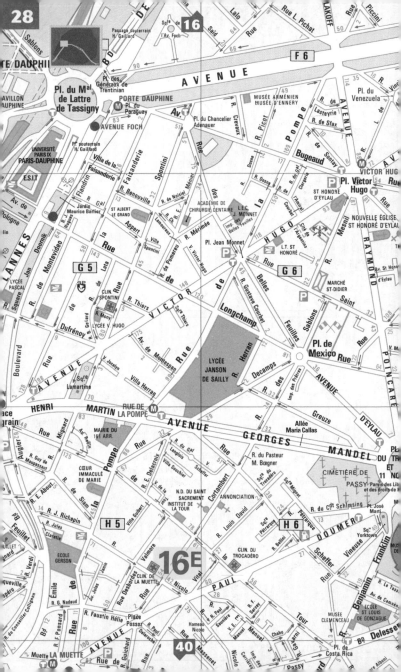

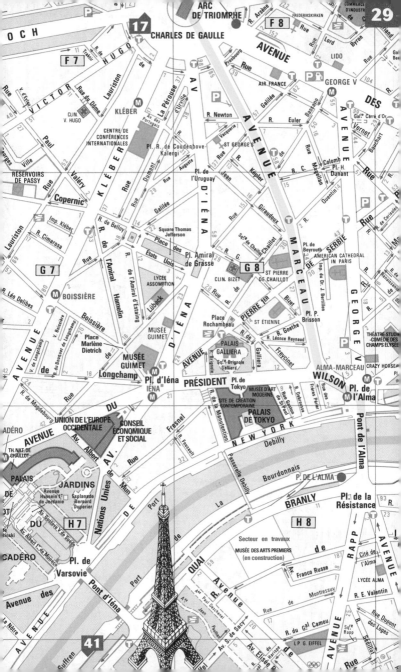

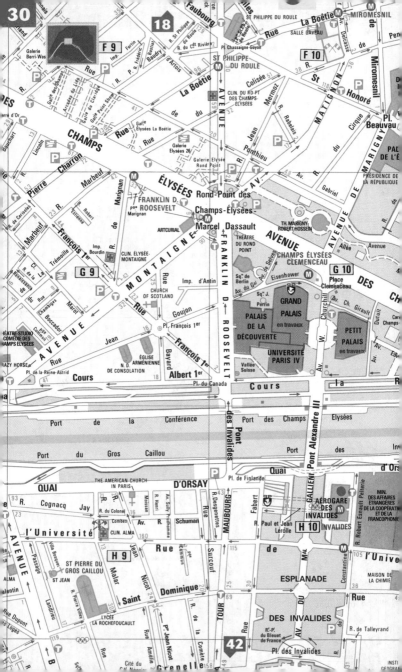

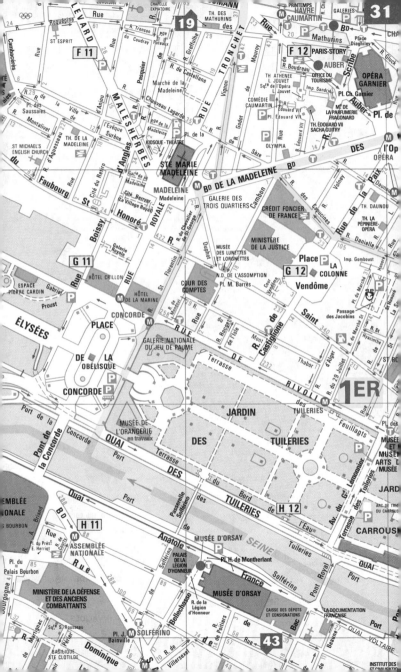

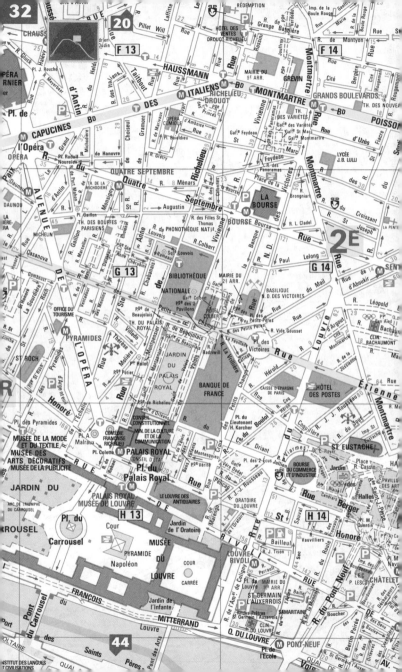

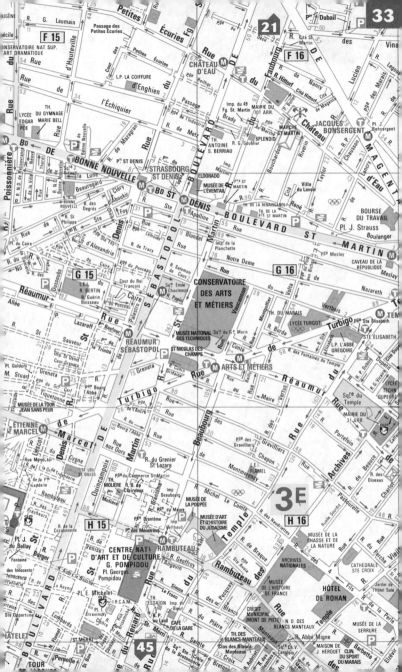

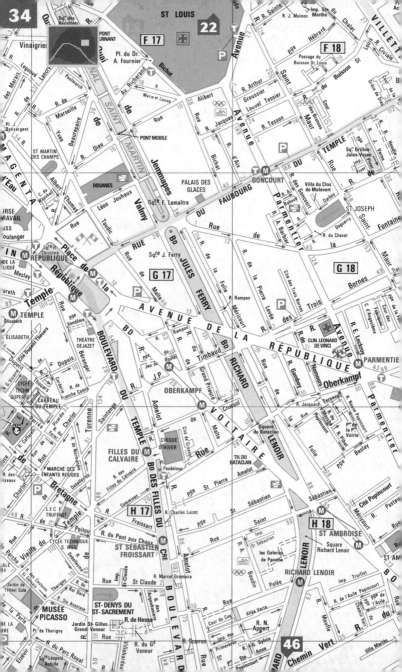

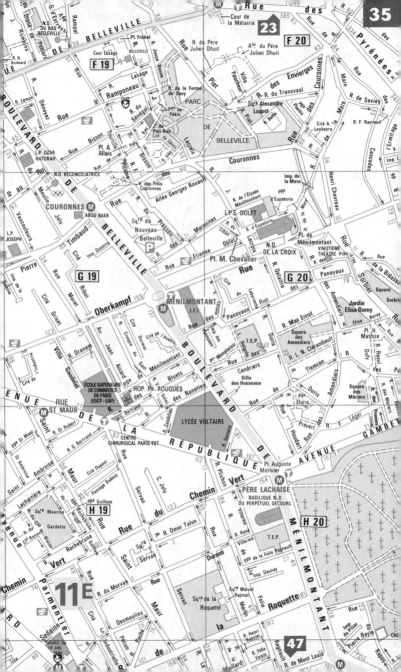

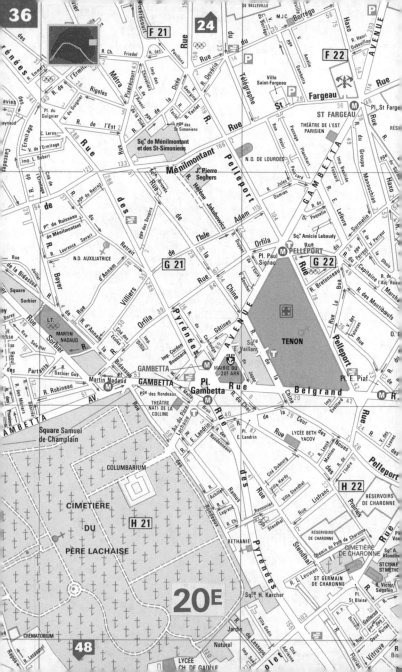

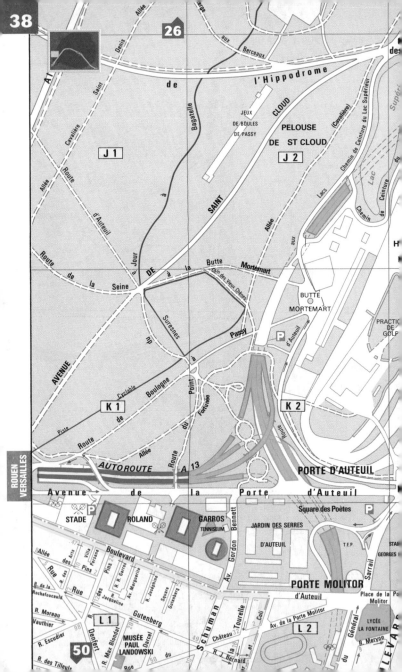

26

Allée

Denis

Saint

aux Berceaux

de:

A1

Cavalière

de

l'Hippodrome

CLOUD

JEUX
DE BOULES
DE PASSY

Bagatelle

PELOUSE

DE ST CLOUD

J 1

SAINT

J 2

(Cavalière)

Lac Supérieur

Allée

Jour

à

Route

d'Auteuil

DE

aux

Allée

Lacs

Chemin de Ceinture du Lac Supérieur

H

Chemin

de

Ceinture

Route

de

la

Seine

à

la

Butte

Mortemart

Chin des Vieux Chênes

BUTTE

MORTEMART

PRACTIC
DE
GOLF

Suresnes

Passy

P

d'Auteuil

AVENUE

np

Boulogne

Point

a

K 2

Cyclable

K 1

de

du

Fortunée

Route

Piste

Route

Allée

Route

A 13

AUTOROUTE

PORTE D'AUTEUIL

Avenue

de

la

Porte

d'Auteuil

Square des Poètes

P

P

STADE

ROLAND

GARROS

TENNISEUM

JARDIN DES SERRES

D'AUTEUIL

T.E.P.

STAI
GEORGES

Bennett

Allée

des Arts

Villa
Pierrard

Pins

Boulevard

Pins

Rue

R. Gerres

Av. Marguerite

Square
Gutenberg

Gordon

Av. Josephine

Sarrail

Rue

des

Rue

R. R.

Av. Jacqueline

PORTE MOLITOR

B. de la
Rochefoucauld

L 1

Av.

R. Max Blondat

Gutenberg

Château

Tourelle

Coll

d'Auteuil

Av. de la Porte Molitor

Place de la Po
Molitor

L 2

R. Moreau

Vauthier

R. Escudier

MUSÉE
PAUL
LANDOWSKI

Denfert

Darcel

du

Général

LYCÉE
LA FONTAINE

R. Meryon

R. des Tilleuls

50

R. J. Bernard

LEVARD

du

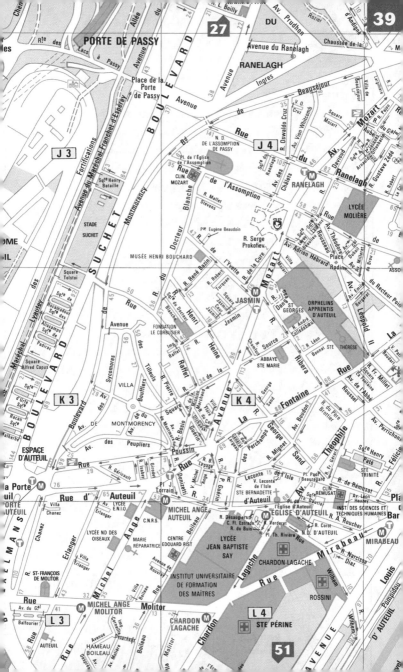

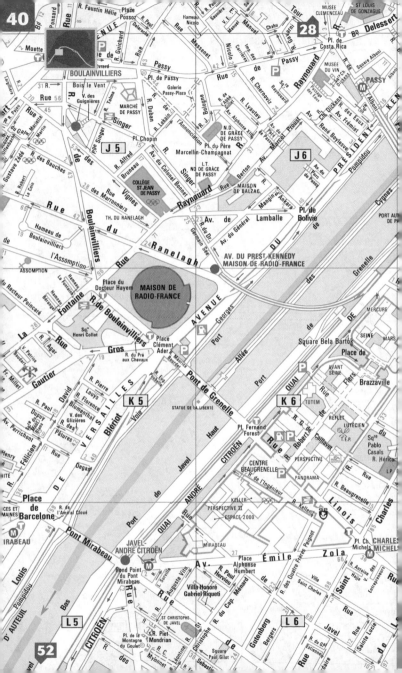

29

TOUR EIFFEL

CHAMP DE MARS
TOUR EIFFEL

STADE
ÉMILE ANTHOINE

J 7

Place
de Sydney

Pl.
de Kyoto

Rue Jean
Pierre-Bloch

Pl. A.
Sauvy

DIRECTION
JOURNAUX
OFFICIELS

BIR HAKEIM

BOULEVARD

Pl. des Martyrs Juifs
du Vélodrome d'Hiver
T.E.P.

Cité
Morieux

R. George
Bernard Shaw

R. Leroi
Gourhan
Daniel

Pl.
Marcel Cerdan

DUPLEIX

Place
Dupleix

K 7

Rouelle

MUSÉE
KWOK ON

N.D. DE GRACE

LYCÉE
TECHNIQUE
ROGER VERLOMME

LYCÉE
ACTIVITÉ BILINGUE

Pl.
A. Dreyfus

Émile

15E

Violet

COMMERCE

Place du
Commerce

Place
Violet

L 7

Square
Violet

ST JEAN BAPTISTE

PARC

DU

CHAMP

Pl. du
Général
Gouraud

Pl. Jacques
Rueff

J 8

DE

MARS

Avenue Charles Risler

SUFFREN

Fédération

Dupleix

ST LÉON

VILLAGE
SUISSE

K 8

LA MOTTE PICQUET
GRENELLE

FOYER
DE GRENELLE

GRENELLE

FRÉMICOURT

Place
Cambronne

AV. ÉMILE ZOLA

Fondary

Théâtre

Croix

Nivert

L 8

53

T.E.P.

Mademoiselle

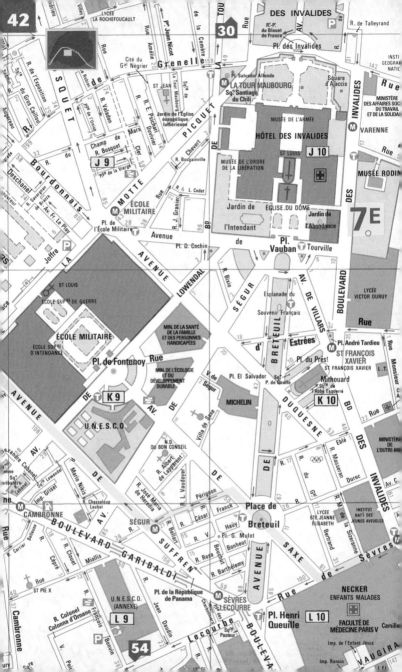

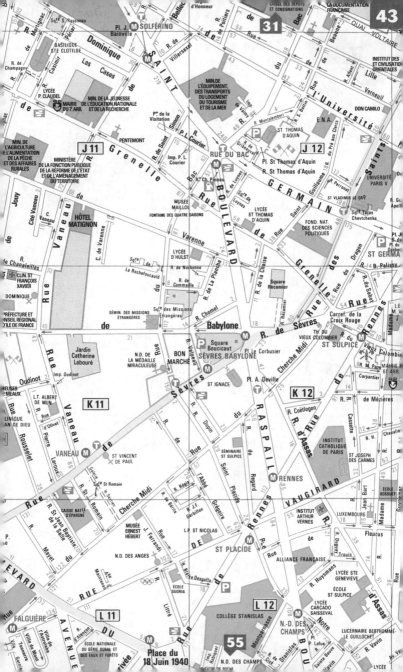

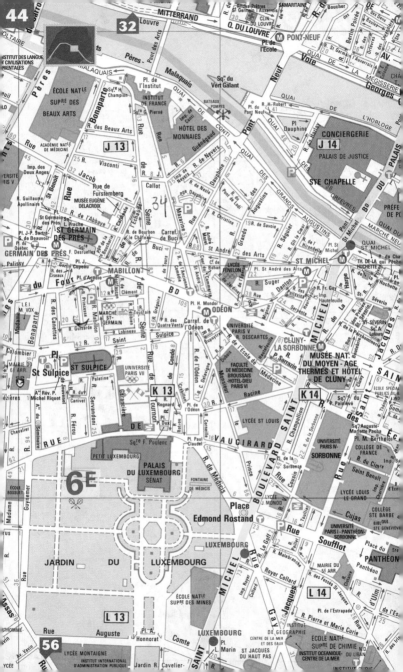

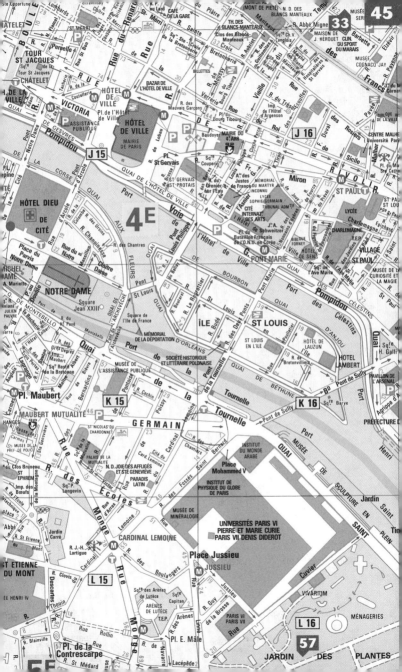

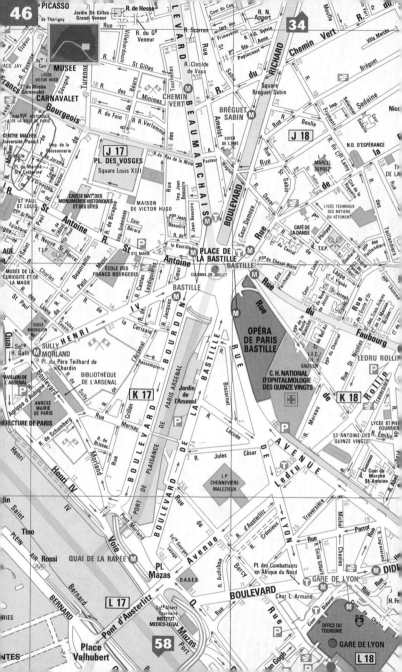

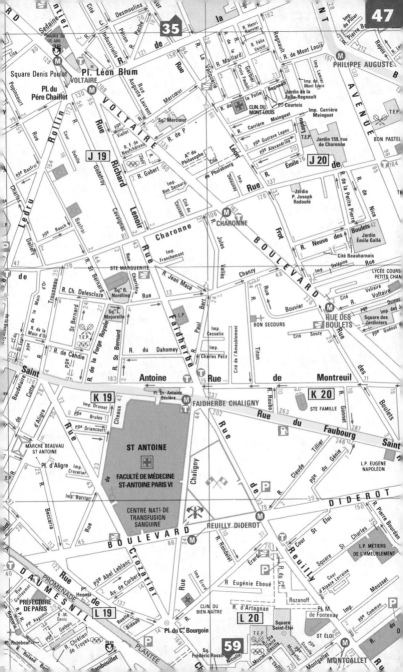

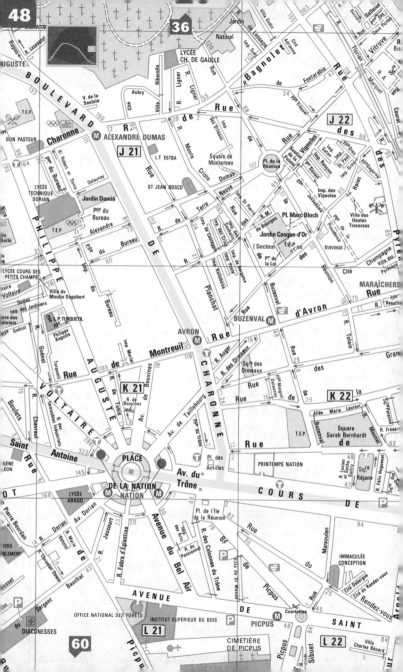

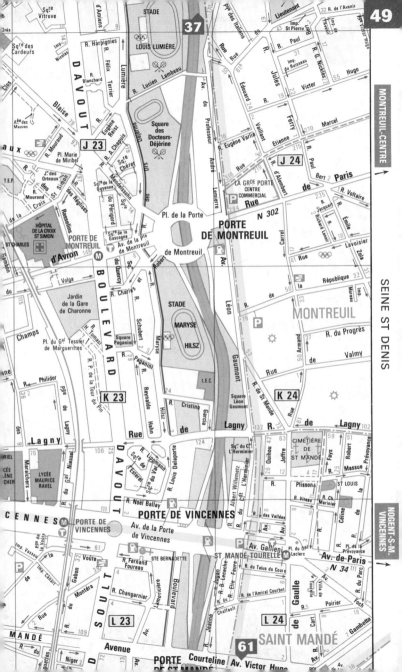

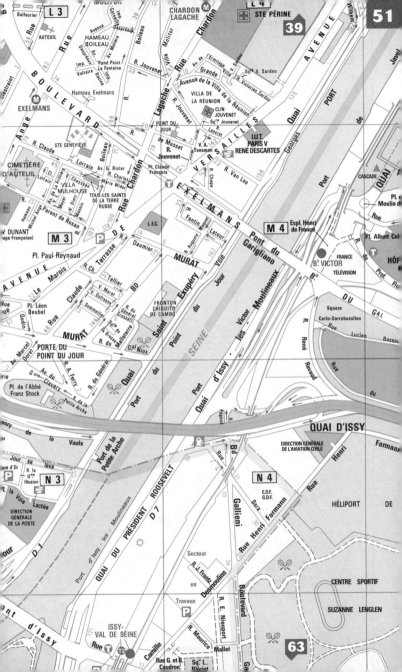

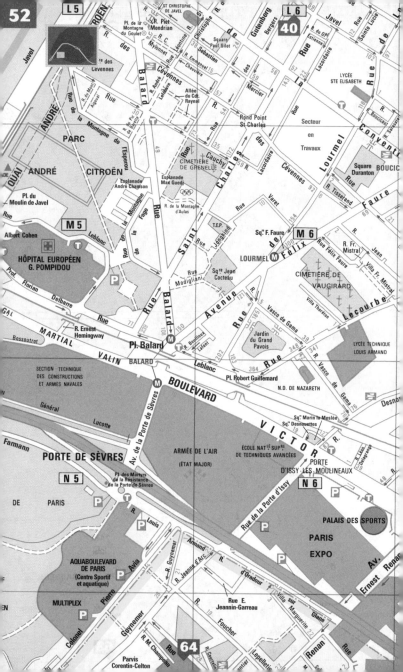

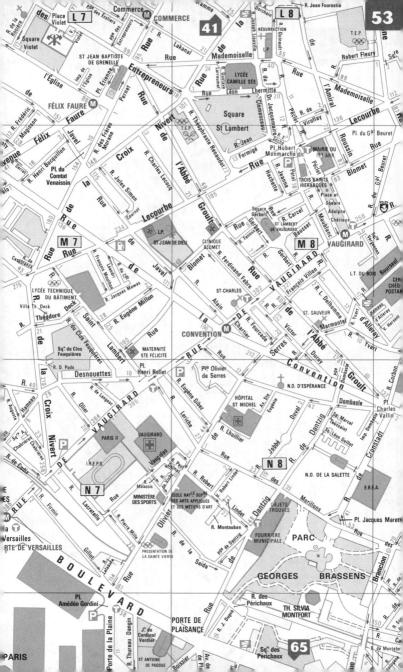

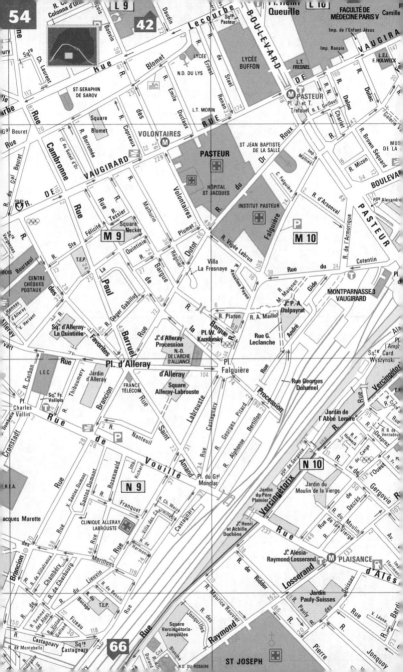

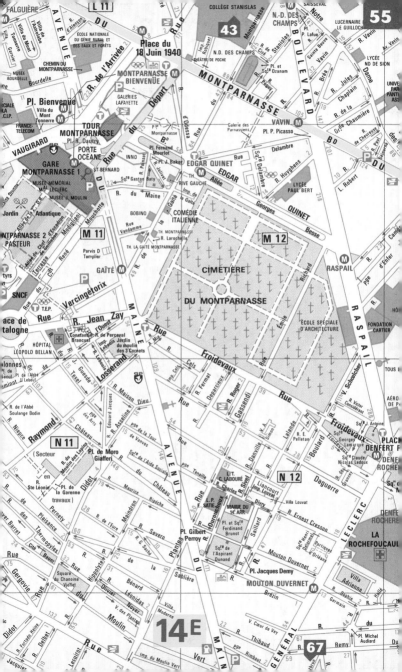

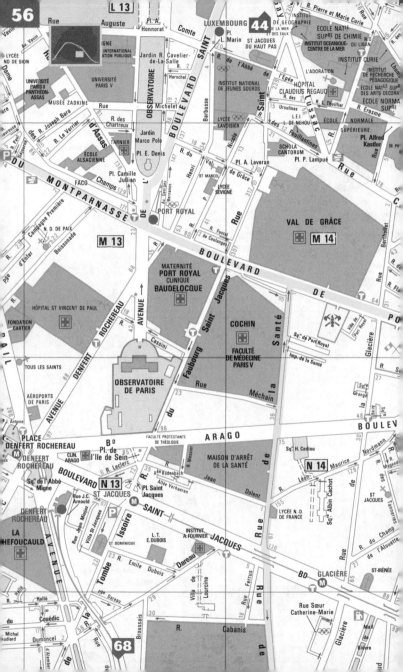

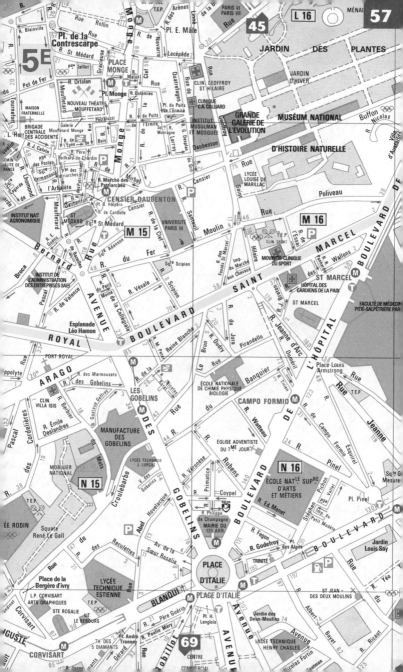

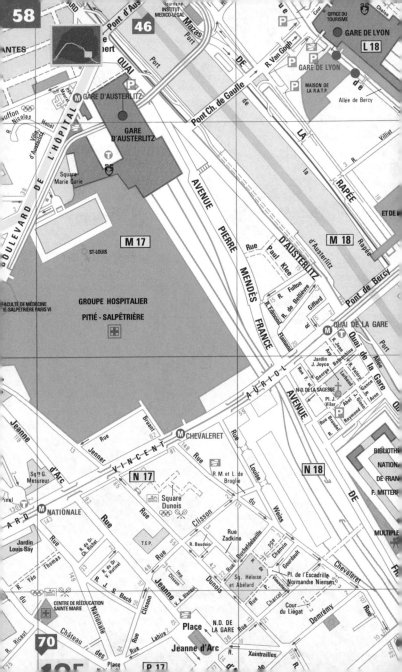

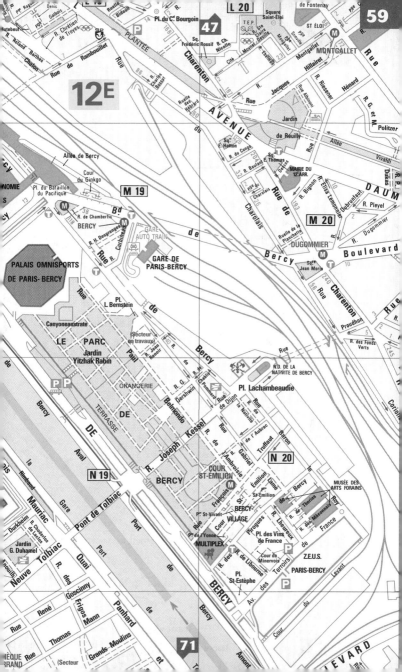

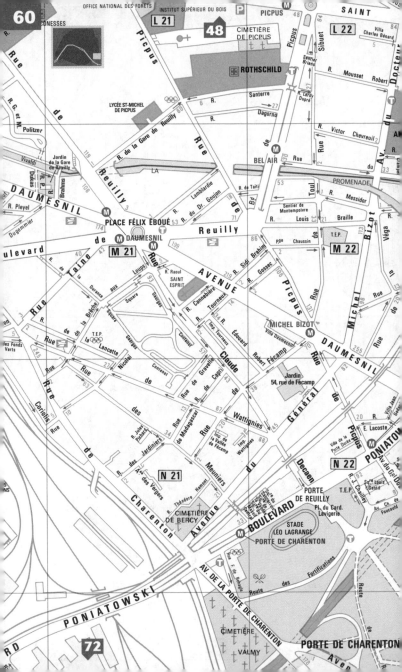

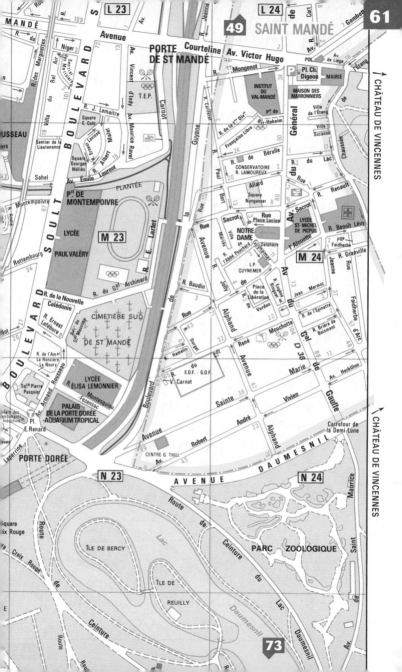

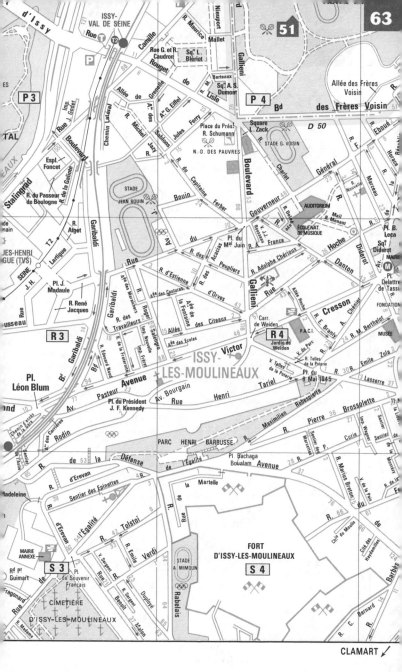

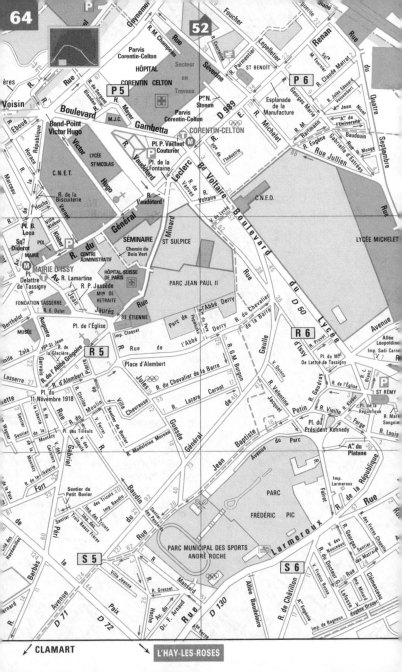

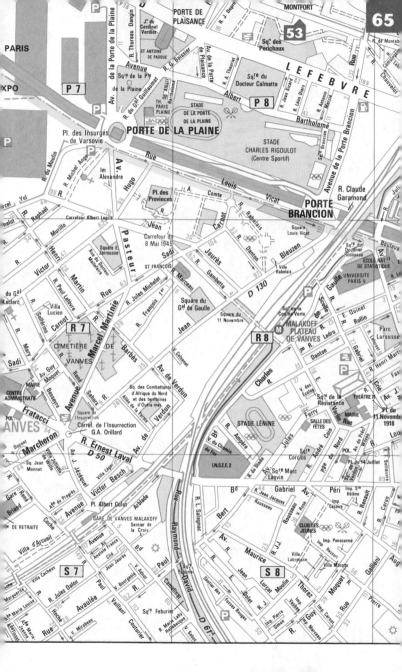

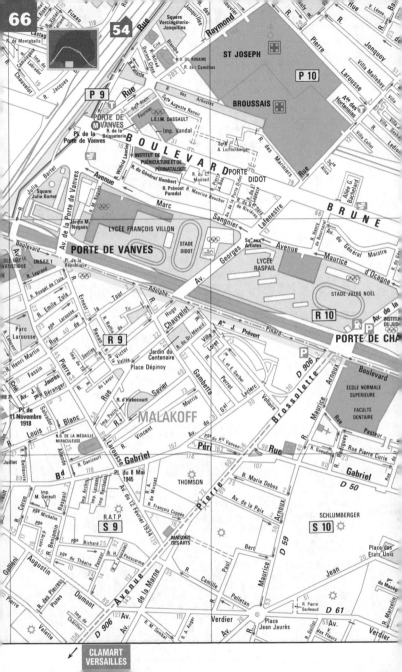

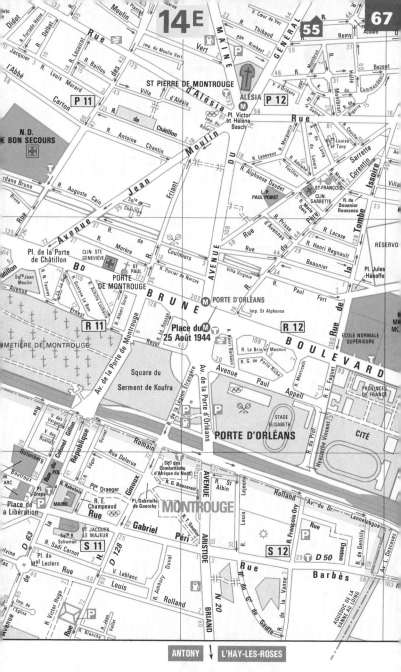

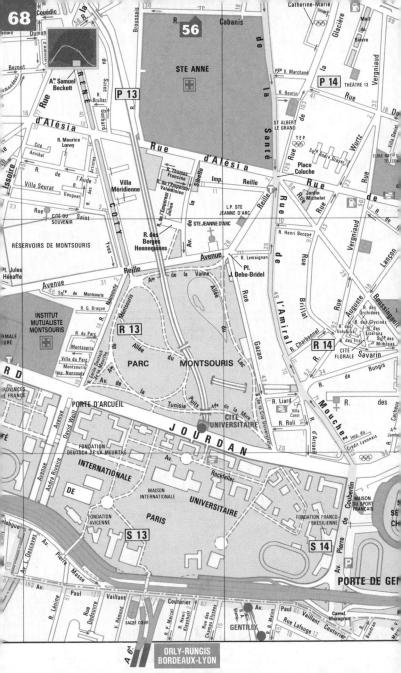

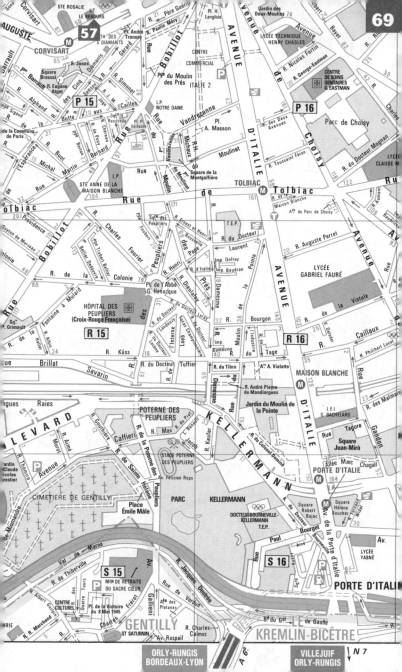

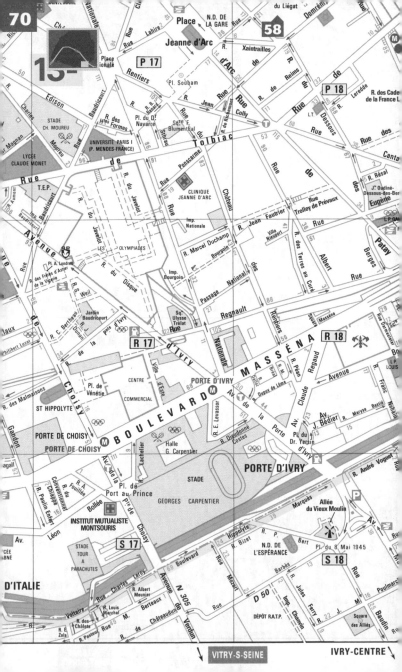

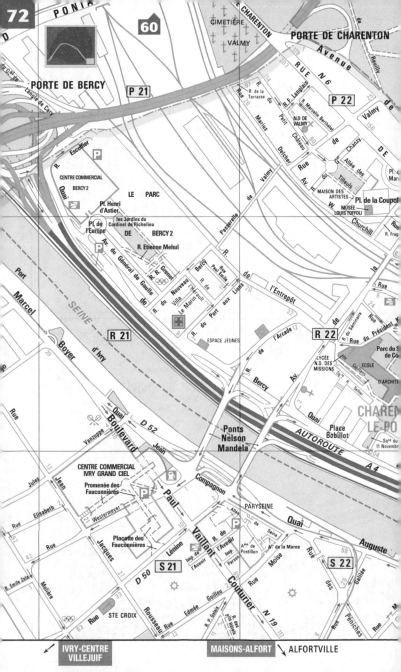

PONI

CIMETIÈRE

VALMY

PORTE DE CHARENTON

Avenue

RUE N 6

de

PORTE DE BERCY

P 21

R. de la Terrasse

R.F. Langlais

R. Marcellin Berthelot

P 22

Valmy

DE

R. Escoffier

N.D. DE VALMY

Quai

CENTRE COMMERCIAL
BERCY 2

LE PARC

Pl. Henri d'Astier

Pl. de l'Europe

les Jardins du Cardinal de Richelieu

DE BERCY 2

Allée des Tilleuls

MAISON DES ARTISTES

MUSÉE LOUIS TOFFOLI

Pl. de la Coupol

Pl. c Mari

R. Etienne Mehul

Passerelle

R. Frag

Churchill

R 21

Av. du Général de Gaulle

de

SEINE

Port

Marcel

Boyer

d'Ivry

Rue Grenet

Villa Le Marin

R. du

Nouveau l'Hérault

R. de

Port aux Lions

R. de

l'Entrepôt

de

Rue

Rue

R 22

R. du Séminaire

R. du Président

Rue

ESPACE JEUNES

R. de l'Arcade

de

R. Bercy

LYCÉE N.D. DES MISSIONS

Parc du S de Co

ECOLE

D'ARCHITE

Quai

Boulevard

Jean

D 52

Ponts Nelson Mandela

Av.

Quai

AUTOROUTE

Place Bobillot

A 4

CHAREN LE-PO

Sq. du 11 Novemb 2004

CENTRE COMMERCIAL IVRY GRAND CIEL

Promenée des Fauconnières

Jules

Jean

Westermeyer

Placette des Fauconnières

Jacques

Compagnon

PARYSEINE

Paul

Vaillant

Allée de la Seine

Quai

Auguste

Rue

Moïse

S 22

R. de l'Avenir

A** de Postillon

A** de la Marne

Elisabeth

Rue

Lénine

Imp. de l'Avenir

S 21

D 50

Rousseau

Rue

Couturier

N 19

R. Emile Zola

Molière

Rue

STE CROIX

Edmée

Guillou

Rue

Galilée

des

Péniches

Rue

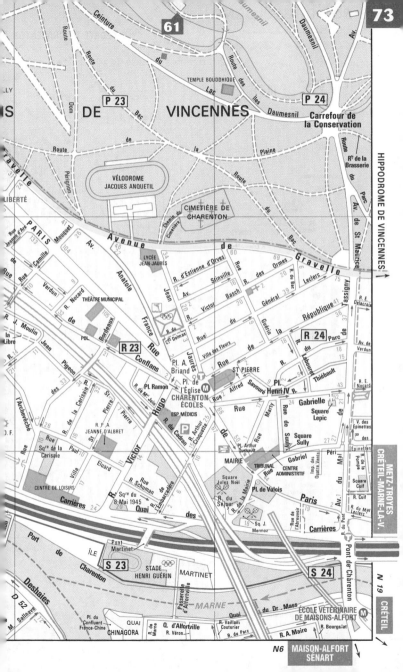

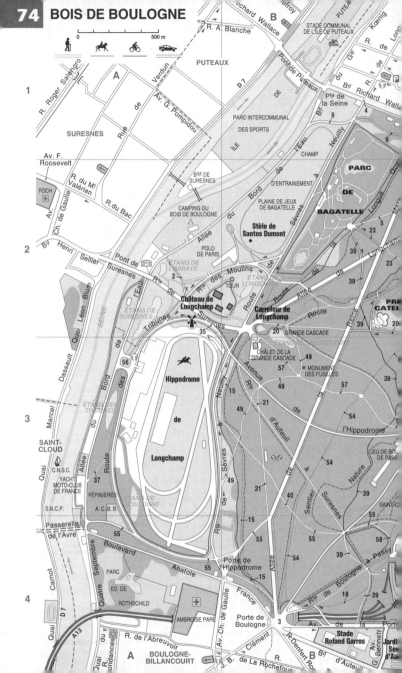

PUTEAUX

STADE COMMUNAL
DE L'ÎLE DE PUTEAUX

R. A. Blanche

R. Roger Salengro

SURESNES

Av. F. Roosevelt

FOCH

PARC INTERCOMMUNAL
DES SPORTS

Pte de
la Seine

CHAMP

PARC

DE

BAGATELLE

B^GE DE SURESNES

CAMPING DU
BOIS DE BOULOGNE

D'ENTRAINEMENT

PLAINE DE JEUX
DE BAGATELLE

Bd Henri Sellier

Pont de Suresnes

POLO
DE PARIS

Stèle de
Santos Dumont

ÉTANG DE
L'ABBAYE

Rte des Moulins

Château de
Longchamp

ÉTANG
LONGCHAMP

TOUR

Carrefour de
Longchamp

GRANDE CASCADE

ÉTANG DE
SURESNES

Tribunes

CHALET DE LA
GRANDE CASCADE

MONUMENT
DES FUSILLÉS

SEINE

Hippodrome

de

Longchamp

ÉTANG DES
TRIBUNES

SAINT-
CLOUD

C.N.S.C.

YACHT
MOTO-CLUB
DE FRANCE

S.N.C.P.

PÉPINIÈRES
A.C.B.B.

ÉTANG DE
BOULOGNE

JEU DE BOU
DE PASS

Passerelle
de l'Avre

Boulevard

PARC
ED. DE
ROTHSCHILD

Anatole

Porte de
l'Hippodrome

Septembre

Quatre

AMBROISE PARE

Porte de
Boulogne

Av. Ch. de Gaulle

France

Clément

Quai

A13

R. de l'Abreuvoir

BOULOGNE-
BILLANCOURT

R. de La Rochefou

d'Auteuil

Stade
Roland Garros

Jardi
Ser
d'Au

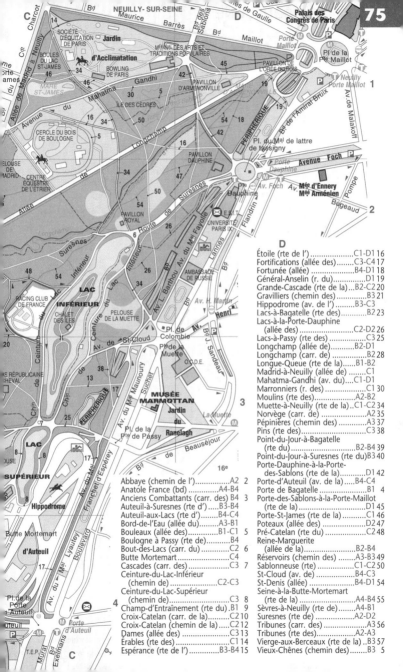

D

Étoile (rte de l') C1-D1 16
Fortifications (allée des)........C3-C4 17
Fortunée (allée) B4-D1 18
Général-Anselin (r. du)..............D1 19
Grande-Cascade (rte de la)....B2-C2 20
Gravilliers (chemin des) B3 21
Hippodrome (av. de l') B3-C3
Lacs-à-Bagatelle (rte des)..........B2 23
Lacs-à-la-Porte-Dauphine
  (allée des) C2-D2 26
Lacs-à-Passy (rte des)..............C3 25
Longchamp (allée de)............B2-D1
Longchamp (carr. de) B2 28
Longue-Queue (rte de la).......B1-B2
Madrid-à-Neuilly (allée de) C1
Mahatma-Gandhi (av. du)....C1-D1
Marronniers (r. des)..................C1 30
Moulins (rte des).....................A2-B2
Muette-à-Neuilly (rte de la)..C1-C2 34
Norvège (carr. de) A2 35
Pépinières (chemin des) A3 37
Pins (rte des)............................C3 38
Point-du-Jour-à-Bagatelle
  (rte du)............................B2-B4 39
Point-du-Jour-à-Suresnes (rte du)B3 40
Porte-Dauphine-à-la-Porte-
  des-Sablons (rte de la).........D1 42
Porte-d'Auteuil (av. de la) B4-C4
Porte de Bagatelle B1 4
Porte-des-Sablons-à-la-Porte-Maillot
  (rte de la)..........................D1 45
Porte-St-James (rte de la) C1 46
Poteaux (allée des)..................D2 47
Pré-Catelan (rte du) C2 48
Reine-Marguerite
  (allée de la).......................B2-B4
Réservoirs (chemin des) A3-B3 49
Sablonneuse (rte) C1-C2 50
St-Cloud (av. de) B4-C3
St-Denis (allée) B4-D1 54
Seine-à-la-Butte-Mortemart
  (rte de la) A4-B4 55
Sèvres-à-Neuilly (rte de) A4-B1
Suresnes (rte de) A2-D2
Tribunes (carr. des) A3 56
Tribunes (rte des) A2-A3
Vierge-aux-Berceaux (rte de la) .B3 57
Vieux-Chênes (chemin des)......B3 5

Abbaye (chemin de l') A2 2
Anatole France (bd) A4-B4
Anciens Combattants (carr. des) B4 3
Auteuil-à-Suresnes (rte d') B3-B4
Auteuil-aux-Lacs (rte d')........B4-C4
Bord-de-l'Eau (allée du)........A3-B1
Bouleaux (allée des)..............B1-C1 5
Boulogne à Passy (rte de)...........B4
Bout-des-Lacs (carr. du) C2 6
Butte Mortemart C4
Cascades (rte des) C3 7
Ceinture-du-Lac-Inférieur
  (chemin de) C2-C3
Ceinture-du-Lac-Supérieur
  (chemin de)...........................C3 8
Champ-d'Entraînement (rte du).B1 9
Croix-Catelan (carr. de la).......C2 10
Croix-Catelan (chemin de la) C2 12
Dames (allée des) C3 13
Érables (rte des) C1 14
Espérance (rte de l')............B3-B4 15

A

Aimable (rte) B1-B2	2
Asile-National (rte de l') B1-B2	3
Bac (rte du) A2-B2	4
Barrières (rte des) C2	
Batteries (rte des) B5	5
Beauté (carr. de) D2	6
Bel-Air (av. du) B1	
Belle-Étoile (rd-pt de la) C2	7
Belle-Étoile (rte de la) C2	8
Belle-Gabrielle (av. de la) D1-D2	
Bosquet-Mortemart (rte du) D2	
Bosquets (rte des) D1	10
Bourbon (rte de) C1-C2	
Brasserie (rte de la) B2	11
Brûlée (rte) B1	12
Buttes (allée des) B2	

A

Camp-de-Saint-Maur (rte du) D1	13
Canadiens (av. des) D2	14
Cascade (rte de la) D1	15
Ceinture-du-Lac-Daumesnil	
(rte de la) A1-B2	
Champ-de-Manœuvre (rte du) C1	
Chênes (rte des) D1	17
Circulaire (rte) D1	
Conservation (carr. de la) B2	18
Croix-Rouge (rte de la) A1	19
Dame-Blanche (av. de la) C1-D1	20
Dame-Blanche (rte de la) D2	22
Dames (rte des) C1-D1	23
Daumesnil (av.) B1	
Dauphine (rd-pt) C1	24
Dauphine (rte) C1-C2	

B

Demi-Lune (carr. de la) B1	25
Demi-Lune (rte de la) C2	
Donjon (rte du) C1	27
École-de-Joinville (av. de l') D2	28
Épine (rte de l') B1	29
Esplanade (rte de l') B1	30
Étang (chaussée de l') B1	31
Étang (rte de l') B1	32
Faluère (rte de la) C1	
Ferme (rte de la) C2-D2	
Ferme-de-la-Faisanderie	
(carr. de la) D2	33
Fontenay (av. de) D1	
Fort-de-Gravelle (rte du) D2	34
Fortifications (rte des) A1-A2	35
Gerbe (rte de la) C2	36

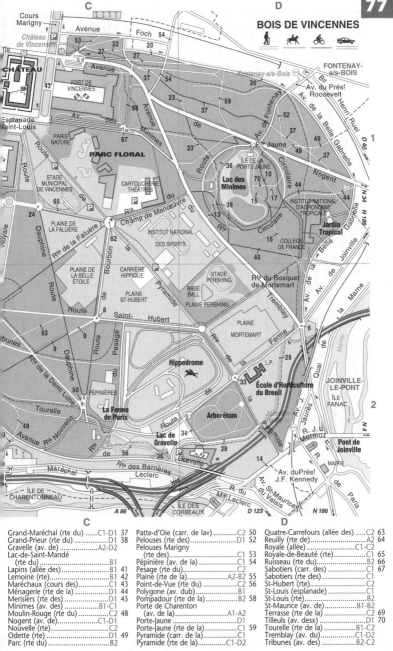

BOIS DE VINCENNES

Grand-Maréchal (rte du) C1-D1 37
Grand-Prieur (rte du) D1 38
Gravelle (av. de) A2-D2
Lac-de-Saint-Mandé
(rte du) B1
Lapins (allée des) B1 41
Lemoine (rte) B1 42
Maréchaux (cours des) C1 43
Ménagerie (rte de la) D1 44
Merisiers (rte des) D1 45
Minimes (av. des) B1-C1
Moulin-Rouge (rte du) C2 48
Nogent (av. de) C1-D1
Nouvelle (rte) C2
Odette (rte) D1 49
Parc (rte du) B2

Patte-d'Oie (carr. de lav) C2 50
Pelouses (rte des) D1 52
Pelouses Marigny
(rte des) C1 53
Pépinière (av. de la) C1 54
Pesage (rte du) C2
Plaine (rte de la) A2-B2 55
Point-de-Vue (rte du) C2 56
Polygone (av. dub) B1
Pompadour (rte de la) B2 58
Porte de Charenton
(av. de la) A1-A2
Porte-Jaune D1
Porte-Jaune (rte de la) C1 59
Pyramide (carr. de la) C1
Pyramide (rte de la) C1-D2

Quatre-Carrefours (allée des) C2 63
Reuilly (rte de) A2 64
Royale (allée) C1-C2
Royale-de-Beauté (rte) C1 65
Ruisseau (rte des) B2 66
Sabotiers (carr. des) C1 67
Sabotiers (rte des) C1
St-Hubert (esplanade) C2
St-Louis (esplanade) C1
St-Louis (rte) B2
St-Maurice (av. de) B1-B2
Terrasse (rte de la) C2 69
Tilleuls (av. desx) D1 70
Tourelle (rte de la) B1-C2
Tremblay (av. du) C1-D2
Tribunes (av. des) B2-C2

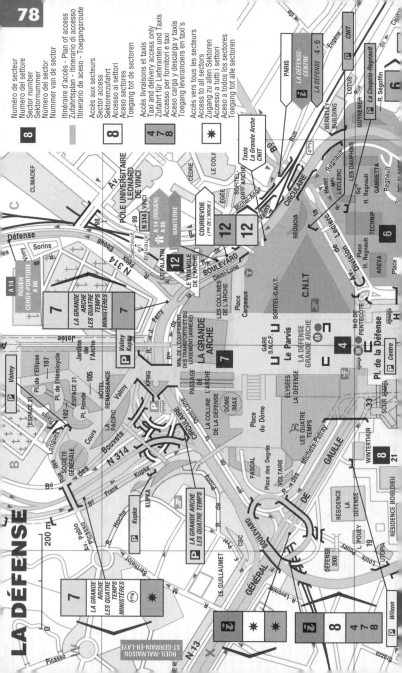

LA DEFENSE

Parkings – Parkplatz – Parcheggio Aparcamiento – Parkeerplaats

1	Boieldieu		**10**	Les Saisons
2	Corolles		**11**	Valmy
3	La Coupole-Regnault		**12**	Villon
5	La Grande Arche-Les Quatre Temps		**13**	Wilson
6	Iris		**14**	Parking Privé
7	Michelet		**15**	CNIT
9	Les Reflets		**17**	Centre

Index – Register – Indice – Índice – Register

	Secteur	Repère	**P**
Acacia immeuble	**10**	BZ	**7**
AGF-Athéna immeuble	**10**	BZ	**7**
AGF-Neptune tour	**1**	CZ	**10**
A.I.G. tour	**2**	CY	**2**
Albert-Gleizes av.	**6**	CY	
Alsace av. d'	**3**	CZ	
Ampère immeuble	**6**	CY	**3**
Ancre résidence de l'	**1**	CZ	**10**
Ancre voie de l' = 6	**1**	CZ	**10**
André-Prothin av. = 82	**4**	CY	**17**
Arche jardin de l'	**7**	BW-BX	**5**
Arche pass. de l'	**7**	BX	**5**
Ariane tour	**9**	BY	**12**
Atlantique tour	**9**	BY	**12**
Atofina immeuble	**10**	BZ	**7**
Aurore tour	**2**	CY	**3**
Axa tour	**1**	CZ	**10**
Balzac immeuble	**5**	CY	**14**
Bellini immeuble	**11**	BZ	
Bellini r.	**11**	BZ	
Bellini terrasse	**11**	BZ	**14**
Berkeley building	**6**	DX	
Boieldieu jardins = 19	**8**	BY	**1**
Boieldieu pass. = 33	**8**	BY	**1**
Boieldieu résidence	**8**	BY	**1**
Boieldieu terrasse = 21	**8**	BY	**1**
Bouvets bd des		BW-BX	
Carpeaux pl.	**6**	CX	**15**
CBC immeuble		BX	
Le Cèdre immeuble		CX	
Charras quartier		DY-DZ	
Circulaire bd		BX-CY	
C.N.I.T.	**6**	CX	**15**
Cœur Défense	**4**	CY	
Coface immeuble	**10**	BZ	**7**
Le Colisée immeuble		CX	
La Colline de la Défense	**12**	BX	**5**
Les Collines de l'Arche	**12**	CX	**5**
Corolles pl. des	**2**	CY	**2**

	Secteur	Repère	**P**
Corolles sq. des = 37	**2**	CY	**2**
Coupole pl. de la	**6**	CY	**3**
Crédit-Lyonnais tour	**9**	BY	**12**
Damiers galeries des = 22	**1**	CZ	**10**
Damiers-d'Anjou	**1**	CZ	**10**
Damiers-de-Bretagne	**1**	CZ	**10**
Damiers-de-Champagne	**1**	CZ	**10**
Damiers-du-Dauphiné	**1**	CZ	**10**
Dauphins résidence les	**6**	CX-CY	**3**
Défense pl. de la	**4**	BY-CY	
Défense résidence la	**8**	BX-BY	**1**
Défense 2000 tour	**8**	AX	**1**
Degrés pl. des	**7**	BX	**5**
Delalande immeuble	**6**	CY	**3**
Delarivière-Lefoullon r. = 16	**9**	BY	
Demi-Lune route de la	**7**	BX-CX	
Descartes tour	**5**	CY	**14**
Le Diamant immeuble		BY	
Diderot cours = 23	**5**	CY	**14**
Diderot parc		CZ	
Division-Leclerc av. de la		CX	
Dôme pl. du	**7**	BX	**5**
Dôme Imax	**7**	BX	**5**
Dominos pl. des = 17	**1**	CZ	**10**
EDF-GDF tour	**4**	BY	
Egée immeuble		CX	
Ellipse pl. de l'	**7**	BW	**11**
Élysées-la-Défense	**7**	BX	**5**
Espace 21 immeuble	**7**	BW	**11**
Essling r. d'	**5**	DY	
Europe tour	**2**	CY	**2**
Europlaza tour	**4**	CY	**14**
Ève tour	**9**	BY	**12**
Faubourg de l'Arche quartier		CX	
La Fayette immeuble	**5**	CY	**14**
Framatome tour	**6**	CY	**3**
France-Telecom immeuble	**2**	CY	**2**
Frank-Kupka bd		BX	
Franklin pass. = 8	**8**	BY	**2**

	Secteur	Repère	P
Franklin tour	8	BY	2
Le Galion immeuble		BZ	
Gallieni résidence	9	BY	14
Gallieni sq.	9	BY	12
Gambetta av.		CY-DY	
Gambetta tour	6	CY	3
GAN tour	2	CZ	6
Général-Audran r. du	1	CZ	10
Général-de-Gaulle av. du		AX-BX	
Général-de-Gaulle esplanade du		BY-BZ	
La Grande-Arche	7	BX-CX	5
Le Guillaumet immeuble		AX	
Le Guynemer immeuble	6	DY	
Harmonie-Cartel résidence	1	CZ	10
Haworth immeuble	2	CY	9
Hémicycle pl. de l'	7	BW	11
Henri-Regnault pl.	6	CY	3
Henri-Regnault r.	6	CY	
Henri-Regnault sq.	6	CY	3
Ibis-Novotel hôtel	1	CZ	10
Ile-de-France immeuble	9	BY	12
Iris immeuble	2	CZ	6
Iris pl. de l'	2	CZ	6
Iris terrasse de l' = 29	2	CZ	6
Jacques-Villon r.	9	BY	
Jean-Monnet immeuble	5	CY	14
Jean-Moulin av.		AY-BY	
Jules-Ferry r.		BX-CX	
KPMG immeuble	7	BX	11
Kupka immeubles	7	BX	14
Kvaerner tour	3	CZ	6
Lavoisier immeuble	5	CY	14
Léonard de Vinci pôle universitaire		CX	
Le Linéa immeuble		BY	
Lorraine résidence	2	CY	2
Lotus immeuble	6	DX	
Louis-Blanc r.		CZ-DZ	
Louis-Pouey r.	8	AX-BX	
Louis-Pouey résidence	8	BY	1
Manhattan tour	2	CZ	6
Manhattan-Square résidence	2	CZ	9
Maréchal-Leclerc résidence	6	CX	3
Michelet cours	10	BZ	7
Le Michelet immeuble	10	BZ	7
Michelet r.		BY	
Michets-Petray r. des	7	BX	
Millénaire parc du		DX	
Minerve immeuble		BZ	
Les Miroirs tours	3	CZ	14
Monge immeuble	5	CY	
Neuilly bd de		CZ	
Neuilly-Defense résidence	2	CZ	6
Newton immeuble	5	CY	14
Nobel immeuble	11	BZ	14
Orion résidence	1	CZ	10
La Pacific tour	7	BX	11
Le Palatin immeuble	12	CX	
Paradis r.	9	BY	
Le Parvis	4	BX-CX	5
Pascal tour	7	BX	5
Paul-Lafargue r.		AZ-BZ	
Pierre-Gaudin bd		BY-BZ	
Les Platanes résidence	9	BY	12
Pyramide pl. de la = 35	9	BY	12
Les Quatre-Temps	7	BX	5
Reflets patio des = 31	2	CY	9
Reflets pl. des	2	CY	9
Reflets terrasse des = 39	2	CY	9
Renaissance hôtel	7	BX	11
Ronde pl.	7	BW	11
Les Saisons immeuble	1	CZ	10
Saisons pl. des	1	CZ	10
Saisons sq. des = 15	1	CZ	10
Scor immeuble	8	BY	13
Ségoffin r.	6	DY	
Seine pl. de	1	CZ	10
Sequoia tour	6	CX	15
Sirène résidence la	6	CY	3
Société Générale tour	7	BW	11
Sofitel-C.N.I.T hôtel	6	CX	
Sofitel-Défense hôtel	10	BZ	7
Sofitel-Grande Arche immeuble		CX	
Strasbourg r. de	5	CY-DZ	
Sud pl. du	9	BY	12
Technip tour	6	CY	3
Total Fina Elf tour	6	CY	3
Total Fina Elf tour	10	BY	7
Le Triangle de l'Arche	12	CX	
Trois-Places pass. des = 102	7	BW	11
Utopia immeuble	8	AY-BY	1
Valmy cours	7	BW-BX	11
Valmy pass. = 105	7	BW	11
Valmy terrasse = 107	7	BW	11
Veritas immeuble	2	CY	9
Vision 80	2	CY	9
Vivaldi sq.	1	CZ	10
Voltaire tour	7	BX	5
Vosges allée des = 79	5	CY	14
Vosges pl. des	5	CY	14
Le Wilson immeuble		AX	
Winterthur tour	8	BY	1

Index des voies piétonnes souterraines– Index of pedestrian subways
Verzeichnis der unterirdischen Fußwege – Indice dei sottopassaggi pedonali
Indice de vias peatonales en subsuelo – Index van ondergrondse voetgangersstraten

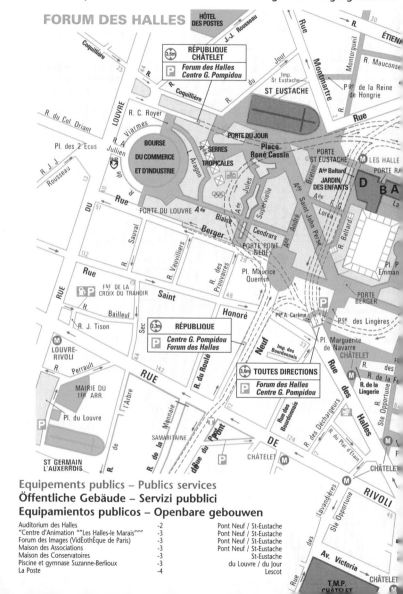

Equipements publics – Publics services
Öffentliche Gebäude – Servizi pubblici
Equipamientos publicos – Openbare gebouwen

Auditorium des Halles	-2	Pont Neuf / St-Eustache
"Centre d'Animation ""Les Halles-le Marais"""	-3	Pont Neuf / St-Eustache
Forum des Images (VidÈothÈque de Paris)	-3	Pont Neuf / St-Eustache
Maison des Associations	-3	Pont Neuf / St-Eustache
Maison des Conservatoires	-3	St-Eustache
Piscine et gymnase Suzanne-Berlioux	-3	du Louvre / du Jour
La Poste	-4	Lescot

	Niveau	Porte
Arc-en-Ciel r. de l'	-3	Berger
Basse pl.	-3	Lescot
Basse r.	-3	Pont Neuf
Bons-Vivants r. des	-3	Rambuteau
Boucle r. de la	-3	Louvre
Brève r.	-3	Lescot
Carrée pl.	-3	Pont Neuf /

	Niveau	Porte
Équerre-d'Argent r. de l'	-3	Rambuteau
Grand-Balcon	-1	Rambuteau
Grande Galerie	-3	du Jour / du Louvre
Oculus r. de l'	-3	du Jour
Orient-Express r. de l'	-4	Lescot

	Niveau	Porte
St-Eustache		
Piliers r. des	-3	Rambuteau
Pirouette r.	-2	Lescot
Pocquelin r.	-1	Lescot
RÉale pass. de la	-2	Rambuteau
Rotonde pl. de la	-3	du Jour
St-Eustache balcon	-2	Berger
Verrières pass. des	-3	Berger

BASTILLE 3,6m
P **Centre G. Pompidou Forum Sud**
ST-GERMAIN-DES-PRÉS 2,3m

Domaine piétonnier-Pedestrian precinct
Fußgängerzone-Zona pedonale
Zona peatonal-Voetgangersgebied

Voirie souterraine-Tunnel
Unterirdische Fußwege-Rete viaria sotterranea
Calles subterráneas-Ondergrondse wegen

A Bibliothèque-Jeunesse de la Fontaine
B Maison de la Poésie
C Maison des Ateliers
D Pavillon des Arts

0   100 m

ÉTIENNE MARCEL Ⓜ

MARCEL

R. St-Denis

Turbigo

du Denis

Cygne

ST LEU ST GILLES

Truanderie

SEBASTOPOL

Quincampoix

Pge du Commerce St Martin

R. B. de Clairvaux

LE DEFENSEUR DU TEMPS

Pge Molière

Pge du St Martin

Pge de l'Horloge à Automates

Imp. Beaubourg

Rue Maure

Pge des Ménétriers

Rambuteau

ATELIER BRANCUSI

CENTRE G. POMPIDOU

Ⓜ RAMBUTEAU Ⓣ

Pl. Georges Pompidou

R. Geoffroy l'Angevin

R. Aubry le Boucher

Rue de Venise

Rue St Martin

R. Simon Le Franc

Pl. E. Michelet

La Reynie

I.R.C.A.M

THÉATRE ESSAION

Imp St Fiacre

Pl. Igor Stravinsky

RENARD

R. St Merri

R. Pierre-au-Lard

Lombards

R. du Cloître St Merri

Rue Brisemiche

Temple

ST MERRI

R. Ste Croix de la Bretonnerie

BOULEVARD

Flamel

Pernelle

R. des Juges Consuls

Bon

TOUR ST JACQUES

R. des Archives

ÉTIENNE MARCEL

Mondétour

Lescot

de la Grde

Saint

R. de la Pte Truanderie

R. des Prêcheurs

Rambuteau

CHÂTELET-LES HALLES

PORTE LESCOT

R. de la

Cossonerie

Rue

Rue

P

Bellay

Berger

DE

S INNOCENTS

Denis

des

des

fortune

Pierre

Prêcheurs

CHÂTELET-LES HALLES

84

PARIS EXPO
Porte de Versailles

0 — 300 m

2 Repère des Halls - List of Exhibition Halls
Hallennummer - Simbolo delle Halls
Localización Pabellones - Nummers van de hallen

A Accès des Portes - Entrance to Exhibitions Halls
Eingangsbezeichnung - Simbolo delle porte
Localización Puertas - Ingangen tentoonstellingsterrein

Accès des professionnels - Trade access
Zufahrt für Aussteller - Accesso per i professionisti
Ingang personeel/exposanten
Aceso profesionales

↑ Entrée, sortie - Entrance, exit - Eingang, Ausgang
Entrata, uscita - Entrada, salida - Ingang, uitgang

P Parking - Car park - Parkplatz
Parcheggio - Aparcamiento - Parkeerplaats

Accès des visiteurs - Visitors access
Besucherzugang - Accesso per i visitatori
Toegang bezoekers
Acceso visitantes

↑ Entrée, sortie - Entrance, exit - Eingang, Ausgang
Entrata, uscita - Entrada, salida - Ingang, uitgang

P Parking - Car park - Parkplatz
Parcheggio - Aparcamiento - Parkeerplaats

🚶 Entrée des piétons - Pedestrian access - Eingang für Fußgänger
Entrata per i pedoni - Entrada peatones - Ingang voetgangers

Salle de conférence - Conference hall - Konferenzräume
Sala di conferenza - Sala de conferencias - Conferentiezaal

🚌 Arrêt d'autobus - Bus stop - Autobushaltestelle
Fermata di autobus - Parada de autobús - Bushalte

● Restaurant - Restaurante
✕

Classement des noms dans l'index

Les rues à nom propre (Charles de Gaulle) sont classées au prénom ou au titre (Général) s'il en existe un.
Ce classement est conforme au libellé des plaques de rues.

Classification of names in the index

The proper name (Charles de Gaulle) of streets are classified by their first name or title (Général) if one exists.
This classification conforms to the names on street signs

Einordnung der Straßennamen im Register:

Die nach Eigennamen benannten Straßen ("Charles de Gaulle") sind nach dem Vornamen oder, soweit vorhanden, nach dem Titel ("Général") geordnet.
Diese Einordnung stimmt mit der örtlichen Beschilderung überein.

Nomi delle vie elencati nell'indice.

Le vie con nome proprio (Charles de Gaulle) sono riportate sotto il nome di battesimo o eventuale titolo (Général).
Tale indice è stilato in base al nome ufficiale che compare sulle targhe delle vie.

Clasificación de los nombres de calles en el índice:

Las calles con nombre propio (Charles de Gaulle) son ordenadas por el nombre o por el titulo (Général) si existe.
Esta clasificación corresponde con la lectura de las placas en las calles.

Rangschikking van de straatnamen in het register :

De straatnamen die een eigennaam bevatten (Charles de Gaulle) zijn gerangschikt volgens de voornaam of eventueel de titel (Général).
Deze rangschikking komt overeen met de benaming op de straatnaamborden.

ABREVIATIONS UTILISEES DANS LE REPERTOIRE

**Abbreviations used in the index, Abkürzungen,
die im Straßenverzeichnis, verwendet werden,
Abbreviazione utilizzate nell'indice, Abreviaturas,
In het register gebruikte afkortingen**

av.	avenue	pl.	place
bd	boulevard	pte	porte
carr.	carrefour	r.	rue
imp.	impasse	rd-pt	rond-point
pass.	passage	sq.	square

Nom	Arrondissement	Plan n°	Repère

A

Nom	Arrondissement	Plan n°	Repère
Abbaye r. de l'	6	44	J13
Abbé-Basset pl. de l'	5	45	L14-L15
Abbé-Carton r. de l'	14	66-67	P10-P11
Abbé-de-l'Épée r. de l'	5	56	L13-L14
Abbé Esquerré sq. de l'	7	42	K10
Abbé-Franz-Stock pl. de l'	16	51	N3
Abbé-Georges-Henocque pl. de l'	13	69	R15
Abbé-Gillet r. de l'	16	40	J6N
Abbé-Grégoire r. de l'	6	43	K11-L12
Abbé-Groult r. de l'	15	53	L7-N8
Abbé-Jean-Lebeuf pl. de l'	14	55	N11
Abbé-Lemire jardin de l'	14	54	N10
Abbé-Migne r. de l'	4	33	H16-J16
Abbé-Migne sq. de l'	14	56	N13N
Abbé-Patureau r. de l'	18	8	C14
Abbé-Roger-Derry r. de l'	15	41-42	K8
Abbé-Roussel av. de l'	16	39-40	K4-K5
Abbé-Rousselot r. de l'	17	5	C8
Abbé-Soulange-Bodin r. de l'	14	55	N11
Abbesses pass. des	18	20	D13
Abbesses pl. des	18	20	D13
Abbesses r. des	18	20	D13
Abbeville r. d'		21	E15
n°s 1-17, 2-16	10		
n°s 19-fin, n°s 18-fin	9		
Abel r.	12	46	L18-K18
Abel-Ferry r.	16	51	N3N
Abel Gance r.	13	58	N18
Abel-Hovelacque r.	13	57	N15S
Abel-Leblanc pass.	12	47	L19
Abel-Rabaud r.	11	34	G18N
Abel-Truchet r.	17	19	D11
Abondance jardin de l'	7	42	J10S
Aboukir r. d'	2	32-33	G14-G15
Abreuvoir r. de l'	18	8	C13S
Acacias pass. des	17	17	E7
Acacias r. des	17	17	E7S
Acadie pl. d'	6	44	K13N
Acclimatation jardin d'	16	15	E3-E4
Achille r.	20	36	H21
Achille-Luchaire r.	14	67	R11
Achille-Martinet r.	18	8	B13-C13
Adanson sq.	5	57	M15
Adjudant-Réau r. de l'	20	36	G22
Adjudant-Vincenot pl.	20	37	F23S
Adolphe-Adam r.	4	45	J15
Adolphe-Chérioux pl.	15	53	M8
Adolphe-Chérioux sq.	15	53	M8
Adolphe-Focillon r.	14	67	P12S
Adolphe-Jullien r.	1	32	H14N
Adolphe-Max pl.	9	19	D12
Adolphe-Mille r.	19	11	C20
Adolphe-Pinard bd	14	66	R9-R10
Adolphe-Yvon r.	16	27	H4-G4
Adour villa de l'	19	23	F20N
Adrien-Hébrard av.	16	39	J4S
Adrien-Oudin pl.	9	20-32	F13
Adrienne cité	20	48	J22N
Adrienne villa	14	55	N12-P12S
Adrienne-Lecouvreur allée	7	41-42	J8-J9
Adrienne-Simon villa	14	55	N12N
Affre r.	18	21	C16-D16
Agar r.	16	40	K5
Agent-Bailly r. de l'	9	20	E14
Agrippa-d'Aubigné r.	4	45-46	K16-K17
Aguesseau r. d'	8	31	G11-F11
Aide-Sociale sq. de l'	14	55	N11
Aigrettes villa des	19	23	D20
Aimé-Lavy r.	18	8	B14S
Aimé-Maillart pl.	17	17	D8S
Aimé-Morot r.	13	69	R15-S15
Aisne r. de l'	19	11	C19N
Aix r. d'	10	34	F17-F18
Ajaccio sq. d'	7	42	J10N
Alain r.	14	54	M10-N10
Alain-Chartier r.	15	53	M8S
Alain-Fournier sq.	14	66	P9
Alasseur r.	15	41	K8
Alban-Satragne sq.	10	21	E16-F16
Albéric-Magnard r.	16	27-28	H4-H5
Albert r.	13	70	R18-P18
Albert-Bartholomé av.	15	65	P7-P8
Albert-Bartholomé sq.	15	65	P7-P8
Albert-Bayet r.	13	57-69	P16-N16
Albert-Besnard sq.	17	17	D8
Albert-Camus r.	10	22	E17
Albert Cohen r.	15	52	M5
Albert-de-Lapparent r.	7	42	K9
Albert-de-Mun av.	16	29	H7N
Albert-Kahn pl.	18	8	B14
Albert-Londres pl.	13	70	R17
Albert-Malet r.	12	61	M23N
Albert-Marquet r.	20	48	J22
Albert-1er cours	8	30	G9S
Albert-1er-de-Monaco av.	16	29	H7
Albert-Robida villa	19	23	E20
Albert-Roussel r.	17	6	B9-C9
Albert-Samain r.	17	17	D7-C7
Albert-Schweitzer jardin	4	45	J16

Nom	Arr.	Plan	Carreau
Albert-Sorel r.	14	67	R11
Albert-Thomas r.	10	34	F16-G17
Albert-Tournaire sq.	12	46-58	L17
Albert-Willemetz r.	20	49	L24-K24
Albin-Cachot sq.	13	56	N14S
Albin-Haller r.	13	69	R15
Albinoni r.	12	59	L20-M20
Alboni r. de l'	16	40	J6N
Alboni sq.	16	40	J6N
Alembert r. d'	14	68	P13N
Alençon r. d'	15	43-55	L11
Alésia r. d'	14	68-54	P14-N10
Alésia villa d'	14	67	P11-P12
Alésia-Raymond-Losserand jardin	14	54	N10
Alex-Biscarre sq.	9	20	E13
Alexander-Fleming r.	19	24	D22-E22
Alexandre pass.	15	54	M10
Alexandre 1er de Yougoslavie sq.	16	27	H4N
Alexandre-Cabanel r.	15	41-42	K8-K9
Alexandre-Charpentier r.	17	17	D7
Alexandre-de-Humbolt r.	19	11	C19
Alexandre-Dumas r.		47-48	K20-J21
nos 1-59, 2-72	11		
nos 61 fin, 74-fin	20		
Alexandre-et-René-Parodi sq.	16	16	E6N
Alexandre-Lécuyer imp.	18	8	B14N
Alexandre Luquet sq.	20	35	F20
Alexandre-Parodi r.	10	22	E17N
Alexandre-Ribot villa	19	24	D21S
Alexandre-Tansman villa	16	51	M4
Alexandre III pont	8	30	H10-G10N
Alexandre-Vialatte allée	13	69	R16S
Alexandrie r. d'	2	33	G15N
Alexandrine pass.	11	47	J20
Alexis-Clérel-de-Tocqueville jardin	17	6	C9S
Alfred-Bruneau r.	16	40	J5
Alfred-Capus sq.	16	39	K3
Alfred-de-Vigny r.		18	E9
nos 1-9, 2-16	8		
nos 11-fin, 18-fin	17		
Alfred-Dehodencq r.	16	27	H4
Alfred-Dehodencq sq.	16	27	H4
Alfred-Dreyfus pl.	15	41	L7N
Alfred-Durand-Claye r.	14	66	P9N
Alfred-Fouillée r.	13	70	S17N
Alfred Kastler pl.	5	56	L14-M14
Alfred-Roll r.	17	5	C8S
Alfred-Sauvy pl.	15	41	K7N
Alfred-Stevens pass.	9	20	D13S
Alfred-Stevens r.	9	20	D13S
Alger r. d'	1	31	G12S
Algérie bd d'	19	24	D21-E22
Algérie sq. d'	19	24	D22-E22
Alibert r.	10	34	F17
Alice sq.	14	66	P10S
Aligre pl. d'	12	47	K19S
Aligre r. d'	12	47	K18-K19S
Aliscamps sq. des	16	39	K3N
Allard r.		61	M23
nos 29-fin, 30-fin	12		
autres nos	Saint-Mandé		
Allent r.	7	43	J12N
Alleray hameau d'	15	53	M8-M9
Alleray jardin d'	15	54	N9
Alleray pl. d'	15	54	N9S
Alleray r. d'	15	53-54	M8-N9
Alleray-la-Quintinie sq. d'	15	54	M9
Alleray-Labrouste sq.	15	54	N9
Alleray-Procession jardin d'	15	54	M9-N9
Allès r. de l'Inspecteur	19	24	E21
Allier quai de l'	19	11	A19
Alma cité de l'	7	29-30	H8-H9S
Alma pl. de l'		29-30	G8S
nos 1 et 1 bis	16		
nos 2, 3-fin	8		
Alma pont de l'	16	30	H8
Alouettes r. des	19	23	E20
Alpes pl. des	13	57	N16S
Alphand av.	16	16	F6N
Alphand r.	13	69	P15
Alphonse-Allais pl.	20	35	F19
Alphonse-Aulard r.	19	24	E21N
Alphonse-Baudin r.	11	34	H18
Alphonse-Bertillon r.	15	54	N10
Alphonse-Daudet r.	14	67	P12S
Alphonse-de-Neuville r.	17	18	D9N
Alphonse-Deville pl.	6	43	K12
Alphonse-Humbert pl.	15	40	L6N
Alphonse-Karr r.	19	11	B19
Alphonse-Laveran pl.	5	56	M14N
Alphonse-Penaud r.	20	36-37	G22-G23
Alphonse-XIII av.	16	40	J6
Alquier-Debrousse allée	20	37	H22-H23S
Alsace r. d'	10	21	E16
Alsace villa d'	19	24	E21N
Alsace-Lorraine cour d'	12	47	L20
Alsace-Lorraine r. d'	19	24	D20-D21
Amadou-Hampaté-Râ jardin	10	22	E17
Amalia villa	19	24	D20-E21
Amandiers r. des	20	35	H20-G20
Amandiers sq. des	20	35	G20
Amboise r. d'	2	32	F13
Ambroise-Paré r.	10	21	D15S
Ambroise-Rendu av.	19	24	D21
Ambroise-Thomas r.	9	21	F15N
Ambroisie r. de l'	12	59	N20

Name			
Amédée-Gordini pl.	15	65	P7N
Amélie r.	7	30	H9-J9
Amélie villa	20	36	F22
Amelot r.	11	34-46	G17-J17
Amérique Latine sq. de l'	17	17	D7N
Ameublement cité de l'	11	47	K20
Amicie-Lebaudy sq.		36	G22N
Amiens sq. d'	20	37	H23S
Amiral-Bruix bd de l'	16	16	F5-E6
Amiral-Cloué r. de l'	16	40	L5N
Amiral-Courbet r. de l'	16	28	G6N
Amiral-de-Coligny r. de l'	1	32	H14S
Amiral-de-Grasse pl.	16	29	G8
Amiral-d'Estaing r. de l'	16	29	G7
Amiral-Hamelin r. de l'	16	29	G7
Amiral-La-Roncière-Le-Noury r. de l'	12	61	N23N
Amiral-Mouchez r. de l'		68	P14-R14
nos impairs	13		
nos pairs	14		
Amiral-Roussin r. de l'	15	41-53	L8-M8
Amiraux r. des	18	9	B15
Amiraux Boinod sq.	18	9	B15
Ampère r.	17	17-18	D8-D9
Amphithéâtre pl. de l'	14	54	M10-M11
Amsterdam cour d'	8	19	E12
Amsterdam imp. d'	8	19	E12
Amsterdam r. d'		19	E12-D12
nos impairs	8		
nos pairs	9		
Amyot r.	5	57	L14-L15
Anatole-de-la-Forge r.	17	17	E7
Anatole-France av.	7	41	J8
Anatole-France quai	7	31	H11-H12
Ancienne-Comédie r. de l'	6	44	J13-K13
Ancre pass. de l'	3	33	H15-G15
Andigné r. d'	16	39-27	J5-H4
André-Antoine r.	18	20	D13
André-Barsacq r.	18	20	D14
André-Bréchet r.	17	7	A11-A12
André-Breton allée	1	32	H14
André-Citroën parc	15	52	L5-M5
André-Citroën quai	15	52-40	M5-K6
André-Colledebœuf r.	16	39	K4N
André-Danjon r.	19	23	D19N
André-del-Sarte r.	18	20	D14N
André Derain r.	12	61	M22
André Dreyer sq.	13	68	P14S
André-Dubois r.	19	23	D19
André-Gide r.	15	54	M10-N10
André-Gill r.	18	20	D14
André-Honnorat pl.	6	44-56	L13
André Lefèbvre r.	15	52	L5
André-Lefèvre sq.	5	44	K14
André-Lichtenberger sq.	14	66	P10
André-Malraux pl.	1	32	H13N
André-Masson pl.	13	69	P15-P16
André-Maurois bd	16	16	E5
André-Mazet r.	6	44	J13S
André-Messager r.	18	8	B14
André-Pascal r.	16	27	H4
André-Pieyre-de-Mandiargues r.	13	69	R16
André-Rivoire av.	14	68	S13N
André-Suarès r.	17	6	B10
André-Tardieu pl.	7	42	K10
André-Trannoy pl.		57-69	P15
André-Theuriet r.	15	65	P8
André-Ulmann sq.	17	5	C7-C8
Andrezieux allée d'	18	9	B15S
Andrieux r.	8	19	E11-D11
Androuet r.	18	20	D13N
Angélique-Compoint r.	18	8	B13N
Anglais imp. des	19	10	C18
Anglais r. des	5	45	K15
Angoulème cité d'	11	34	G18
Anjou quai d'	4	45	K16
Anjou r. d'	8	31	G11-F11
Ankara r. d'	16	40	J6S
Anna-de-Noailles sq.	16	16	E5-F5
Annam r. d'	20	36	G21
Anne-de-Beaujeu allée	19	22	E18
Annelets r. des	19	23	E20
Annibal cité	14	68	P13S
Annonciation r. de l'	16	40	J6-J5
Anselme-Payen r.	15	54	M10
Antilles pl. des	11	48	K21
Antin cité d'	9	20-32	F13N
Antin imp. d'	8	30	G9-G10
Antin r. d'	2	32	G13N
Antoine-Arnauld r.	16	39-40	J4-J5
Antoine-Arnauld sq.	16	39-40	J4-J5
Antoine-Blondin sq.	20	36	H22
Antoine-Bourdelle r.	15	54-55	L10-L11
Antoine-Carême pass.	1	32	H14
Antoine-Chantin r.	14	67	P11S
Antoine-Dubois r.	6	44	K13-K14
Antoine-Hajje r.	15	40	L6N
Antoine-Julien-Hénard r.	12	59	L20-M20
Antoine-Loubeyre cité	20	35	F20S
Antoine-Roucher r.	16	39	L4N
Antoine-Vollon r.	12	47	K18
Antonin-Mercié r.	15	65	P8
Anvers pl. d'	9	20	D14S
Anvers sq. d'	9	20	D14
Apennins r. des	17	7	C11N
Aqueduc r. de l'	10	21-22	E16-D17
Aquitaine sq. d'	19	24	D21-C21
Arago bd		56-57	N15-N13
nos 1-73, 2-82	13		
nos 75-fin, 84-fin	14		
Arbalète r. de l'	5	56-57	M14-M15

Arbre-Sec r. de l'	1	32	H14S
Arbustes r. des	14	66	P9
Arc-de-Triomphe r. de l'	17	17	E7S
Arc-en-Ciel r. de l' Forum-des-Halles	1	32	H14
Arcade r. de l'	8	19-31	F11
Archereau r.	19	10	B18-C18
Archevêché pont de l'	4	45	K15
Archevêché quai de l'	4	45	K15N
Archives r. des		45	J15-H16
nos 1-41, 2-56	4		
nos 43-fin, 58-fin	3		
Arcole pont d'	4	45	J15
Arcole r. d'	4	45	J15S
Arcueil porte d'	14	68	R13
Arcueil r. d'	14	68	R14-S14
Ardennes r. des	19	11	C20
Arènes r. des	5	45-57	L15
Arènes-de-Lutèce sq. des	5	45	L15
Argenson r. d'	8	18	F10N
Argenteuil r. d'	1	32	H13-G13
Argentine cité de l'	16	28	G6N
Argentine r. de l'	16	17	F7N
Argonne pl. de l'	19	11	B19
Argonne r. de l'	19	11	B20-B19
Argout r. d'	2	32	G14S
Arioste r. de l'	16	50	M2N
Aristide-Briand r.	7	31	H11
Aristide-Bruant r.	18	20	D13N
Aristide-Maillol r.	15	54	M10
Armaillé r. d'	17	17	E7
Armand villa	18	7	B12S
Armand-Carrel pl.	19	23	D19S
Armand-Carrel r.	19	22-231	D18-D19
Armand-Fallières villa	19	23	E20N
Armand-Gauthier r.	18	8	C13
Armand-Moisant r.	15	54-55	L10-M11
Armand-Rousseau av.	12	61	N23-M23
Armée-d'Orient r. de l'	18	8	C13S
Armenonville r. d'		16	D6-D5
nos 1-11 bis, 2-10	17		
nos 13-fin, 12-fin	Neuilly-sur-Seine		
Armorique r. de l'	15	54	M10
Arnault-Tzanck pl.	17	7	A11S
Arquebusiers r. des	3	34	H17S
Arras r. d'	5	45	L15N
Arrivée r. de l'	15	55	L11S
Arsenal jardin de l'	12	46	K17
Arsenal port de l'	12	46	K17
Arsenal r. de l'	4	46	K17
Arsène-Houssaye r.	8	17	F8
Arsonval r. d'	15	54	M10
Artagnan r. d'	12	47	L20
Arthur-Brière r.	17	7	B12
Arthur-Groussier r.	10	34	F18
Arthur-Honegger allée	19	12	C21
Arthur-Ranc r.	18	8	A13S
Arthur-Rimbaud allée	13	58	M18-N19
Arthur-Rozier r.	19	23	E20
Artistes r. des	14	68	P13S
Artistes sq. aux	14	66	R10
Artois r. d'	8	18-30	F9
Arts av. des	17	16	D6-E6S
Arts imp. des	12	48	L21N
Arts pass. des	14	55	N11N
Arts pont des	1	32	H13-J13
Arts villa des	18	7	C12S
Asile pass. de l'	11	34	H18S
Asile-Popincourt r. de l'	11	34	H18S
Asnières porte d'	17	5	B8-C8
Aspirant-Dunand sq. de l'	14	55	N12S
Assas r. d'	6	43-56	K12-M13
Asseline r.	14	55	N11
Assommoir pl. de l'	18	21	D15
Assomption r. de l'	16	39-40	K5-J4
Astorg r. d'	8	19-31	F11
Astrolabe villa de l'	15	43-55	L11S
Athènes r. d'	9	19	E12
Atlantique jardin	15	55	M11
Atlas pass. de l'	19	22-23	F18N
Atlas r. de l'	19	22-23	F18-E18
Auber r.	9	31	F12
Aubervilliers porte d'	19	10	A18
Aubervilliers r. d'		22-10	D17-B18
nos impairs	18		
nos pairs	19		
Aublet villa	17	17	D7-D8
Aubrac r. de l'	12	59	N20
Aubriot r.	4	45	J16N
Aubry cité	20	48	J21N
Aubry-le-Boucher r.	4	33	H15S
Aude r. de l'	14	68	P13S
Audran r.	18	20	D13N
Audubon r.	12	46	L17-L18
Auger r.	20	48	K21-K22
Augereau r.	7	41-42	J8-J9
Auguste-Balagny sq.	17	17	D7
Auguste-Barbier r.	11	34	G18
Auguste-Baron pl.	19	11	A20
Auguste-Bartholdi r.	15	41	K7-K8
Auguste-Blanqui bd	13	56-57	P15-N14
Auguste-Blanqui villa	13	70	P17N
Auguste-Cain r.	14	67	P11S
Auguste-Chabrières r.	15	53	N7
Auguste-Chabrières sq.	15	53	N7
Auguste-Chapuis r.	20	49	J23
Auguste-Collette r.	17	7	B12S
Auguste-Comte r.	6	44-56	L13
Auguste-Dorchain r.	15	41-53	L8
Auguste-Lançon r.	13	68	R14
Auguste-Laurent r.	11	47	J19N
Auguste-Maquet r.	16	51	M4

Auguste-Mariette-Pacha sq.	5	44-45	K14
Auguste-Métivier pl.	20	35	H20
Auguste-Mie r.	14	55	M11S
Auguste-Perret r.	13	69	R16N
Auguste-Renoir sq.	14	66	P9
Auguste-Vacquerie r.	16	29	F8-G7
Auguste-Vitu r.	15	40	L5
Augustin-Thierry r.	19	24	E21S
Aumale r. d'	9	20	E13
Aumont r.	13	69	P16S
Aumont-Thiéville r.	17	17	D7
Aurelle-de-Paladines bd d'	17	16	D6S
Austerlitz pont d'	12	46-58	L17
Austerlitz port d'	13	58	M18-L17
Austerlitz quai d'	13	58	M18-L17
Austerlitz r. d'	12	46	L18N
Austerlitz villa d'	5	57-58	M16-M17N
Auteuil bd d'		38	L1-L2
nos 1-7 et 4	16		
autres nos		Boulogne-Billancourt	
Auteuil port d'	16	40-51	K5-M4
Auteuil porte d'	16	38	K2
Auteuil r. d'	16	39	L4-K3
Auteuil-à-Suresnes rte d'	16	38	J1-K1
Auteuil-aux-Lacs rte d'	16	38	J2-K2
Ave Maria r. de l'	4	45	K16-J16N
Ave-Maria sq. de l'	4	45	K16N
Avenir cité de l'	11	35	G19S
Avenir r. de l'	20	36	F21S
Avenue-du-Bois sq. de l'	16	16	F6-F7
Avenue-Foch sq. de l'	16	16-28	F5-F7
Aveyron sq. de l'	17	5	C8
Avre r. de l'	15	41	K8S
Avron r. d'	20	48-49	K21-J23
Azaïs r.	18	20	D14N

Balard r.	15	40-52	L5-M5
Baleine imp. de la	11	35	G19
Balkans r. des	20	36-37	H22
Ballu r.	9	19	D12S
Ballu villa	9	19	D12S
Balny-d'Avricourt r.	17	17	D8
Baltard r.	1	32	H14
Balzac r.	8	17-18	F8-E9
Banque r. de la	2	32	G14
Banquier r. du	13	57	N16-N15
Baptiste-Renard r.	13	70	P17
Barbanègre r.	19	11	B19-C19
Barbès bd	18	21-9	D15-C15
Barbet-de-Jouy r.	7	43	J11-K11
Barbette r.	3	45	J16-H16
Barbey-d'Aurevilly av.	7	41	J8
Barcelone pl. de	16	40-40	K5-L5
Bardinet r.	14	66	P10N
Bargue r.	15	54	M9-M10
Baron r.	17	7	B11
Baron-Le-Roy r.	12	59	N20
Barrault pass.	13	69	P15
Barrault r.	13	68-69	P15-R14
Barrelet-de-Ricou r.	19	23	E19S
Barres r. des	4	45	J16
Barrier imp.	12	47	K19S
Barrière Blanche r. de la	18	7	C12
Barthélemy pass.	10	22	D17
Barthélemy r.	15	42	L10
Barye r.	17	18	D9-E9S
Barye sq.	4	45	K16
Basfour pass.	2	33	G15S
Basfroi pass.	11	47	J19
Basfroi r.	11	47	J19
Basilide-Fossard imp.	20	36	F22-G22
Bassano r. de		29	G8-F8
nos 1-21, 2-32	16		
nos 23-fin, 34-fin	8		
Basse galerie	19	11	B20
Basse pl. Forum-des-Halles	1	32	H14
Basse r. Forum-des-Halles	1	32	H14
Basse-des-Carmes r.	5	45	K15S
Bassompierre r.	4	46	K17
Baste r.	19	22	E18-D18
Bastien-Lepage r.	16	39	K4S
Bastille bd de la	12	46	L17-K17
Bastille pl. de la		46	J17-K17
nos impairs	4		
nos 2, 4, 6	12		
nos 8-14	11		
Bastille r. de la	4	46	J17
Bataclan sq. du	11	34	H18
Bataille-de-Stalingrad pl. de la		22	D17
nos impairs	10		
nos pairs	19		

B

Babylone r. de	7	42-43	K10-K12
Bac r. du	7	43	K11-H12
Bac rte du	12	73	P23-R24
Bachaumont r.	2	32	G14S
Bachelet r.	18	8	C14
Bagnolet porte de	20	37	G23
Bagnolet r. de	20	48-37	J21-H23
Baigneur r. du	18	8	C14
Baillet r.	1	32	H14S
Bailleul r.	1	32	H14
Baillou r.	14	67	P11
Bailly r.	3	33	G16S
Balard pl.	15	52	M5S

Bataillon-du-Pacifique pl. du	12	*59*	M19
Bataillon-Français-de-l'O.N.U.-en-Corée pl. du	4	*45*	J16S
		19	D11-D12
Batignolles bd des			
nⁿˢ impairs	8		
nⁿˢ pairs	17		
Batignolles r. des	17	*19*	D11
Batignolles sq. des	17	*6*	C10
Bauches r. des	16	*40*	J5
Baudelique r.	18	*9*	B15S
Baudoin r.	13	*58*	N17S
Baudoyer pl.	4	*45*	J16
Baudran imp.	13	*69*	R16N
Baudricourt imp.	13	*70*	R17-P16
Baudricourt jardin	13	*70*	R17
Baudricourt r.	13	*70*	P17-R16
Bauer cité	14	*55*	N11S
Baulant r.	12	*59*	M20N
Baumann villa	20	*36*	G22N
Bausset r.	15	*53*	M8
Bayard r.	8	*30*	G9
Bayen r.	17	*17*	E8-D7
Bayen sq.	17	*17*	D7
Bazeilles r. de	5	*57*	M15
Béarn r. de	3	*46*	J17
Béatrix-Dussane r.	15	*41*	K7
Beaubourg imp.	3	*33*	H15
Beaubourg r.		*33*	H15-G16
nⁿˢ 1-19 et 2-20	4		
nⁿˢ 21-fin et 22-fin	3		
Beauce r. de	3	*33*	H16N
Beaucour av.	8	*17-18*	E8-E9
Beaufils pass.	20	*48*	K22N
Beaugrenelle r.	15	*40*	K6-L6
Beauharnais cité	11	*47*	J20S
Beaujolais galerie de	1	*32*	G13S
Beaujolais pass. de	1	*32*	G13
Beaujolais r. de	1	*32*	G13
Beaujon r.	8	*17*	F8N
Beaujon sq.	8	*18*	F10-E10
Beaumarchais bd		*46*	J17-H17
nⁿˢ 1-31	4		
nⁿˢ 33-fin	3		
nⁿˢ pairs	11		
Beaune r. de	7	*31*	H12-J12
Beaunier r.	14	*67*	R12N
Beauregard r.	2	*33*	G15N
Beaurepaire r.	10	*34*	G17-F17
Beauséjour bd de	16	*39*	J4-J5N
Beauséjour villa de	16	*39*	J4N
Beautreillis r.	4	*46*	K17-J17
Beauvau pl.	8	*30*	F10S
Beaux-Arts r. des	6	*44*	J13
Beccaria r.	12	*47*	L19-K19
Becquerel r.	18	*8*	C14
Beethoven r.	16	*40*	J6-J7
Bel-Air av. du	12	*48*	L21N
Bel-Air cour du	12	*46*	K18
Bel-Air villa du	12	*61*	L23-M23
Béla-Bartok sq.	15	*40*	K6
Belfort r. de	11	*47*	J19-J20
Belgrade r. de	7	*41-42*	J8-J9
Belgrand r.	20	*36-37*	G21-G23
Belhomme r.	18	*21*	D15
Belidor r.	17	*16*	E6N
Bellart r.	15	*42*	L9N
Bellechasse r. de	7	*43-31*	J11-H12
Bellefond r. de	9	*20-21*	E14-E15
Belles-Feuilles imp. des	16	*28*	G6N
Belles-Feuilles r. des	16	*28*	F5-G6
Belleville bd de		*35*	G19-F19
nⁿˢ impairs	11		
nⁿˢ pairs	20		
Belleville parc de	20	*35*	F19-F20
Belleville r. de		*23-24*	F19-E22
nⁿˢ impairs	19		
nⁿˢ pairs	20		
Belleville Télégraphe sq.	20	*24*	F21N
Bellevue r. de	19	*24*	E21
Bellevue villa de	19	*24*	E21N
Belliard r.	18	*7-9*	B12-A15
Belliard villa	18	*7*	B12
Bellier-Dedouvre r.	13	*69*	R15N
Bellièvre r. de	13	*58*	M18S
Bellini r.	16	*28*	H6
Bellot r.	19	*22*	D17N
Belloy r. de	16	*29*	G7N
Belvédère allée du	19	*11*	B20
Belvédère av. du	19	*24*	D21
Belzunce r. de	10	*21*	E15
Ben-Aïad pass.	2	*32*	G14S
Bénard r.	14	*55*	N11S
Benjamin-Constant r.	19	*11*	B19
Benjamin-Franklin r.	16	*28*	H6
Benjamin-Godard r.	16	*28*	G5S
Benouville r.	16	*28*	G5N
Béranger hameau	16	*40*	K5N
Béranger r.	3	*34*	G17S
Bérard cour	4	*46*	J17S
Berbier-du-Mets r.	13	*57*	N15N
Bercy allée de	12	*58*	L18-M19
Bercy bd de	12	*58-59*	M18-M20
Bercy le parc de	12	*59*	M19-N20
Bercy pont de	12	*58*	M18
Bercy port de	12	*71-58*	P20-M18
Bercy porte de	12	*72*	P20-P21
Bercy quai de	12	*71-58*	P20-M18
Bercy r. de	12	*59-46*	N20-K17

Bergame imp. de	20	48	J21-K21
Berger porte Forum-des-Halles	1	32	H14
Berger r.	1	32-33	H14-H15
Bergère cité	9	32	F14
Bergère r.	9	32	F14
Bergère-d'Ivry pl. de la	13	57	N15-P15
Bergers r. des	15	52	L6-M6
Berges-Hennequines r. des	14	68	R13N
Bérite r. de	6	43	K11-L11
Berlin sq. de	8	30	G10
Berlioz r.	16	16	E6-F6
Berlioz sq.	9	19	D12
Bernard-de-Clairvaux r.	3	33	H15
Bernard-de-Ventadour r.	14	54	N10
Bernard-Dimey r.	18	7	B12
Bernard-Duperier esplanade	16	29	H7
Bernard-Halpern pl.	5	57	M15
Bernard-Lacache r.	12	49	L23-L24
Bernard-Lafay promenade	17	16	D6-C8
Bernard-Palissy r.	6	43-44	K12-K13
Bernardins r. des	5	45	K15
Berne r. de	8	19	E11-D11
Bernoulli r.	8	19	E11N
Berri r. de	8	18-30	F9
Berri-Washington galerie	8	18-30	F9
Berryer cité	8	31	G11N
Berryer r.	8	18	E9-F9
Berthaud imp.	3	33	H15
Berthe r.	18	20	D13-D14
Berthie-Albrecht av.	8	17	F8-E8
Berthier bd	17	6-17	B10-D7
Berthier villa	17	17	D7N
Berthollet r.	5	56	M14
Bertin-Poirée r.	1	44	J14-H14
Berton r.	16	40	J6
Bertrand cité	11	35	H19N
Bervic r.	18	21	D15
Berzélius pass.	17	7	B11
Berzélius r.	17	7	C11-B11
Beslay pass.	11	34	H18N
Bessières bd	17	7-6	B12-B10
Bessières r.	17	6	B10
Bessin r. du	15	54	N9-P9
Béthune quai de	4	45	K16
Beudant r.	17	19	D11S
Beyrouth pl. de	8	29	G8
Bezout r.	14	67-68	P13-P12
Bichat r.	10	34	G17-F17
Bidassoa r. de la	20	35-36	G20-G21
Bidault ruelle	12	47-59	L19
Bienfaisance r. de la	8	18-19	E10-E11
Bienvenüe pl.	15	55	L11S
Bièvre mail de	13	68	P14
Bièvre r. de	5	45	K15
Bignon r.	12	59	M20N
Bigorre r. de	14	67	P12
Bigot sente à	19	11	A19-A20
Binder pass.	19	23	D19N
Biot r.	17	19	D12
Bir-Hakeim pont de	16	40-41	J6-J7
Birague r. de	4	46	J17S
Biscornet r.	12	46	K17-K18
Bisson r.	20	35	F19S
Bitche pl. de	19	11	C19N
Bixio r.	7	42	K10N
Bizerte r. de	17	19	D11N
Blainville r.	5	45-57	L15
Blaise-Cendrars allée	1	32	H14
Blaise-Desgoffe r.	6	43	L11-L12
Blanchard r.	20	49	J23N
Blanche cité	14	66	P9N
Blanche pl.	9	19-20	D12-E12
Blanche r.	9	19-20	E13-D12
Blanche-Antoinette r.	19	23	D20S
Blancs Manteaux clos des	4	45	J16
Blancs-Manteaux r. des	4	33-45	H15-J16
Bleue r.	9	21-21	E14-E15
Bleuet-de-France rd-pt du	7	30	H10-J10
Blomet r.	15	53-54	L9-M7
Blomet sq.	15	54	L9-M9
Blondel r.		33	G15-G16
nos 1-9, 2-12	3		
nos 11-fin, 14-fin	2		
Bluets r. des	11	35	H19-G19
Bobillot r.	13	69	P15-R14
Bocage r. du	15	54	P9N
Boccador r. du	8	30	G8-G9
Bochart-de-Saron r.	9	20	E14-D14
Boërs villa des	19	23	E20-D20
Bœuf imp. du	4	33	H15S
Bœufs imp. des	5	45	K15S
Boïeldieu pl.	2	32	F13S
Boileau hameau	16	39-51	L3
Boileau r.	16	39	L4-M3
Boileau villa	16	39-51	L3
Boinod r.	18	9	C15-B15
Bois r. des	19	24	E21-E22
Bois-de-Boulogne r. du	16	16	F6-F7
Bois d'Orme villa du	19	24	E22S
Bois-le-Prêtre bd du	7		A11
nos 1-51, 2-42	17		
nos 53-fin, 42 bis-fin	Clichy		
Bois-le-Vent r.	16	40	J5N
Boissière r.	16	28-29	G7-G6
Boissière villa	16	29	G7S
Boissieu r.	18	21	D15
Boissonade r.	14	56	M12-M13
Boissy-d'Anglas r.	8	31	G11-F11
Boiton pass.	13	69	P15S

Bolero villa	19	11	C20	Bouleaux sq. des	19 22	D18
Bolivar sq.	19	23	F19-E19	Boulets r. des	11 47	K20
Bolivie pl. de	16	40	J6	Boulitte r.	14 66-67	P10-P11
Bon-Secours imp.	11	47	J19	Boulle r.	11 46	J18
Bonaparte r.	6	44	J13-K13	Boulnois pl.	17 17	E8
Bonne r. de la	18	8	C14S	Boulogne à Passy rte de	16 38	K1-K2
Bonne-Graine pass. de la	11	47	K18N	Bouloi r. du	1 32	H14N
Bonne-Nouvelle bd de		33	G15-F15	Bouquet-		
nos impairs	2			de-Longchamp r.	16 29	G7S
nos pairs	10			Bourbon quai de	4 45	K15-K16
Bonne-Nouvelle imp. de	10	33	F15S	Bourbon-le-Château r. de	6 44	J13S
Bonnet r.	18	8	B13N	Bourdaloue r.	9 20	E13S
Bons-Enfants r. des	1	32	H13N	Bourdin imp.	8 30	G9
Bons-Vivants				Bourdon bd	4 46	K17
r. des Forum-des-Halles	1	32	H14	Bourdonnais imp. des	1 32	H14S
Bord-de-l'Eau allée du	16	14-26	F1	Bourdonnais r. des	1 44	J14-H14
Borda r.	3	33	G16S	Bouret r.	19 22	E18-D18
Boris-Vian pass.	18	21	D15N	Bourg-l'Abbé pass.	2 33	G15S
Borrégo r. du	20	24-36	F21-F22	Bourg-l'Abbé r. du	3 33	H15N
Borrégo villa du	20	24-36	F22	Bourg-Tibourg pl. du	4 45	J16
Borromée r.	15	54	M9N	Bourg-Tibourg r. du	4 45	J16
Bosio r.	16	39	K4S	Bourgogne r. de	7 42-31	J10-H11
Bosquet av.	7	30	H9-J9	Bourgoin imp.	13 70	R17N
Bosquet r.	7	42	J9	Bourgoin pass.	13 70	R17N
Bosquet villa	7	30	H9	Bourgon r.	13 69	R16
Bossuet r.	10	21	E15	Boursault imp.	17 19	D11S
Botha r.	20	35	F20S	Boursault r.	17 18-19	D10-D11
Botzaris r.	19	23	E19-E20	Bourse pl. de la	2 32	G14N
Bouchardon r.	10	33	G16-F16	Bourse r. de la	2 32	G13-G14
Boucher r.	1	32	H14S	Bourseul r.	15 53-54	M8-M9
Bouchut r.	15	42	L9-L10	Boussingault r.	13 68	R14-P14
Boucicaut r.	15	40	L6S	Bout-des-Lacs carr. du	16 27	G4
Boucicaut sq.	7	43	K12	Boutarel r.	4 45	K15N
Boucle r. de la				Boutebrie r.	5 44	K14
Forum-des-Halles	1	32	H14	Boutin r.	13 68	P14
Boucry r.	18	9-10	B16-B17	Boutron imp.	10 21-22	E16-E17
Boudin pass.	20	37	G22-G23N	Boutroux av.	13 70	R18
Boudon av.	16	39	K4S	Boutroux sq.	13 70	R18
Boudreau r.	9	31	F12	Bouvart imp.	5 44	K14S
Boufflers av. de	16	39	K3	Bouvier r.	11 47	K20N
Bougainville r.	7	42	J9	Bouvines av. de	11 48	K21
Bouilloux-Lafont r.	15	52	M5-M6	Bouvines r. de	11 48	K21
Boulainvilliers hameau	16	40	J5S	Boy-Zelenski r.	10 22	E17
Boulainvilliers r. de	16	40	K5-J5	Boyer r.	20 35-36	G20-G21
Boulangers r. des	5	45	L15	Boyer-Barret r.	14 55	N11S
Boulard r.	14	55	N12	Brady pass.	10 33	F16-F15
Boulay pass.	17	7	B11	Brahms r.	12 60	M21
Boulay r.	17	6-7	B10-B11	Brancion porte	15 65	P8
Boulay Level sq.	17	7	B11	Brancion r.	15 54	N9-P8
Boule r. de la				Brancion sq.	15 65	P8
Forum-des-Halles	1	32	H14	Branly quai	29-41	J7-H8
Boule-Blanche pass.	12	46	K18N	nos 1-17	7	
Boule-Rouge imp. de la	9	20-32	F14	nos 73-fin	15	
Boule-Rouge r. de la	9	20-32	F14	Brantôme pass.	3 33	H15
Bouleaux allée des	16	26-15	G1-E4	Brantôme r.	3 33	H15
Bouleaux av. des	19	25	E23N	Braque r. de	3 33	H16S

Brassaï sq.	13	69	P15
Brasserie rte de la	12	73	P24
Brazzaville pl. de	15	40	K6
Bréa r.	6	55	L12S
Brêche-aux-Loups r.	12	60	N21-M21
Bréguet r.	11	46	J18
Bréguet-Sabin sq.	11	46	J18
Brémontier r.	17	18	D9
Brésil pl. du	17	18	D9
Bresse sq. de la	16	51	M3S
Bretagne r. de	3	33-34	G16-H17
Breteuil av. de	7	42	K10-L10
n⁰ˢ 1-69, 2-76	7		
n⁰ˢ 71-fin, 78-fin	15		
Breteuil pl. de	7	42	L10N
n⁰ˢ 1-11, 2 seulement	7		
n⁰ˢ 13-fin, 4-fin	15		
Bretonneau r.	20	36	G22
Bretons cour des	10	34	F18S
Bretonvilliers r. de	4	45	K16
Brève r. Forum-des-Halles	1	32	H14
Brey r.	17	17	E8S
Brézin r.	14	55	P12-N12
Briare imp.	9	20	E14S
Bridaine r.	17	19	D11N
Brie pass. de la	19	22	E18N
Briens sentier	12	48-60	L22
Brignole r.	16	29	G8S
Brignole Galliera sq.	16	29	G8
Brillat-Savarin r.	13	69	R15-R14
Brindeau allée du	19	22	D18N
Briquet pass.	18	20	D14
Briquet r.	18	20	D14
Briqueterie r. de la	14	66	P9S
Brisemiche r.	4	33	H15
Brissac r. de	4	46	K17S
Brizeux sq.	20	36	F21-G21
Broca r.		56-57	N14-M15
n⁰ˢ 1-49, 2-52	5		
n⁰ˢ 51-fin, 54-fin	13		
Brochant r.	17	6-7	C10-C11
Brongniart r.	2	32	G14N
Brosse r. de la	4	45	J15
Brouillards allée des	18	8	C13
Broussais r.	14	68	P13
Brown-Séquard r.	15	54	M10N
Bruant r.	13	58	N17N
Bruller r.	14	68	P13
Brulon pass.	12	47	K19
Brune bd	14	66-67	P9-R12
Brune villa	14	66-67	P11-P10S
Brunel r.	17	17	E7
Bruneseau r.	13	71	R20-P19
Brunet porte	19	24	D21
Brunetière av.	17	5	C8-C9
Bruxelles r. de	9	19	D12
Bucarest r. de	8	19	E12N
Bûcherie r. de la	5	45	K14-K15
Buci carr. de	6	44	J13S
Buci r. de	6	44	J13S
Budapest pl. de	9	19	E12
Budapest r. de	9	19	E12S
Budé r.	4	45	K16
Buenos Ayres r. de	7	41	J7
Buffault r.	9	20	F14-E14
Buffon r.	5	57-58	L17-M16
Bugeaud av.	16	28	G6-F5
Buis r. du	16	39	L4N
Buisson-St-Louis pass.	10	34	F18
Buisson-St-Louis r. du	10	34	F18
Bullourde pass.	11	46-47	J18-J19
Buot r.	13	69	P15S
Bureau imp. du	11	48	K21-J21
Bureau pass. du	11	48	J21S
Burnouf r.	19	22	F18-E18
Burq jardin	18	20	D13N
Burq r.	18	20	D13-C13
Butte-aux-Cailles r.	13	69	P15
Butte-du-Chapeau-Rouge parc de la	19	24	D21
Butte Mortemart	16	38	K2
Buttes-Chaumont parc des	19	23	E19
Buttes-Chaumont villa des	19	23	E20
Buzelin r.	18	10	C17
Buzenval r. de	20	48	K22-J21

C

Cabanis r.	14	68	P14-P13
Cacheux r.	13	68	R14S
Cadet r.	9	20	F14-E14
Cadets de la France Libre r. des	13	71	P18-P19NS
Cadix r. de	15	53	N7
Cadran imp. du	18	20	D14
Caffarelli r.	3	33-34	H16-H17
Caffieri av.	13	69	R15-S15
Caffieri sq.	13	69	R15-S15
Cahors r. de	19	24	D21N
Cail r.	10	21	D16
Caillaux r.	13	69	R16
Cailletet r.	12	49	L23
Caillié r.	18	22	D17N
Caire pass. du	2	33	G15
Caire pl. du	2	33	G15
Caire r. du	2	33	G15
Calais r. de	9	19	D12
Calmels imp.	18	8	B13
Calmels r.	18	8	B13-B14
Calmels prolongée r.	18	8	B13S

Calvaire pl. du	18	20	D14N
Calvaire r. du	18	20	D14
Cambacérès r.	8	19-31	F11
Cambo r. de	19	24	E21
Cambodge r. du	20	36	G21S
Cambon r.	1	31	G12
Cambrai r. de	19	11	B19-B18
Cambronne pl.	15	41	K8-L8
Cambronne r.	15	41	L8-M9
Cambronne sq.	15	41-42	K8-K9
Camélias r. des	14	66	P9
Camille-Blaisot r.	17	7	A12
Camille-Bombois r.	20	37	G23
Camille-Claudel pl.	15	42-43	L11
Camille-Desmoulins r.	11	47	J19-H19
Camille-Flammarion r.	18	8	A13-A14
Camille-Jullian pl.	6	56	M13N
Camille-Tahan r.	18	19	D12
Camoëns av. de	16	28	H6S
Campagne-Première r.	14	55-56	M12-M13
Campo-Formio r. de	13	57	N16
Camulogène r.	15	65-66	P9
Canada pl. du	8	30	G10
Canada r. du	18	10	C17
Canal allée du	10	22	E17-F17
Canart imp.	12	49	L23
Candie r. de	11	47	K19
Candolle r. de	5	57	M15
Canettes r. des	6	44	K13N
Cange r. de	14	54	N10
Canivet r. du	6	44	K13
Cannebière r.	12	60	M21S
Cantagrel r.	13	70	P18S
Cantal cour du	11	46	J18S
Cantate villa	19	11	C20
Capitaine-Dronne allée du	15	55	M11
Capitaine-Ferber r. du	20	36-37	G22-G23
Capitaine-Lagache r. du	17	7	C12-B12
Capitaine-Madon r. du	18	7	C12
Capitaine-Marchal r. du	20	36	G22
Capitaine-Ménard r. du	15	40	L6
Capitaine-Olchanski r. du	16	39	K4S
Capitaine-Scott r. du	15	41	J7S
Capitaine-Tarron r. du	20	37	G23S
Capitan sq.	5	45	L15
Caplat r.	18	21	D15
Caporal-Peugeot r. du	17	5	C7S
Capri r. de	12	60	N21N
Capron r.	18	19	D12N
Capucines bd des		31-32	F12-F13
nos impairs	2		
nos pairs	9		
Capucines r. des		31	G12N
nos impairs	1		
nos pairs	2		
Carcel r.	15	53	M8
Cardan r.	17	7	B11
Cardeurs sq. des	20	49	J22-J23
Cardinal-Amette pl. du	15	41	K8
Cardinal-Dubois r. du	18	20	D14N
Cardinal-Guibert r. du	18	20	C14-D14
Cardinal-Lavigerie pl. du	12	60	N22
Cardinal-Lemoine cité du	5	45	K15S
Cardinal-Lemoine r. du	5	45	K15-L15
Cardinal-Mercier r. du	9	19	E12-D12
Cardinal-Petit-de-Julleville sq. du	17	16	D6
Cardinal-Verdier jardin du	15	53-65	P7
Cardinal Wyszynski sq. du	14	54	M10-N10
Cardinale r.	6	44	J13S
Cardinet pass.	17	18	D10
Cardinet r.	17	18-19	D8-C11
Cardinoux allée des	19	10	A18
Carducci r.	19	23	E20
Carlo-Sarrabezolles sq.	15	51	M4-M5S
Carmes r. des	5	45	K14-K15
Carnot av.	17	17	E7-F7
Carnot bd	12	49-61	L23-M23
Caroline r.	17	19	D11-D12
Carolus-Duran r.	19	24	E22
Caron r.	4	46	J17
Carpeaux r.	18	7-8	C12-C13
Carpeaux sq.	18	7	C12-C13
Carré jardin	5	45	L15
Carré-d'Or galerie	8	29-30	F8
Carrée pl. Forum-des-Halles	1	32	H14
Carrier-Belleuse r.	15	41-42	L8-L9
Carrière-Mainguet imp.	11	47	J20
Carrière-Mainguet r.	11	47	J20
Carrières imp. des	16	40	J6N
Carrières-d'Amérique r.	19	24	D21
Carrousel jardin du	1	31	H12
Carrousel pl. du	1	32	H13
Carrousel pont du	1	32	H13-J13
Cartellier av.	20	37	G23-H23
Casablanca r. de	15	53	M7
Casadesus pl.	18	8	C13
Cascades carr. des	16	39	J3
Cascades r. des	20	35	G20-F20
Casimir-Delavigne r.	6	44	K13
Casimir-Périer r.	7	31	H11-J11
Casque-d'Or jardin	20	48	J22S
Cassette r.	6	43	K12
Cassini r.	14	56	M13S
Castagnary r.	15	54	P9-N10
Castagnary sq.	15	54-66	P9
Casteggio imp. de	20	48	J21S
Castellane r. de	8	31	F11-F12
Castex r.	4	46	K17-J17
Castiglione r. de	1	31	G12S
Catalogne pl. de	14	55	M11
Catherine-Labouré jardin	7	43	K11

Catinat r.	1	32	G14S
Catulle-Mendès r.	17	17	D7-C7
Cauchois r.	18	20	D13N
Cauchy r.	15	52	L5-M6
Caulaincourt r.	18	19-8	D12-C14
Caulaincourt sq.	18	8	C13
Caumartin r. de	9	19-31	F12-E12
Cavalerie r. de la	15	41	K8
Cavallotti r.	18	19	D12N
Cavé r.	18	9	C15-C16
Cavendish r.	19	23	D19
Cazotte r.	18	20	D14N
Ceinture-du-Lac-Daumesnil rte de la	12	61-73	N23-P24
Ceinture-du-Lac-Inférieur chemin de	16	27	H3-G3
Ceinture-du-Lac-Supérieur chemin de	16	38-39	J2-J3
Célestins port des	4	45	K16N
Célestins quai des	4	45	K16N
Cels imp.	14	55	N11N
Cels r.	14	55	N12-M11
Cendriers r. des	20	35	G20
Censier r.	5	57	M16-M15
159 rue de Charonne jardin	11	47	J20
Cépré r.	15	42	L9N
Cerisaie r. de la	4	46	K17
Cerisoles r. de	8	30	G9N
Cernuschi r.	17	18	D9-C9
César-Caire av.	8	19	E11S
César-Franck r.	15	42	L10-L9
Cesselin imp.	11	47	K19-K20
Cévennes r. des	15	52	L5-M6
Cévennes sq. des	15	40	L5
Chabanais r.	2	32	G13
Chablis r. de	12	59	N19-N20
Chabrol cité de	10	21	E15S
Chabrol r. de	10	21	E15-E16
Chaffault r. du	12	49	L23-L24
Chaillot r. de	16	29	G8
Chaillot sq. de	16	29	G8
Chaise r. de la	7	43	J12-K12
Chalabre imp.	17	6	B10-C10
Chalet r. du	10	22-34	F18
Chalets av. des	16	39	J4
Chalgrin r.	16	17	F7N
Chaligny r.	12	47	L19-K19
Chalon cour de	12	46	L18
Chalon r. de	12	46-47	L18-L19
Chambertin r. de	12	59	M19
Chambéry r. de	15	54	N9-P9
Chambiges r.	8	30	G9
Chamfort r.	16	39	K4
Champ-à-Loup pass. du	18	7	B12N
Champ-de-l'Alouette r. du	13	56	N14S
Champ-de-Mars parc du	7	41	J8
Champ-de-Mars r. du	7	42	J9
Champ-d'Entraînement rte du	16	14	F1-F2
Champ-Marie pass. du	18	8	B13N
Champagne cité	20	48	J22S
Champagne terrasse de Z.E.U.S. Paris-Bercy	12	59	N20
Champagny r. de	7	43	J11N
Champaubert av. de	15	41	K8
Champerret porte de	17	17	D7
Champfleury r.	7	41	J8S
Championnet pass.	18	8-8	B14-B15
Championnet r.	18	7-9	B12-B15
Championnet villa	18	7	B12
Champollion r.	5	44	K14S
Champs galerie des	8	30	F9S
Champs-Élysées av. des	8	29-31	F8-G11
Champs-Élysées carré des	8	30	G10
Champs-Élysées port des	8	30	H10-G10N
Champs-Élysées-Marcel Dassault rd-pt des	8	30	G9-G10
Chanaleilles r. de	7	43	K11N
Chancelier-Adenauer pl. du	16	28	F5S
Chandon imp.	15	53	M7
Chanez r.	16	39	L3N
Chanez villa	16	38	L3N
Changarnier r.	12	49	L23
Change pont au	1	44	J14
Chanoine-Viollet sq. du	14	55	N11-P11
Chanoinesse r.	4	45	K15-J15
Chantemesse av.	16	27	G4
Chantier pass. du	12	46	K18
Chantiers r. des	5	45	K15-K16
Chantilly r. de	9	20	E14
Chantres r. des	4	45	J15S
Chanvin pass.	13	58	N18
Chanzy r.	11	47	K19-K20
Chapelle av. de la	17	16	E6-D6
Chapelle bd de la		21-22	D15-D17
nos impairs	10		
nos pairs	18		
Chapelle cité de la	18	9	C16S
Chapelle hameau de la	18	9	C16N
Chapelle imp. de la	18	9	B16S
Chapelle pl. de la	18	21	D16
Chapelle porte de la	18	9	A16
Chapelle r. de la	18	9	C16-A16
Chapon r.	3	33	H16-H15
Chappe r.	18	20	D14
Chaptal cité	9	20	E13-D13
Chaptal r.	9	20-18	E13-D12
Chapu r.	16	51	M4N

Charbonnel r.	13	68	R14
Charbonnière r. de la	18	21	D15-D16
Charbonniers pass. des	15	42	L9-L10
Charcot r.	13	58	N18-P17
Chardin r.	16	29	H7-J7
Chardon-Lagache r.	16	39-51	L4-M3
Charente quai de la	19	11	B20-A19
Charenton porte de	12	72	P22
Charenton r. de	12	46-60	K18-N21
Charlemagne r.	4	45	J16S
Charles-Albert pass.	18	7	B12N
Charles-Baudelaire r.	12	46-47	K18-K19
Charles-Bénard villa	12	48-60	L22
Charles-Bernard pl.	18	8	B14S
Charles-Bertheau r.	13	70	R17
Charles-Bossut r.	12	59	L19S
Charles-V r.	4	45-46	K17-J16
Charles-Cros r.	20	25	E23S
Charles-Dallery pass.	11	47	J18-J19
Charles-de-Foucauld av.	12	60	N22
Charles-de-Gaulle pl.	8	17-29	F7-F8
Charles-de-Gaulle pont	12	58	L17-L18
Charles-Delescluze r.	11	47	K19N
Charles-Dickens r.	16	40	J6
Charles-Dickens sq.	16	40	J6N
Charles-Divry r.	14	55	N12
Charles-Dullin pl.	18	20	D14
Charles-et-Robert r.	20	49	K23-J23
Charles-Fillion pl.	17	6-7	C10-C11
Charles-Floquet av.	7	41	J7-K8
Charles-Fourier r.	13	69	R15-P15
Charles-Friedel r.	20	36	F21
Charles-Garnier pl.	9	31	F12S
Charles-Gerhardt r.	17	18	D9N
Charles-Girault av.	8	30	G10
Charles-Godon cité	9	20	E14
Charles-Hermite r.	18	10	A17
Charles-Hermite sq.	18	10	A17
Charles-Lamoureux r.	16	28	G5N
Charles-Laurent sq.	15	53-54	L9S
Charles-Lauth r.	18	10	A17
Charles-Le-Goffic r.	14	67	R11
Charles-Lecocq r.	15	53	M7-M8
Charles-Luizet r.	11	34	H17
Charles-Marie-Widor r.	16	51	M3N
Charles-Michels pl.	15	40	L6N
Charles-Monselet r.	19	24	E22
Charles-Moureu r.	13	70	P17-P16
Charles-Nicolle r.	12	47-59	L20
Charles-Nodier r.	18	20	D14N
Charles-Péguy sq.	12	60	M22
Charles-Petit imp.	11	47	K19-K20
Charles-Renouvier r.	20	36	H21-H22
Charles-Risler av.	7	41	J8
Charles-Robin r.	10	22	E18S
Charles-Tellier r.	16	51	M3
Charles-Tillon pl.	19	10	A18
Charles-Tournemire r.	17	16	D6
Charles-Vallin pl.	15	54	N9N
Charles-Victor-Langlois sq.	4	45	J16N
Charles-Weiss r.	15	54	N9
Charlot r.	3	33-34	H16-G17
Charmilles villa des	15	54	N9
Charolais pass. du	12	59	M20
Charolais pl. du	19	11	C20
Charolais r. du	12	59	L19-M20
Charonne bd de		47-48	J20-K21
nos impairs	11		
nos pairs	20		
Charonne r. de	11	46-48	K18-J21
Charras r.	9	19-31	F12
Charrière r.	11	47	J19-K19
Chartière imp.	5	44	K14S
Chartres r. de	18	21	D15-D16
Chartreux r. des	6	56	M13N
Chassaigne-Goyon pl.	8	18-30	F10
Chasseloup-Laubat r.	15	42	K9-L9
Chasseurs av. des	17	6	C9S
Chat-qui-Pêche r. du	5	44	K14N
Château r. du	14	55	M11-N11
Château-d'Eau r. du	10	33	G16-F16
Château-des-Rentiers r.	13	70-57	R18-N16
Château-Landon r. du	10	22	E17-D17
Château-Rouge pl. du	18	9	C15S
Chateaubriand r.	8	17-18	F8-F9
Châteaudun r. de	9	20	E13-E14
Châtelet pass.	17	7	B11-B12
Châtelet pl. du		44-45	J14-J15
nos impairs	1		
nos pairs	4		
Châtillon porte de	14	66	R10
Châtillon r. de	14	67	P11
Châtillon sq. de	14	67	P11S
Chauchat r.	9	20-32	F13-F14
Chaudron r.	10	22	D17
Chaufourniers r. des	19	22	E18
Chaumont porte	19	24	D21N
Chaumont r. de	19	22	D18S
Chauré sq.	20	36-37	G22
Chaussée-d'Antin r. de la	9	20-32	E13-F13
Chaussin pass.	12	60	M22
Chausson imp.	10	22	E17-F17
Chauveau-Lagarde r.	8	31	F11S
Chauvelot r.	15	65-66	P8-P9
Chazelles r. de	17	18	E9N
Chef-d'Escadron-de-Guillebon allée du	14	55	M11
Chemin-de-Fer r. du		11-12	A20-A21
nos 1-13, 2-12 bis	19		
nos 15-fin, 14-fin	Pantin		
Chemin-Vert pass. du	11	34	H18S
Chemin-Vert r. du	11	46-35	J17-H20

Cheminets r. des	19	12	C21S
Chénier r.	2	33	G15N
Cher r. du	20	36	H22-G21
Cherbourg r. de	15	54	N9-P9
Cherche-Midi r. du		43	L11-K12
nᵒˢ 1-121, 2-130	6		
nᵒˢ 123-fin, 132-fin	15		
Chéreau r.	13	69	P15S
Chernoviz r.	16	40	J6N
Chéroy r. de	17	19	D11S
Chérubini r.	2	32	G13
Cheval-Blanc pass. du	11	46	J18-K18
Chevaleret r. du	13	71-58	R19-N17
Chevalier-de-la-Barre r. du	18	8	C14S
Chevalier de Saint George r. du		31	G11-G12
Chevaliers imp. des	20	36	F21
Chevert r.	7	42	J9
Cheverus r. de	9	19	E12S
Chevet r. du	11	34	G18N
Chevreul r.	11	47	K20
Chevreuse r. de	6	55	M12N
Cheysson villa	16	51	M3N
Chine r. de la	20	36	G21-G22
Choderlos-de-Laclos r.	13	59	N19
Choiseul pass.	2	32	G13
Choiseul r. de	2	32	G13-F13
Choisy av. de	13	69-70	R17-P16
Choisy parc de	13	69	P16
Choisy porte de	13	70	R17S
Chomel r.	7	43	K12N
Chopin pl.	16	40	J5
Choron r.	9	20	E13-E14
Chrétien-de-Troyes r.	12	47-59	L19
Christian-Dewet r.	12	48	L21N
Christian-Pineau allée	7	43	J12S
Christiani r.	18	21	D15N
Christine r.	6	44	J14-J13
Christine-de-Pisan r.	17	6	C9
Christophe-Colomb r.	8	29	F8-G8
Cicé r. de	6	43-55	L12S
Cimarosa r.	16	29	G7
Cimetière chemin du	12	73	R23
Cimetière-des-Batignolles av. du	17	6	B10
Cimetière-St-Benoît r. du	5	44	K14S
Cino-del-Duca r.	17	16	D6
Cinq-Diamants r. des	13	69	P15
Cinq-Martyrs-du-Lycée-Buffon pl. des	15	54-55	M10-M11
54 rue de Fécamp jardin	12	60	N22N
Cirque r. du	8	30	G10-F10
Ciseaux r. des	6	44	K13N
Cité r. de la	4	44-45	J14-J15
Cité-Universitaire r. de la	14	68	R14S
Cîteaux r. de	12	47	L19-K19
Civiale r.	10	22-34	F18
Civry r. de	16	50-51	L3S
Clairaut r.	17	7	C11
Clapeyron r.	8	19	D11S
Claridge galerie du	8	30	F9
Claude-Bernard mail	19	10-11	A18-A19
Claude-Bernard r.	5	56-57	M14-M15
Claude-Chahu r.	16	40	J6-H6
Claude-Debussy r.	17	17	D7N
Claude-Debussy sq.	17	18	D10
Claude-Decaen r.	12	60	N22-M21
Claude-Farrère r.	16	50	L2S
Claude-François pl.	16	51	M3-M4
Claude-Garamond r.	15	65	P8S
Claude-Lorrain r.	16	51	M3N
Claude-Lorrain villa	16	51	M3N
Claude-Monet villa	19	23	D20S
Claude-Nicolas-Ledoux sq.	14	55	N12
Claude-Pouillet r.	17	18	D10
Claude-Regaud av.	13	70	R18S
Claude-Terrasse r.	16	51	M3S
Claude-Tillier r.	12	47	L20-K20
Claude-Vellefaux av.	10	22	F18-E18
Clauzel r.	9	20	E13
Clavel r.	19	23-35	F20-E19
Clef r. de la	5	57	M15-L15
Clémence-Royer r.	1	32	H14N
Clemenceau pl.	8	30	G10
Clément r.	6	44	K13N
Clément-Ader pl.	16	40	K5
Clément-Marot r.	8	30	G9
Clément-Myionnet r.	15	40-52	L5
Cler r.	7	30	H9-J9
Cléry r. de	2	32-33	G14-G15
Clichy av. de		6-19	B10-D12
nᵒˢ 1-fin, 86-fin	17		
nᵒˢ 2-64	18		
Clichy bd de		19-20	D12-D13
nᵒˢ impairs	9		
nᵒˢ pairs	18		
Clichy pass. de	18	19	D12
Clichy pl. de		19	D12
nᵒˢ 1 seulement, 2-10 bis	9		
nᵒ 3 seulement	8		
nᵒ 5-fin (impairs)	17		
nᵒ 12-fin (pairs)	18		
Clichy porte de	17	6	B10
Clichy r. de	9	19	E12-D12
Clignancourt porte de	18	8	A14
Clignancourt r. de	18	20-9	D14-B15
Clignancourt sq. de	18	8	B14
Clisson imp.	13	58	N17
Clisson r.	13	58	N17-P17
Cloche-Perce r.	4	45	J16

Clodion r.	15	41	K7N
Cloître-Notre-Dame r. du	4	45	K15-J15
Cloître-St-Merri r. du	4	45	J15-H15
Clos r. du	20	48-49	J22
Clos-Bruneau pass. du	5	45	K15S
Clos-de-Malevart villa du	11	34	G18N
Clos-Feuquières r. du	15	53	M7-N7
Clos-Feuquières sq. du	15	53	M7-N7
Clotaire r.	5	44	L14
Clotilde r.	5	44	L14
Clotilde-de-Vaux r.	11	46	J17
Clôture r. de la	19	12	B21N
Clouet r.	15	42	L9N
Clovis r.	5	45	L15
Clovis-Hugues r.	19	22	D18S
Cloys imp. des	18	8	B13
Cloys pass. des	18	8	B13-C13
Cloys r. des	18	8	B13-B14
Cluny jardin du musée	5	44	K14
Cluny r. de	5	44	K14
Cochin r.	5	45	K15
Coëtlogon r.	6	43	K15
Cœur-de-Vey villa	14	55-67	P12N
Cognacq-Jay r.	7	30	H9
Colbert galerie	2	32	G13
Colbert r.	2	32	G13
Colette pl.	1	32	H13N
Colisée r. du	8	30	F9-F10
Collégiale r. de la	5	57	M15S
Collet villa	14	66	P10S
Collin pass.	9	20	D13S
Colmar r. de	19	11	C19S
Colombe r. de la	4	45	J15S
Colombie pl. de	16	27	H4
Colonel-Bonnet av. du	16	40	J5
Colonel-Bourgoin pl. du	12	47-59	L19
Colonel-Colonna d'Ornano r.	15	42-54	L9
Colonel-Combes r. du	7	30	H9
Colonel-Dominé r. du	13	69	R16-S16
Colonel-Driant r. du	1	32	H14-H13
Colonel-Fabien pl. du	22	E17-E18	
n°ˢ impairs	10		
n°ˢ pairs	19		
Colonel-Manhès r. du	17	7	B11
Colonel-Moll r. du	17	17	E7
Colonel-Monteil r. du	14	66	P9S
Colonel-Oudot r. du	12	60-61	N22-M23
Colonel-Pierre-Avia r. du	15	52	N5-P5
Colonel-Rozanoff r. du	12	47	L20
Colonels-Renard r. des	17	17	E7
Colonie r. de la	13	68-69	P14-R15
Colonnes r. des	2	32	G13N
Colonnes-du-Trône r. des	12	48	L21
Coluche pl.		68	P14
Est	13	68	P14
Ouest	14	68	P14
Combattants-en-Afrique-du-Nord pl. des	12	46	L18
Comète r. de la	7	30	H9-J9
Commaille r. de	7	43	K11-K12
Commandant-Charles-Martel pass.	17	19	D11
Commandant-Guilbaud r. du	16	50	M2
Commandant-Lamy r. du	11	46	J18
Commandant-Léandri r. du	15	53	M7
Commandant-L'Herminier r. du	20	49	L24-K24
Commandant l'Herminier sq. du	20	49	K24S
Commandant-Marchand r. du	16	16	E6S
Commandant-Mortenol r. du	10	22	E17
Commandant-Raynal allée du	15	40	L5S
Commandant-René-Mouchotte r. du		55	M11
n°ˢ impairs	14		
n°ˢ pairs	15		
Commandant-Rivière r. du	8	30	F9-F10
Commandant-Schlœsing r. du	16	28	H6
Commanderie bd de la	19	11	A20
Commandeur r. du	14	67	P12
Commerce imp. du	15	41	L7
Commerce pl. du	15	41-53	L7
Commerce r. du	15	41	L7-K8
Commerce St-André cour	6	44	J13-K13
Commerce-St-Martin pass.	3	33	H15
Commines r.	3	34	H17
Commune-de-Paris pl. de la	13	69	P15
Compans jardin	19	24	E21
Compans r.	19	23-24	E21-D20
Compiègne r. de	10	21	E15N
Compoint villa	17	7	C11N
Comtat-Venaissin pl. du	15	53	M7N
Comtesse-de-Ségur allée	8	18	E9-E10
Concorde pl. de la	8	31	G11S
Concorde pont de la	8	31	H11N
Concorde port de la	8	31	H11N
Condé r. de	6	44	K13
Condillac r.	11	35	H19N
Condorcet cité	9	20	E14N
Condorcet r.	9	21-21	E14-E15
Conférence port de la	8	30	H9N
Congo r. du	12	59	M20N

Conseiller-Collignon r. du	16 28	H5S
Conservation carr. de la	12 73	P24
Conservatoire r. du	9 20-32	F14
Constance r.	18 20	D13N
Constant-Berthaut r.	20 23	F20N
Constant-Coquelin av.	7 42-43	K10-K11
Constantin-Brancusi pl.	14 55	M11S
Constantin-Pecqueur pl.	18 8	C13
Constantine r. de	7 30	H10-J10
Constantinople r. de	8 19	E11
Conté r.	3 33	G16S
Conti imp. de	6 44	J13
Conti quai de	6 44	J14-J13
Contrescarpe pl. de la	5 45-57	L15
Convention r. de la	15 40-53	L5-N8
Conventionnel-Chiappe r.	13 70	S17N
Copenhague r. de	8 19	E11N
Copernic r.	16 28-29	G7-G6
Copernic villa	16 29	F7-G6
Copreaux r.	15 54	L9-M9
Coq av. du	9 19	E12-F12
Coq cour du	11 34	H17S
Coq-Héron r.	1 32	H14-G14
Coquillière r.	1 32	H14-G14
Corbera av. de	12 47	L19
Corbineau r.	12 59	M19
Corbon r.	15 54	N9-M9N
Cordelières r. des	13 57	N15
Corderie r. de la	3 34	G17S
Cordon-Boussard imp.	20 36	G21S
Corentin-Cariou av.	19 11	B19-B20
Coriolis r.	12 59	N20-M20
Corneille imp.	16 39-51	L3
Corneille r.	6 44	K13S
Corot r.	16 39	L4N
Corot villa	14 68	R14S
Corrèze r. de la	19 24	D21
Corse quai de la	4 44-45	J14-J15
Cortambert r.	16 28	H5-H6
Cortot r.	18 8	C14S
Corvetto r.	8 18	E10
Corvisart r.	13 56-57	N14-P15
Cossonnerie r. de la	1 33	H15
Costa-Rica pl. de	16 40	J6N
Cotentin r. du	15 54	M10
Cottages r. des	18 8	C13N
Cotte r. de	12 47	K18-K19
Cottin pass.	18 8	C14S
Couche r.	14 67	P12S
Couëdic r. du	14 67-68	P13-P12
Coulmiers r. de	14 67	R12-R11
Cour-des-Noues r. de la	20 36	H21-H22
Courat r.	20 48	J22
Courcelles bd de		17-18 E8-E10
nos impairs	8	
nos pairs	17	
Courcelles porte de	17 5	C7-C8
Courcelles r. de		17-30 C7-F10
nos 1-11, 2-94	8	
nos 79-fin, 96-fin	17	
Cournot r.	15 53	M7
Couronnes r. des	20 35	G19-F20
Courtalon r.	1 33	H15S
Courteline av.	12 49-61	L23-L24
Courteline sq.	12 48-60	L22
Courtois pass.	11 47	J20N
Courty r. de	7 31	H11
Coustou r.	18 20	D13
Coutellerie r. de la	4 45	J15N
Coutures-St-Gervais r. des	3 33-34	H6-H17
Couvent cité du	11 47	J19S
Coypel r.	13 57	N16S
Coysevox r.	18 7	C12-B12N
Crébillon r.	6 44	K13
Crèche r. de la	17 6	C9
Crédit-Lyonnais imp. du	13 68	R14S
Crémieux r.	12 46	L18
Crespin-du-Gast r.	11 35	G19S
Cretet r.	9 20	D14S
Crevaux r.	16 28	F6S
Crillon r.	4 46	K17S
Crimée pass. de	19 10	B18S
Crimée r. de	19 10-23	B18-E20
Crins imp. des	20 48	J21S
Cristino-Garcia r.	20 49	K23
Crocé-Spinelli r.	14 54	N10-N11N
Croisic sq. du	15 43	L11
Croissant r. du	2 32	G14N
Croix-Catelan carr. de la	16 26	G2
Croix-Catelan chemin de la	16 26	G2-H2
Croix-des-Petits-Champs r.	1 32	H13-G14
Croix-Faubin r. de la	11 47	J20N
Croix-Jarry r. de la	13 71	P19
Croix Moreau r. de la	18 10	B17
Croix-Nivert r. de la	15 41-53	L8-N7
Croix-Nivert villa	15 41	L8
Croix-Rouge carr. de la	6 43	K12N
Croix-Rouge rte de la	12 60	N22-N23
Croix-St-Simon r. de la	20 49	J22-J23
Cronstadt r. de	15 53	N8-N9
Cronstadt villa de	19 23	E20-D20
Croulebarbe r. de	13 57	N15
Crozatier imp.	12 47	K19S
Crozatier r.	12 47	L19-K19S
Crussol cité de	11 34	H17N
Crussol r. de	11 34	H17-G18
Cugnot r.	18 10	C17-B17
Cujas r.	5 44	L14-K14
Cunin-Gridaine r.	3 33	G15S
Curé imp. du	18 9	C16N
Cure r. de la	16 39	J4-K4

Curial r.	19 *10-11*	B18-B19
Curial sq.	19 *10*	B18
Curial villa	19 *10*	C17-C18
Curnonsky r.	17 *5*	C8
Custine r.	18 *8-9*	C14-C15
Cuvier r.	5 *45*	L16
Cygne r. du	1 *33*	H15*N*
Cygnes allée des	15 *40*	K6-J6
Cyrano-de-Bergerac r.	18 *8*	C14

D

Dagorno pass.	20 *48*	J22
Dagorno r.	12 *60*	L21-L22
Daguerre r.	14 *55*	N11-N12
Dahomey r. du	11 *47*	K19
Dalayrac r.	2 *32*	G13
Dalida pl.	18 *8*	C13
Dalloz r.	13 *70*	R18*S*
Dalou r.	15 *54*	L10*S*
Dames allée des	16 *27*	H3
Dames r. des	17 *18-19*	D10-D12
Damesme imp.	13 *69*	R16
Damesme r.	13 *69*	P16-R16
Damia jardin	11 *48*	J21
Damiette r. de	2 *33*	G15
Damoye cour	11 *46*	J18*S*
Dampierre r.	19 *11*	B19
Dampierre-Rouvet sq.	19 *11*	B19
Damrémont r.	18 *8*	B13-C13
Damrémont villa	18 *8*	B13
Dancourt r.	18 *20*	D14
Dancourt villa	18 *20*	D14
Dangeau r.	16 *39*	K4*N*
Daniel-Lesueur av.	7 *42-43*	L10-K11
Daniel-Stern r.	15 *41*	K7-K8
Daniel-Templier parvis	14 *55*	M11
Danielle-Casanova r.	*31-32*	G12-G13
n⁰ˢ impairs	1	
n⁰ˢ pairs	2	
Dante r.	5 *44*	K14
Danton r.	6 *44*	K14*N*
Dantzig pass. de	15 *53*	N8*S*
Dantzig r. de	15 *53*	N8-P8
Danube hameau du	19 *24*	D21*S*
Danube villa du	19 *24*	D21*S*
Danville r.	14 *55*	N12
Dany imp.	8 *19*	E11
Darboy r.	11 *34*	G18*N*
Darcet r.	17 *19*	D11-D12
Darcy r.	20 *36*	G22-F22
Dardanelles r. des	17 *16*	D6
Dareau pass.	14 *56*	P13*N*
Dareau r.	14 *56*	N13-P13

Darius-Milhaud allée	19 *23-24*	D20-D21
Darmesteter r.	13 *70*	R18
Daru r.	8 *17-18*	E8-E9
Darwin r.	18 *8*	C14-C13
Daubenton r.	5 *57*	M16-M15
Daubigny r.	17 *18*	D9*N*
Daumesnil av.	12 *46-61*	K18-N24
Daumesnil villa	12 *60*	M22*S*
Daumier r.	16 *51*	M3
Daunay imp.	11 *35*	H20*S*
Daunay pass.	18 *7*	B12
Daunou r.	2 *31-32*	F12-G13
Dauphine pass.	6 *44*	J13*S*
Dauphine pl.	1 *44*	J14
Dauphine r.	6 *44*	J14-J13
Dautancourt r.	17 *7*	C11-C12
Daval r.	11 *46*	J18*S*
David-d'Angers r.	19 *23-24*	D20-D21
David-Weill av.	14 *68*	R13*S*
Daviel r.	13 *68*	P14
Daviel villa	13 *68*	P14
Davioud r.	16 *39*	J4
Davout bd	20 *49-37*	L23-H23
Davy r.	17 *7*	C12-C11
Débarcadère r. du	17 *16*	E6
Debelleyme r.	3 *34*	H17
Debergue cité	12 *48*	L22
Debidour av.	19 *24*	D21*S*
Debille cour	11 *47*	J19
Debilly passerelle	16 *29*	H8
Debilly port	16 *29*	H7-H8
Debrousse r.	16 *29*	G8-H8
Debussy sq.	16 *27*	G4
Decamps r.	16 *28*	G6-H5
Déchargeurs r. des	1 *32*	H14*S*
Decrès r.	14 *54*	N10*S*
Défense imp. de la	18 *19*	D12*N*
Degas r.	16 *40*	K5*S*
Degrés r. des	2 *33*	G15*N*
Deguerry r.	11 *34*	G18
Dejean r.	18 *9*	C15*S*
Delaitre r.	20 *35*	G20
Delaizement r.	17 *16*	D6
Delambre r.	14 *55*	M12*N*
Delambre sq.	14 *55*	M12*N*
Delanos pass.	10 *21*	E16
Delaunay imp.	11 *47*	J20
Delbet r.	14 *67*	P11*N*
Delcassé av.	8 *18-30*	F10
Delecourt av.	15 *41*	L7*N*
Delépine cour	11 *46*	J18*S*
Delépine imp.	11 *47*	K20-J20
Delessert bd	16 *28*	J6-H7
Delessert pass.	10 *22*	E17
Delesseux r.	19 *11*	C20
Deligny imp.	17 *7*	B11*N*

Deloder villa	13	69	R16
Delouvain r.	19	23	E20S
Delta pl. du	9	20	D14S
Delta r. du	9	21	D15S
Demarquay r.	10	21	E16-D16
Demi-Lune carr. de la	12	61	N24
Denain bd de	10	21	E15
Denfert-Rochereau av.	14	56	M13-N13
Denfert-Rochereau pl.	14	55-56	N12-N13
Denis-Poisson r.	17	17	E7S
Denis-Poulot sq.	11	47	J19N
Dénoyez r.	20	35	F19
Denys-Cochin pl.	7	42	J9-J10
Déodat-de-Séverac r.	17	18	D10N
Deparcieux r.	14	55	N12N
Départ r. du		43	L11-M11
nos impairs	14		
nos pairs	15		
Département r. du		21-22	C16-D17
nos 1-19 ter, 2-18	19		
nos 21-fin, 20-fin	18		
Desaix r.	15	41	K7-J8
Desaix sq.	15	41	K7N
Desargues r.	11	34-35	G18N
Désaugiers r.	16	39	L4N
Desbordes-Valmore r.	16	28	H5
Descartes r.	5	45	L15
Descombes r.	17	17	D7N
Descos r.	12	59	M20N
Desgenettes r.	7	30	H9-H10
Desgrais pass.	19	10	C18N
Deshayes villa	14	66	P10S
Désir pass. du	10	21-33	F16
Désiré-Ruggieri r.	18	8	B13
Désirée r.	20	35	H20-G20
Desnouettes r.	15	52-53	N6-N7
Desnouettes sq.	15	52	N6
Despréaux av.	16	39-51	L3
Desprez r.	14	54	N10
Dessous-des-Berges r. du	13	70	R18-P18
Deux-Anges imp. des	6	44	J13
Deux-Avenues r. des	13	69	P16
Deux-Boules r. des	1	32	H14S
Deux-Cousins imp. des	17	17	D7N
Deux-Écus pl. des	1	32	H14N
Deux-Gares r. des	10	21	E16
Deux-Moulins jardin des	13	69	P16N
Deux-Nèthes imp. des	18	19	D12N
Deux-Pavillons pass. des	1	32	G13S
Deux-Ponts r. des	4	45	K16
Deux-Portes pass. des	20	36	H22S
Deux-Sœurs pass. des	9	20	F14N
Deuxième-D.-B. allée de la	15	55	M11
Devéria r.	20	36	F21
Dhuis r. de la	20	36	G22
Diaghilev pl.	9	13-31	F12
Diane-de-Poitiers allée	19	23-35	F19
Diapason sq.	19	11	C20
Diard r.	18	8	C14N
Diderot bd	12	46	L17-K21
Diderot cour	12	46	L18
Didot porte	14	66	P10
Didot r.	14	66-55	P10-N11
Dietz-Monnin villa	16	51	M3
Dieu pass.	20	48	J22
Dieu r.	10	34	F17S
Dieudonné-Costes r.	13	70	R18-R17
Dieulafoy r.	13	69	R16-R15
Dijon r. de	12	59	N20
Disque r. du	13	70	R17
18/06/1940 pl. du	6	43-55	L11
Dixmude bd de	17	16	D6
Dobropol r. du	17	16	D6
Dr-Alfred-Fournier pl. du	10	22-34	F17
Dr-Antoine-Béclère pl.	12	47	K19
Dr-Arnold-Netter av. du	12	60	M22-L22
Dr-Babinski r. du	18	7-8	A12-A13
Dr-Blanche r. du	16	39	J4-K3
Dr-Blanche sq. du	16	39	K4N
Dr-Bourneville r. du	13	69	S16
Dr-Brouardel av. du	7	41	J8
Dr-Calmette sq. du	15	52	P8
Dr-Charles-Richet r. du	13	58	N17S
Dr-Félix-Lobligeois pl. du	17	7	C11S
Dr-Finlay r. du	15	40-41	K6-K7
Dr-Germain-Sée r. du	16	40	K6-J5
Dr-Gley av. du	20	25	E23
Dr-Goujon r. du	12	60	M21
Dr-Hayem pl. du	16	40	K5N
Dr-Heulin r. du	17	7	C11
Dr-Jacquemaire-Clemenceau r. du	15	53	L8-M8
Dr-Jacques-Bertillon imp. du	8	29	G8
Dr-Labbé r. du	20	37	G23N
Dr-Lamaze r. du	19	10	C18
Dr-Lancereaux r. du	8	18	E9-E10
Dr-Landouzy r. du	13	69	R15
Dr-Lannelongue av. du	14	67	S12N
Dr-Laurent r. du	13	69	R16N
Dr-Lecène r. du	13	69	R15
Dr-Leray r. du	13	69	R16-R15
Dr-Lucas-Championniere r. du	13	69	R15-R16
Dr-Magnan r. du	13	69	P16-P17S
Dr-Navarre pl. du	13	70	P17
Dr-Paquelin r. du	20	36	G22N
Dr-Paul-Brousse r. du	17	7	B11
Dr-Paul-Michaux pl. du	16	50	M2
Dr-Potain r. du	19	24	E21S
Dr-Roux r. du	15	54	M10
Dr-Tuffier r. du	13	69	R16-R15

Dr Variot sq. du	20	24-25	E22S
Dr-Victor-Hutinel r. du	13	58	N17S
Dr-Yersin pl. du	13	70	R18S
Drs-Déjerine r. des	20	49	J23
Drs Déjerine sq. des	20	49	J23
Dode-de-la-Brunerie av.	16	51	N3N
Doisy pass.	17	17	E7
Dolomieu r.	5	57	L15S
Domat r.	5	44-45	K14-K15
Dombasle imp.	15	53	N8
Dombasle pass.	15	53	N8N
Dombasle r.	15	53	M8-N8
Dome r. du	16	29	F7S
Dominique-Pado r.	15	53	N7N
Domrémy r. de	13	70	P18-P17
Donizetti r.	16	39	K4S
Dordogne sq. de la	17	5	C8
Dorée porte	12	61	N23
Dorées sente des	19	12	C21S
Dorian av.	12	48	L21N
Dorian r.	12	48	L21N
Dosnes r.	16	28	G6-F6
Douai r. de	9	19-20	D12-D13
Douanier-Rousseau r. du	14	67-68	P12S
Douaumont bd de	17	6	B9
Double pont au	4	45	K15N
Doudeauville r.	18	9	C16-C15
Dragon r. du	6	43	J12-K12
Dranem r.	11	35	G19S
Dreux r. de	17	16	E6
Drevet r.	18	20	D14N
Driancourt pass.	12	47	K19S
Drouot r.	9	20-32	F14
Druinot imp.	12	47	K19
Dubail pass.	10	21-33	F16
Duban r.	16	40	J5N
Dublin pl. de	8	19	E11-E12
Dubois pass.	19	23	D19
Dubourg cité	20	36	H22
Dubrunfaut r.	12	59	M20
Duc r.	18	8	C14-B14
Duchefdelaville r.	13	58	N18-N17
Dudouy pass.	11	35	H19
Duée pass. de la	20	36	F21S
Duée r. de la	20	36	F21S
Dufrénoy r.	16	28	G5S
Dufresne villa	16	51	M3S
Dugommier r.	12	59	M20
Duguay-Trouin r.	6	43	L12N
Duhesme pass.	18	8-9	B14-B15
Duhesme r.	18	8	C13-B14
Dulac r.	15	42	L10S
Dulaure r.	20	37	G23
Dulcie-SePortember pl.	10	21-22	E16-E17
Dulong r.	17	18-19	C10-D11
Dumas pass.	11	47-48	K20-K21

Duméril r.	13	57	M16-N16
Dumont-d'Urville r.	16	29	G7-F8
Dunes r. des	19	23	E19
Dunkerque r. de		20-21	D14-E16
n⁰ˢ 1-47, 2-36 bis	10		
n⁰ˢ 49-fin, 38-fin	9		
Dunois r.	13	58	P18-N17
Dunois sq.	13	58	N17
Duperré r.	9	20	D13S
Dupetit-Thouars cité	3	33-34	G16-G17
Dupetit-Thouars r.	3	33-34	G16-G17
Duphot r.		31	G12
n⁰ˢ 1-21, 2-26	1		
n⁰ˢ 23-fin, 28-fin	8		
Dupin r.	6	43	K12
Duplan cité	16	16	E6S
Dupleix pl.	15	41	K8
Dupleix r.	15	41	K8
Dupont cité	11	35	H19
Dupont villa	16	16	F6N
Dupont-de-l'Eure r.	20	36	G21-G22
Dupont-des-Loges r.	7	29	H8-H9
Dupuis r.	3	34	G17S
Dupuy imp.	18	9	C16
Dupuy-de-Lôme r.	13	70	R18
Dupuytren r.	6	44	K13
Duquesne av.	7	42	J9-K10
Durance r. de la	12	60	M20-M21
Duranti r.	11	35	H19-H20
Durantin r.	18	20	C13-D13
Duranton r.	15	52-53	M6-M7
Duranton sq.	15	52	M6
Duras r. de	8	31	F11S
Durel cité	18	8	B13N
Duret r.	16	16	F6-E6
Duris pass.	20	35	G20-H20
Duris r.	20	35	G20-H20
Durmar cité	11	35	G19
Duroc r.	7	42	K10-L10
Durouchoux r.	14	55	N12S
Dury-Vasselon villa	20	24	E22S
Dussoubs r.	2	33	G15
Duthy villa	14	66	P10-P11
Dutot r.	15	54	M9
Dutuit av.	8	30	G10
Duvergier r.	19	10-11	C18-C19
Duvivier r.	7	42	J9

E

Eaux pass. des	16	40	J6
Eaux r. des	16	40	J6
Ebelmen r.	12	47-59	L20
Éblé r.	7	42	K10S

Echaudé r. de l'	6	44	J13S
Échelle r. de l'	1	32	H13-G13N
Échiquier r. de l'	10	33	F15
Écluses-St-Martin r. des	10	22	E17S
École imp. de l'	9	20	E14
École pl. de l'	1	44	J14N
École-de-Médecine r. de l'	6	44	K14
École-Militaire pl. de l'	7	42	J9S
École-Polytechnique r. de l'	5	45	K15-L14
Écoles cité des	20	36	G21S
Écoles r. des	5	44-45	L15-K14
Écoliers pass. des	15	41-53	L7
Écosse r. d'	5	44	K14S
Écouffes r. des	4	45	J16
Écrivains-Combattants-Morts-pour-la-France sq. des	16	27	H4S
Edgar Faure r.	15	41	J7-K8
Edgar-Poë r.	19	22-23	E18-E19
Edgar-Quinet bd	14	55	M11-M12
Edgar-Varèse r.	19	11	C20
Edimbourg r. d'	8	19	E11
Edison av.	13	69-70	P17-P16
Édit-de-Nantes pl. de l'	19	11	C19
Édith-Piaf pl.	20	36	G22S
Edmond-About r.	16	28	H5
Edmond-Flamand r.	13	58	M18S
Edmond-Gondinet r.	13	57	P15N
Edmond-Guillout r.	15	54	L10S
Edmond-Michelet pl.	4	33	H15
Edmond-Roger r.	15	41	L7
Edmond-Rostand pl.	6	44	L14N
Edmond-Rousse r.	14	67	R11
Edmond-Valentin r.	7	29	H8-H9
Édouard-Colonne r.	1	44	J14N
Édouard-Detaille r.	17	18	D9
Édouard-Fournier r.	16	27-28	H4-H5
Édouard-Jacques r.	14	55	N11N
Édouard-Lartet r.	12	61	M23
Édouard-Lockroy r.	11	34	G18S
Édouard-Manet r.	13	57	N16S
Édouard-Pailleron r.	19	22	E18-D19
Édouard-Quénu r.	5	57	M15
Édouard-Renard pl.	12	61	N23
Édouard-Robert r.	12	60	N22-M21
Édouard-VII pl.	9	31	F12S
Édouard-VII r.	9	31	F12S
Édouard-Vaillant av.		50	M2-N1
sans nos	16		
nos 23 fin, 18-fin		Boulogne-Billancourt	
Edouard-Vaillant sq.	20	36	G22
Edward-Tuck av.	8	30-31	G10-G11
Égalité r. de l'	19	24	D21-E21
Eginhard r.	4	45	J16S
Église imp. de l'	15	53	L7S
Église r. de l'	15	52-53	L6-L7
Église-d'Auteuil pl. de l'	16	39	L4N
Église-de-l'Assomption pl. de l'	16	39	J4
Église Évangélique Luthérienne jardin de l'	7	42	J9
Eiders allée des	19	11	B19-C19
Élie-Faure r.	12	49	L24
Élisa Borey jardin	20	35	G20
Elisa-Borey r.	20	35	G20
Elisa-Lemonnier r.	12	59	M20
Élisée-Reclus av.	7	41	J8N
Élysée r. de l'	8	30	G10-F11
Élysée-Ménilmontant r.	20	35	G20N
Élysées 26 galerie	8	30	F9
Élysées-La Boétie galerie	8	30	F9S
Élysées-Rond-Point galerie	8	30	F10-G9
Elzévir r.	3	45	J16N
Emélie r.	19	11	C19
Emeriau r.	15	40-41	K6-K7
Émile-Acollas av.	7	41	K8N
Émile-Allez r.	17	17	D7
Émile-Augier bd	16	40	J5-H5
Émile-Bergerat av.	16	39-40	K4-K5
Émile-Bertin r.	18	10	A17
Émile-Blémont r.	18	8	B14
Émile-Bollaert r.	19	10	A18
Émile-Borel jardin	17	7	A11
Émile-Borel r.	17	7	A11
Émile-Chaîne r.	18	9	B15S
Émile-Chautemps sq.	3	33	G15
Émile-Cohl jardin	12	61	L23-M23
Émile-Deschanel av.	7	41-42	J8-J9
Émile-Deslandres r.	13	57	N15N
Émile-Desvaux r.	19	24	E21
Émile-Deutsch-de-la-Meurthe r.	14	68	R13
Émile-Dubois r.	14	56	N13S
Émile-Duclaux r.	15	54	L9-M9
Émile-Duployé r.	18	9	C16
Émile-Durkheim r.	13	58-59	N18-N19
Émile-et-Armand-Massar av.	17	5	C8S
Émile-Faguet r.	14	67	R12S
Émile-Gallé jardin	11	47	J20S
Émile-Gilbert r.	12	46	L18N
Émile-Goudeau pl.	18	20	D13N
Émile-Landrin pl.	20	36	H22N
Émile-Landrin r.	20	36	H21N
Émile-Laurent av.	12	61	M23
Émile-Lepeu r.	11	47	J20
Émile-Levassor r.	13	70	R17S
Émile-Level r.	17	7	B11
Émile-Loubet villa	19	24	E21N
Émile-Mâle pl.	5	45-57	L15
Émile-Ménier r.	16	28	G5N

Émile-Meyer villa	16 51	M3
Émile-Pierre-Casel r.	20 36	G22S
Émile-Pouvillon av.	7 41	J8N
Émile-Reynaud r.	11	A20
nos impairs	19	
nos pairs	Aubervilliers	
Émile-Richard r.	14 55	M12-N12
Émile-Zola av.	15 40-41	L5-L8
Émile-Zola sq.	15 41	L7N
Emilio-Castelar r.	12 46-47	K18S
Emmanuel-Chabrier sq.	17 18	D10
Emmanuel-Chauvière r.	15 52	L5-L6
Emmanuel-Fleury sq.	20 37	F23
Emmery r.	20 35-36	F20-F21
Empereur Julien r. de l'	14 68	P13-R13
Empereur Valentinien r. de l'	14 68	P13
Encheval r. de l'	19 23	E20
Enfant-Jésus imp. de l'	15 42-54	L10
Enfer pass. d'	14 55	M12
Enghien r. d'	10 33	F15
Entrepreneurs pass. des	15 41-53	L7
Entrepreneurs r. des	15 40-53	L6-L7
Entrepreneurs villa des	15 40	L6N
Envierges r. des	20 35	F20
Épée-de-Bois r. de l'	5 57	M15N
Éperon r. de l'	6 44	K14-J14N
Épinettes r. des	17 7	B11
Épinettes sq. des	17 7	B12
Épinettes villa des	17 7	B11-B12N
Équerre r. de l'	19 23	F19N
Équerre-d'Argent r. de l' Forum-des-Halles	1 32	H14
Érables rte des	16 15	E3-E5
Érard imp.	12 47	L19
Érard r.	12 47	L19-L20
Érasme r.	5 56	L14S
Erckmann-Chatrian r.	18 21	D15N
Erik-Satie r.	19 23	D20
Erlanger av.	16 39	L3N
Erlanger r.	16 39	L3
Erlanger villa	16 39	L3N
Ermitage av. de l'	16 51	L4S
Ermitage cité de l'	20 36	G20-G21
Ermitage r. de l'	20 36	G20-F21
Ermitage villa de l'	20 36	G20-F21
Ernest-Chausson sq.	17 7	C11-C12
Ernest-Cresson r.	14 55	N12S
Ernest-Denis pl.	6 56	M13N
Ernest-et-Henri-Rousselle r.	13 69	R16-R15
Ernest-Goüin r.	17 7	B11
Ernest-Hébert r.	16 27	H4
Ernest Hemingway r.	15 52	M5
Ernest-Lacoste r.	12 60	N22
Ernest-Lavisse r.	12 61	M23N
Ernest-Lefébure r.	12 61	M23S
Ernest-Lefèvre r.	20 36	G22N
Ernest-Psichari r.	7 42	J9
Ernest-Renan av.	15 52-53	N7-P6
Ernest-Renan r.	15 54	L9-L10
Ernest-Reyer av.	14 67	R11
Ernest-Roche r.	17 7	B11
Ernestine r.	18 9	C15
Escadrille-Normandie-Niemen pl. de l'	13 58	N18
Escaut r. de l'	19 10	B18S
Esclangon r.	18 8	B14N
Escoffier r.	12 72	P21S
Espérance r. de l'	13 69	P15-R14
Esquirol r.	13 57	N16
Essai r. de l'	5 57	M16
Est r. de l'	20 36	F21S
Este villa d'	13 70	R17
Esterel sq. de l'	20 49	K23S
Estienne-d'Orves pl. d'	9 19	E12S
Estienne-d'Orves sq. d'	9 19	E12S
Estrapade pl. de l'	5 44	L14
Estrapade r. de l'	5 44-45	L14-L15
Estrées r. d'	7 42	K9-K10
Étang chaussée de l'	12 49	L24-M24
États-Unis pl. des	16 29	G7-G8
Etex r.	18 7	C12
Etex villa	18 7	C12
Étienne-Dolet r.	20 35	G19-G20
Étienne-Jodelle r.	18 7	C12S
Étienne-Marcel r.	32-33	G14-H15
nos impairs	1	
nos pairs	2	
Étienne-Marey r.	20 36	G22
Étienne-Marey villa	20 36-37	G22
Étienne-Pernet pl.	15 53	L7S
Étoile r. de l'	17 17	E8S
Étoile rte de l'	16 15	F3-F4
Étoile-d'Or cour de l'	11 46	K18N
Eugène-Atget r.	13 69	P15
Eugène-Beaudoin pass.	16 39	J4
Eugène-Carrière r.	18 7-8	C12-B13
Eugène-Delacroix r.	16 28	H5N
Eugène-Flachat r.	17 5	C8S
Eugène-Fournière r.	18 8	A14S
Eugène-Gibez r.	15 53	N7-N8
Eugène-Hatton sq.	12 59	M20N
Eugène-Jumin r.	19 24	C20-C21
Eugène-Labiche r.	16 27	H4
Eugène-Leblanc villa	19 24	E21N
Eugène-Manuel r.	16 28	H6S
Eugène-Manuel villa	16 28	H6S
Eugène-Millon r.	15 53	M7S
Eugène-Oudiné r.	13 70-71	P19-R18
Eugène-Pelletan r.	14 55	N12S
Eugène-Poubelle r.	16 40	K5

Eugène-Reisz r.	20	49	J23
Eugène-Spuller r.	3	33-34	H16-G17
Eugène-Sue r.	18	8-9	C14-C15
Eugène-Thomas sq.	12	59	M20N
Eugène-Varlin r.	10	22	E17
Eugène-Varlin sq.	10	22	E17
Eugénie-Cotton r.	19	24	E21
Eugénie-Cotton sq.	19	24	E21
Eugénie-Eboué r.	12	47	L20
Eugénie-Legrand r.	20	36	H21
Euler r.	8	29	F8S
Eupatoria pass. d'	20	35	G20
Eupatoria r. d'	20	35	G20N
Eure r. de l'	14	55	N11S
Europe pl. de l'	8	19	E11
Euryale-Dehaynin r.	19	22-23	D18-D19N
Évangile r. de l'	18	9	C16-B18
Évangile Madone sq. de l'	18	9	B16S
Évariste-Galois r.	20	25-37	F23
Eveillard imp.	20	36	G22S
Evette r.	19	11	C19
Exelmans bd	16	51-39	M4-K3
Exelmans hameau	16	51	L3S
Exposition r. de l'	7	42	J9N
Eylau av. d'	16	28	H6-G6
Eylau villa d'	16	29	F7S

F

Fabert r.	7	30	H10-J10
Fabre-d'Églantine r.	12	48	L21N
Fabriques cour des	11	34	G18
Fagon r.	13	57	N16S
Faidherbe r.	11	47	K19-J19
Faisanderie r. de la	16	28	F5-G5
Faisanderie villa de la	16	28	G5-F5
Falaise cité	18	8	B13N
Falaises villa des	20	36	G22
Falconet r.	18	8	C14S
Falguière cité	15	54	M10N
Falguière pl.	15	54	N10N
Falguière r.	15	54-55	L11-M10
Fallempin r.	15	41	K7S
Fantin-Latour r.	16	51	M4
Faraday r.	17	17	D7S
Faubourg-du-Temple r. du		34	G17-F18
nos impairs	10		
nos pairs	11		
Faubourg-Montmartre r. du	9	20-32	E14-H14
Faubourg-Poissonnière r. du		21-33	F15-D15
nos impairs	9		
nos pairs	10		

Faubourg-St-Antoine r. du		46-48	K18-K21
nos impairs	11		
nos pairs	12		
Faubourg-St-Denis r. du	10	21-33	F15-D16
Faubourg-St-Honoré r. du	8	17-31	E8-G11
Faubourg-St-Jacques r. du	14	56	M13-N13
Faubourg-St-Martin r. du	10	33-22	G16-D17
Faucheur villa	20	35	F20
Fauconnier r. du	4	45	K16-J16
Faustin-Hélie r.	16	28	H5S
Fauvet r.	18	7	C12
Favart r.	2	32	F13S
Favorites r. des	15	54	M9
Fécamp r. de	12	60	N21-M22
Fédération r. de la	15	41	J7-K8
Federico-Garcia-Lorca allée	1	32	H14
Félibien r.	6	44	K13N
Félicien-David r.	16	40	K5S
Félicien-Rops av.	13	69	S15N
Félicité r. de la	17	18	D9-C10
Félix-Desruelles sq.	6	44	J13
Félix-d'Hérelle av.	16	50	N2N
Félix-Éboué pl.	12	60	M21
Félix-Faure av.	15	52-53	L7-M5
Félix-Faure r.	15	52	M6
Félix-Faure sq.	15	52	M6
Félix-Faure villa	19	24	E21N
Félix-Huguenet r.	20	48	K22S
Félix-Pécaut r.	17	7	B12
Félix-Terrier r.	20	49	J23N
Félix-Voisin r.	11	47	J20N
Félix-Ziem r.	18	8	C13
Fénelon cité	9	20	E14
Fénelon r.	10	21	E15
Fenoux r.	15	53	M8
Fer-à-Moulin r. du	5	57	M16-M15
Ferdinand-Brunot pl.	14	55	N12S
Ferdinand-Brunot sq.	14	55	N12
Ferdinand-Buisson av.	16	50	N2-M2
Ferdinand-de-Béhagle r.	12	60	N21S
Ferdinand-Duval r.	4	45	J16
Ferdinand-Fabre r.	15	53	M8
Ferdinand-Flocon r.	18	8	C14N
Ferdinand-Gambon r.	20	48	K22-J22
Ferdousi av.	8	18	E9
Férembach cité	17	17	E7
Fermat r.	14	55	N12N
Ferme-de-Savy r. de la	20	35	F19
Ferme-St-Lazare cour	10	21	E16-E15
Ferme-St-Lazare pass.	10	21	E16S
Fermiers r. des	17	6	C10S
Fernand-Braudel r.	13	58	N18

Fernand-Cormon r.	17	5-6	C8-C9
Fernand-de-la-Tombelle sq.	17	18	D10
Fernand-Forest pl.	15	40	K6
Fernand-Foureau r.	12	49	L23N
Fernand-Holweck r.	14	54	N10
Fernand-Labori r.	18	8	A14S
Fernand-Léger r.	20	35	H20-G20N
Fernand-Mourlot pl.	14	55	M11
Fernand-Pelloutier r.	17	7	A11S
Fernand-Raynaud r.	20	35-36	F20
Fernand-Widal r.	13	69	S16N
Férou r.	6	44	K13
Ferronnerie r. de la	1	32-33	H14-H15
Ferrus r.	14	56	N14-P14
Fessart r.	19	23	E19-E20
Fêtes pl. des	19	24	E21S
Fêtes r. des	19	23	E20-E21
Feuillantines r. des	5	56	M14-L14
Feutrier r.	18	20	C14
Feydeau galerie	2	32	F14S
Feydeau r.	2	32	F14-G13
Fidélité r. de la	10	21	F16N
Figuier r. du	4	45	J16S
Filles-du-Calvaire bd des		34	H17
n⁰ˢ impairs	3		
n⁰ˢ pairs	11		
Filles-du-Calvaire r. des	3	34	H17
Filles-St-Thomas r. des	2	32	G13N
Fillettes imp. des	18	10	A17
Fillettes r. des	18	10	B17
Finlande pl. de	7	30	H10
Firmin-Gémier r.	18	7	B12
Firmin-Gillot r.	15	53	N7S
Fizeau r.	15	54	N9-P9
Flandre av. de	19	22-11	D17-B19
Flandre pass. de	19	10	C18S
Flandre Tanger Maroc jardin de	19	22	C18-D18
Flandrin bd	16	27-28	G4-F5
Flatters r.	5	56	M14S
Fléchier r.	9	20	E13S
Fleurie villa	19	23	E20
Fleurs cité des	17	7	C11-B11
Fleurs quai aux	4	45	K15-J15
Fleurus r. de	6	43	L12N
Florale cité	13	68	R14
Flore villa	16	39	K4
Floréal r.	17	7	A11
Florence r. de	8	19	D12S
Florence-Blumenthal r.	16	40	K5
Florence-Blumenthal sq.	13	70	P17
Florentine cité	19	23	E20
Florentine-Estrade cité	16	39	L4N
Florian r.	20	48	J22-H22
Florimont imp.	14	54	N10S
Flourens pass.	17	7	B12N
Foch av.	16	28-29	F5-F7
Foin r. du	3	46	J17
Folie-Méricourt r. de la	11	34	H18-G17
Folie-Regnault jardin de la	11	47	J20
Folie-Regnault pass.	11	35	H20
Folie-Regnault r. de la	11	47	J20-H20
Fond-de-Rouvray darse du	19	11	C20
Fondary r.	15	41	K7-L8
Fondary villa	15	41	L8N
Fonderie pass. de la	11	34	G18
Fonds-Verts r. des	12	59	M20S
Fontaine r.	9	20	E13-D13
Fontaine-à-Mulard r. de la	13	69	R15
Fontaine-au-Roi r. de la	11	34-35	G17-G19
Fontaine aux Lions pl. de la	19	11	C20
Fontaine-du-But r. de la	18	8	C13
Fontainebleau allée de	19	23	D20
Fontaines-du-Temple r. des	3	33	G16S
Fontarabie r. de	20	48	J22N
Fontenay villa de	19	23-24	E20-E21N
Fontenoy pl. de	7	42	K9
Forceval r.	19	11	A20
Forest r.	18	19	D12N
Forez r. du	3	34	H17N
Forge-Royale r. de la	11	47	K19
Forges r. des	2	33	G15
Fort-de-Vaux bd du	17	5-6	B8-B9
Fortifications allée de	16	38-39	K3-H4
Fortifications rte des	12	60	N22
Fortin imp.	8	30	F9
Fortunée allée	16	27-16	F4-E5
Fortuny r.	17	18	D9S
Forum-des-Halles	1	32-33	H14-H15
Fossés-St-Bernard r. des	5	45	K16-L15
Fossés-St-Jacques r. des	5	44	L14
Fossés-St-Marcel r. des	5	57	M16
Fouarre r. du	5	45	K15
Foubert pass.	13	69	R15-P15
Foucault r.	16	29	H8N
Fougères r. des	20	37	F23
Four r. du	6	43-44	K12-K13
Fourcade r.	15	53	M8S
Fourcroy r.	17	17	E8-D8
Fourcy r. de	4	45	J16S
Fourneyron r.	17	7	C11
Fours-à-Chaux pass. des	19	22	E18
Foyatier r.	18	20	D14
Fragonard r.	17	6-7	B10-B11
Fraisiers ruelle des	12	46-47	L18
Franc-Nohain r.	13	70	R18S
Française r.		33	H15-G15
n⁰ˢ 1-5, 2-6	1		
n⁰ˢ 7-fin, 8-fin	2		

France av. de	13 *58*	N18
Franche-Comté r. de	3 *34*	G17*S*
Franchemont imp.	11 *47*	J19*S*
Francis-Carco r.	18 *9*	C16
Francis-de-Croisset r.	18 *8*	A14
Francis-de-Miomandre r.	13 *69*	S15
Francis-de-Pressensé r.	14 *54*	N10
Francis-Garnier r.	17 *7*	A12*S*
Francis-Jammes r.	10 *22*	E17
Francis-Picabia r.	20 *35*	F19-G19
Francis-Ponge r.	19 *24*	D21
Francis-Poulenc pl.	19 *23*	D20
Francis-Poulenc sq.	6 *44*	K13*S*
Francisque-Gay r.	6 *44*	K14*N*
Francisque-Sarcey r.	16 *28*	H6*S*
Franco-Russe av.	7 *29*	H8
Francœur r.	18 *8*	C14
François-Bonvin r.	15 *42-54*	L9
François-Coppée r.	15 *52-53*	M7
François-de-Neufchâteau r.	11 *47*	J19
François-Gérard r.	16 *39*	K4*S*
François-Mauriac quai	13 *58-59*	N18-N19
François-Millet r.	16 *40*	K5
François-Miron r.	4 *45*	J15-J16
François-Mitterrand quai	1 *32*	H13
François-Mouthon r.	15 *53*	M7
François-Pinton r.	19 *23*	D20*S*
François-Ponsard r.	16 *40*	J5-H5
François-1er pl.	8 *30*	F8-G9*S*
François-1er r.	8 *30*	F8-G9
François-Truffaut r.	12 *59*	N20
François-Villon r.	15 *53*	M8*S*
Francs-Bourgeois r. des	*45-46*	H16-J17
nos impairs	4	
nos pairs	3	
Franklin-D.-Roosevelt av.	8 *30*	F10-G10
Franquet r.	15 *54*	N9
Franqueville r. de	16 *27-28*	H4-H5
Franz-Liszt pl.	10 *21*	E15
Fraternité r. de la	19 *24*	D21*S*
Frédéric-Bastiat r.	8 *30*	F9
Frédéric-Bazille sq.	14 *66*	P10-P11*N*
Frédéric-Brunet r.	17 *7*	A12*S*
Frédéric-Le-Play av.	7 *42*	J9*S*
Frédéric-Loliée r.	20 *48*	K22*S*
Frédéric-Magisson r.	15 *52-53*	L7-M7
Frédéric-Mistral r.	15 *52*	M6
Frédéric-Mistral villa	15 *52*	M6
Frédéric-Mourlon r.	19 *24*	E21-E22
Frédéric-Rossif sq.	12 *47*	L19-L20
Frédéric-Sauton r.	5 *45*	K15
Frédéric-Schneider r.	18 *8*	A13*S*
Frédéric-Vallois sq.	15 *54*	N9*N*
Frédérick-Lemaître r.	20 *23-24*	F20-F21
Frédérick-Lemaître sq.	10 *34*	G17*N*
Fréhel pl.	19 *23*	F19
Frémicourt r.	15 *41*	L8-K8
Frémiet av.	16 *40*	J6*N*
Fréquel pass.	20 *48*	J22
Frères-d'Astier-de-la-Vigerie r. des	13 *70*	R17
Frères-Flavien r. des	20 *25*	E23-F23
Frères-Morane r. des	15 *53*	L7-M7
Frères-Périer r. des	16 *29*	G8-H8
Frères-Voisin allée des	15 *63-64*	P4-P5
Frères-Voisin bd des	15 *63*	P4-P5
La Fresnaye villa	15 *54*	M9
Fresnel r.	16 *29*	H7-H8
Freycinet r.	16 *29*	G8*S*
Friant r.	14 *67*	P12-R11
Friedland av. de	8 *17-18*	F8-F9
Frigos r. des	13 *59-71*	N19-P19
Frochot av.	9 *20*	E13-D13
Frochot r.	9 *20*	E13-D13
Froidevaux r.	14 *55*	N12-M11
Froissart r.	3 *34*	H17
Froment r.	11 *46*	J18*N*
Fromentin r.	9 *20*	D13*S*
Fructidor r.	17 *7*	A12
Fulton r.	13 *58*	M18*S*
Furstemberg r. de	6 *44*	J13*S*
Furtado-Heine r.	14 *67*	P11*N*
Fustel-de-Coulanges r.	5 *56*	M13-M14

G

Gabon r. du	12 *49*	L23
Gabriel av.	8 *30-31*	G10-G11
Gabriel villa	15 *55*	L11*S*
Gabriel-Fauré sq.	17 *18*	D10
Gabriel-Lamé r.	12 *59*	N20
Gabriel-Laumain r.	10 *21-33*	F15
Gabriel-Péri pl.	8 *19*	F11*N*
Gabriel-Pierné sq.	6 *44*	J13
Gabriel-Vicaire r.	3 *33*	G16*S*
Gabrielle r.	18 *20*	D13-D14
Gabrielle-d'Estrées allée	19 *23-35*	F19
Gaby-Sylvia r.	11 *46*	J18-H18
Gager-Gabillot r.	15 *54*	M9*S*
Gagliardini villa	20 *24*	E22-F22
Gaillon pl.	2 *32*	G13*N*
Gaillon r.	2 *32*	G13*N*
Gaîté imp. de la	14 *55*	M11-M12
Gaîté r. de la	14 *55*	M11
Galande r.	5 *44-45*	K14-K15
Galilée r.	*29*	G7-F8
nos 1-53, 2-50	16	
nos 55-fin, 52-fin	8	

Galleron r.	20 *48*	J22-H22
Gallieni bd	15 *51-63*	P4
Galliera r. de	16 *29*	G8*S*
Galvani r.	17 *17*	D7
Gambetta av.	20 *35-24*	H20-E22
Gambetta pass.	20 *36*	F22
Gambetta pl.	20 *36*	G21*S*
Gambey r.	11 *34*	G18*S*
Gandon r.	13 *69*	R16-S16
Ganneron pass.	18 *7*	C12
Ganneron r.	18 *19-7*	D12-C12
Garance villa	9 *21*	D15
Garancière r.	6 *44*	K13
Gardes r. des	18 *21*	D15
Gare port de la	13 *58-59*	M18-N19
Gare porte de la	13 *71*	P19-P20
Gare quai de la	13 *58*	M18-N18
Gare r. de la	19 *10*	A18
Gare de Charonne jardin de la	20 *49*	K23*N*
Gare de Reuilly jardin de la	12 *60*	M20-M21
Gare-de-Reuilly r. de la	12 *60*	M21-L21
Garenne pl. de la	14 *55*	N11
Garibaldi bd	15 *42*	L9
Garibaldi sq.	15 *41-42*	K8-K9
Garigliano pont du	16 *51*	M4
Garnier villa	15 *43-55*	L11
Garonne quai de la	19 *11*	C20
Garreau r.	18 *20*	D13*N*
Gascogne sq. de la	20 *49*	J23*S*
Gasnier-Guy r.	20 *36*	G21*S*
Gassendi r.	14 *55*	N12
Gaston-Bachelard allée	14 *66*	P10
Gaston Baty sq.	14 *55*	M11
Gaston-Bertandeau sq.	17 *17*	E7
Gaston-Boissier r.	15 *53-65*	P8-P7
Gaston-Couté r.	18 *8*	C14
Gaston-Darboux r.	18 *10*	A18-A17
Gaston-de-Caillavet r.	15 *40*	K6
Gaston-de-St-Paul r.	16 *29*	G8-H8
Gaston-Pinot r.	19 *23*	D20
Gaston-Rébuffat r.	19 *22*	D17
Gaston-Tessier r.	19 *10*	B18
Gaston-Tissandier r.	18 *10*	A17
Gatbois pass.	12 *47-59*	L19
Gâtines r. des	20 *36*	G21*S*
Gaudelet villa	11 *35*	G19*S*
Gauguet r.	14 *68*	P13*S*
Gauguin r.	17 *5*	C8
Gauthey r.	17 *7*	C11-B11
Gauthier pass.	19 *23*	F19-E19
Gavarni r.	16 *40*	J6-H6
Gay-Lussac r.	5 *44-56*	L14-M14
Gazan r.	14 *68*	R14
Geffroy-Didelot pass.	17 *18*	D10-D11
Général-Anselin r. du	16 *16*	E5
Général-Anselin sq. du	16 *27-28*	G4-G5
Général-Appert r. du	16 *28*	G5*N*
Général-Archinard r. du	12 *61*	M23
Général-Aubé r. du	16 *40*	J5
Général-Balfourier av. du	16 *39-51*	L3
Général-Baratier r. du	15 *41*	K8
Général-Bertrand r. du	7 *42*	K10-L10
Général-Beuret pl. du	15 *53-54*	M9*N*
Général-Beuret r. du	15 *53-54*	M8-M9
Général-Blaise r. du	11 *35*	H19
Général-Brocard pl. du	8 *18*	E9
Général-Brunet r. du	19 *23-24*	E20-D21
Général-Camou r. du	7 *29*	H8*S*
Général-Catroux pl. du	17 *18*	D10-D9
Général-Clavery av. du	16 *51*	N3*N*
Général-Clergerie r. du	16 *28*	G6-F6
Général-Cochet pl. du	19 *24*	D21*N*
Général-de-Castelnau r. du	15 *41*	K8
Général-de-Langle-de-Cary r. du	12 *72*	P21-P20
Général-de-Larminat r. du	15 *41*	K8
Général-de-Maud'huy r. du	14 *66*	R10*N*
Général-Delestraint r. du	16 *50-51*	L3-M2
Général-Denain allée du	15 *41*	K7-K8
Général-Détrie av. du	7 *41*	J8-K8
Général-Dodds av. du	12 *60*	N22
Général-Dubail av. du	16 *39*	J4*S*
Général-Eisenhower av. du	8 *30*	G10
Général-Estienne r. du	15 *40-52*	L6
Général-Ferrié av. du	7 *41*	J8
Général-Foy r. du	8 *18-19*	E10-E11
Général-Gouraud pl. du	7 *41*	J8*N*
Général-Grossetti r. du	16 *51*	M3*S*
Général-Guilhem r. du	11 *35*	H19
Général-Guillaumat r. du	15 *65*	P7
Général-Henrys r. du	17 *7*	B12*N*
Général-Humbert r. du	14 *66*	P9*S*
Général-Ingold pl. du	19 *35*	F18-F19
Général-Koenig pl. du	17 *16*	D6-E6
Général-Lambert r. du	7 *41*	J7-J8
Général-Langlois r. du	16 *28*	H5*N*
Général-Lanrezac r. du	17 *17*	E7*S*
Général-Laperrine av. du	12 *60-61*	N22-N23
Général-Largeau r. du	16 *39*	K4*S*
Général-Lasalle r. du	19 *23*	F19*N*
Général-Leclerc av. du	14 *67-55*	R12-N12
Général-Lemonnier av. du	1 *31*	H12
Général-Lucotte r. du	15 *51-52*	M4-N5
Général-Maistre av. du	14 *66*	R10*N*

Général-Malleterre r. du	16	51	M3-N3
Général-Mangin av. du	16	40	J6S
Général-Margueritte av. du	7	41	J8
Général-Martial-Valin bd du	15	51-52	M4-N5
Général-Messimy av. du	12	61	M23S
Général-Michel-Bizot av.	12	60	N21-M22
Général-Monclar pl. du	15	54	N9
Général-Négrier cité du	7	42	J9N
Général-Niessel r. du	20	49	L23-K23
Général-Niox r. du	16	51	M3S
Général-Patton pl. du	16	16	E6-E7
Général-Renault r. du	11	35	H19
Général-Roques r. du	16	50	M2
Général-San-Martin av. du	19	23	E19
Général-Sarrail av. du	16	38-50	L2
Général-Séré-de-Rivières r. du	14	66	P10S
Général-Stéfanik pl. du	16	50	M2
Général-Tessier-de-Marguerittes pl. du	20	49	K23
Général-Tripier av. du	7	41	J8S
Généraux-de-Trentinian pl. des	16	28	F5
Gênes cité de	20	35	F19
Génie pass. du	12	47	K20S
Gentilly porte de	13	68	S14
Géo-Chavez r.	20	36-37	G22-G23
Geoffroy-l'Angevin r.	4	33	H15
Geoffroy-l'Asnier r.	4	45	J16S
Geoffroy-Marie r.	9	20-32	F14
Geoffroy-St-Hilaire r.	5	57	M16-L16
Georg-Friedrich-Haendel r.	10	22	E17
George-Balanchine r.	13	58	N18
George-Bernard-Shaw r.	15	41	K7
George-V av.	8	29-30	F8-G8
George-Eastman r.	13	69	P16
George-Gershwin r.	12	59	N19
George-Sand r.	16	39	K4S
George-Sand villa	16	39	K4
Georges-Auric r.	19	23	D20
Georges-Berger r.	17	18	E10-D10
Georges-Bernanos av.	5	56	M13
Georges-Berry pl.	9	19	F12N
Georges-Besse allée	14	55	M12
Georges-Bizet r.	16	29	G8
Georges-Braque r.	14	68	R13
Georges-Brassens parc	15	53	N8
Georges-Caïn sq.	3	46	J17
Georges-Citerne r.	15	41	K7S
Georges-Contenot sq.	12	60	M21-N21
Georges-de-Porto-Riche r.	14	67	R12S
Georges-Desplas r.	5	57	M15-L15N
Georges-Duhamel jardin	13	59	N19
Georges-Duhamel r.	15	54	N10
Georges-Dumézil r.	15	41	K8N
Georges-et-Maï-Politzer r.	12	47	L20-M20
Georges-Guillaumin pl.	8	17-18	F8-F9
Georges-Lafenestre av.	14	66	P10-R9
Georges-Lafont av.	16	50	M2-N2
Georges-Lamarque sq.	14	55	N12
Georges-Lardennois r.	19	22-23	E18-E19
Georges-Leclanché r.	15	54	M10
Georges-Lesage sq.	12	46	L17N
Georges-Leygues r.	16	27	H4
Georges-Mandel av.	16	28	H5-H6
Georges-Méliès sq.	12	61	M23
Georges-Mulot pl.	15	42	L10N
Georges-Perec r.	20	37	G23
Georges-Pitard r.	15	54	N10
Georges-Pompidou pl.	4	33	H15
Georges-Pompidou voie	16	51-45	M4-J7
Georges-Pompidou voie	1	44-45	J14-K16
Georges-Pompidou voie	4	45	J15-K16
Georges-Récipon allée	19	22	E18
Georges-Risler av.	16	51	M3
Georges-Rouault allée	20	35	G19N
Georges-Saché r.	14	55	N11S
Georges-Thill r.	19	11	C20-D20
Georges-Ville r.	16	29	F7S
Georgette-Agutte r.	18	8	B13
Georgina villa	20	36	F21
Gérando r.	9	20	D14S
Gérard r.	13	69	P15N
Gérard-de-Nerval r.	18	8	A13
Gérard-Philipe r.	16	27	G4
Gerbert r.	15	53	M8
Gerbert sq.	15	53	M8
Gerbier r.	11	47	J20N
Gergovie pass. de	14	54	N10
Gergovie r. de	14	54-55	N10-P11
Géricault r.	16	39	K3S
Germain-Pilon cité	18	20	D13
Germain-Pilon r.	18	20	D13
Germaine-Tailleferre r.	19	11	C20
Gervex r.	17	5	C8S
Gesvres quai de	4	45	J15
Giffard r.	13	58	M18S
Gilbert-Perroy pl.	14	55	N12
Ginette-Neveu r.	18	8	A14
Ginette-Neveu sq.	18	8	A14
Ginkgo cour du	12	59	M19
Ginoux r.	15	40-41	K6-L7
Giordano-Bruno r.	14	67	P11S
Girardon imp.	18	8	C13S
Girardon r.	18	8	C13
Girodet r.	16	39	K3S

Gironde quai de la	19	11	B20-A19
Gît-le-Cœur r.	6	44	J14S
Glacière r. de la	13	56-68	M14-P14
Glaïeuls r. des	20	25	E23
Glizières villa des	16	40	K5
Gluck r.	9	31-32	F12-F13
Glycines r. des	13	68	R14
Gobelins villa des	13	57	N15
Gobelins av. des		57	M15-N16
n°s 1-23, 2-22	5		
n°s 25-fin, 24-fin	13		
Gobelins r. des	13	57	N15N
Gobert r.	11	47	J19
Godefroy r.	13	57	N16S
Godefroy-Cavaignac r.	11	47	J19
Godin villa	20	48	J22-H22
Godot-de-Mauroy r.	9	31	F12S
Gœthe r.	16	29	G8S
Le Goff r.	5	44	L14N
Goix pass.	19	22	D17N
Goldoni pl.	2	33	G15
Gombaust imp.	1	31	G12
Gomboust r.	1	32	G13
Goncourt r. des	11	34	G18N
Gonnet r.	11	47	K20
Gordon-Bennett av.	16	38	L2N
Gossec r.	12	60	M22-M21
Got sq.	20	48	K22S
Goubet r.	19	23	D20
Gounod r.	17	17	D8
Gourgaud av.	17	17	D8-C8
Gouthière r.	13	69	R15S
Goutte-d'Or r. de la	18	21	D15
Gouvion-St-Cyr bd	17	16-17	E6-D7
Gouvion-St-Cyr sq.	17	16-17	E6-D7
Gozlin r.	6	44	J13S
Grâce-de-Dieu cour de la	10	34	F18
Gracieuse r.	5	57	M15-L15
Graisivaudan sq. du	17	16	D6-D7
Gramme r.	15	41	L8
Gramont r. de	2	32	G13-F13
Grancey r. de	14	55	N12
Grand-Balcon			
Forum-des-Halles	1	32	H14
Grand-Cerf pass. du	2	33	G15S
Grand-Pavois jardin du	15	52	M6
Grand-Prieuré r. du	11	34	G17S
Grand-Veneur r. du	3	34	H17-J17
Grande-Armée av. de la		16-17	E6-F7
n°s impairs	16		
n°s pairs	17		
Grande-Armée villa de la	17	17	E7S
Grande-Cascade rte de la	16	26-27	H1-H2
Grande-Chaumière r. de la	6	43	L12-M12
Grande Galerie			
Forum-des-Halles	1	32	H14
Grande-Truanderie r. de la	1	33	H15N
Grands-Augustins quai des	6	44	J14
Grands-Augustins r. des	6	44	J14S
Grands-Champs r. des	20	48-49	K21-K23
Grands-Degrés r. des	5	45	K15
Grands-Moulins r. des	13	70-71	P18-P19S
Grangé sq.	13	56	N14N
Grange-aux-Belles r. de la	10	22	F17-E17
Grange-Batelière r. de la	9	20-32	F14
Gravelle av. de	12	72-73	P22-R24
Gravelle r. de	12	60	N21N
Gravilliers pass. des	3	33	H16N
Gravilliers r. des	3	33	H16-G15
Greffulhe r.	8	19-31	F12
Grégoire-de-Tours r.	6	44	J13-K13
Grenade r. de la	19	12	C21
Grenelle villa de	15	41	K7S
Grenelle bd de	15	41	J7-K8
Grenelle pont de	16	40	K5-K6
Grenelle port de	15	40-41	K6-J7
Grenelle quai de	15	40-41	K6-J7
Grenelle r. de		42-43	J9-K12
n°s 1-7, 2-10	6		
n°s 9-fin, 12-fin	7		
Greneta cour	2	33	G15S
Greneta r.		33	G15S
n°s 1-15, 2-10	3		
n°s 17-fin, 12-fin	2		
Grenier-St-Lazare r. du	3	33	H15N
Grenier-sur-l'Eau r. du	4	45	J16S
Grés pl. des	20	36-37	H22S
Grés sq. des	20	36	H22S
Gresset r.	19	11	C19N
Grétry r.	2	32	F13S
Greuze r.	16	28	H6-G6
Gribeauval r. de	7	43	J12
Gril r. du	5	57	M15-M16
Grimaud imp.	19	23	D20S
Grisel imp.	15	42	K9S
Griset cité	11	35	G19
Gros imp.	20	48	J22
Gros r.	16	40	K5
Gros-Caillou port du	7	29	H8-H10N
Gros-Caillou r. du	7	42	J9N
Grosse-Bouteille imp.	18	8	B13-B14
Groupe-Manouchian			
r. du	20	36	F22-G22
Guadeloupe r. de la	18	9-10	C16-C17
Guatemala pl. du	8	19	E11S
Gudin r.	16	51	M3S
Gué imp. du	18	9	B16N
Guébriant r. de	20	25-37	F23
Guelma villa de	18	20	D13
Guéménée imp.	4	46	J17S
Guénégaud r.	6	44	J13
Guénot pass.	11	47	K20

Guénot r.	11	48	K20-K21
Guérin-Boisseau r.	2	33	G15
Guersant r.	17	17	D7-E7
Du Guesclin pass.	15	41	K8N
Du Guesclin r.	15	41	K8N
Guibert villa	16	28	H5
Guichard r.	16	40	J5-H5
Guignier pl. du	20	36	F21S
Guignier r. du	20	36	F21S
Guignières villa des	16	40	J5
Guilhem pass.	11	35	H19
Guillaume-Apollinaire r.	6	44	J13S
Guillaume-Bertrand r.	11	35	H19N
Guillaume-Tell r.	17	17	D7-D8
Guillaumot r.	12	47	L19-L18
Guilleminot r.	14	54-55	N10-N11
Guillemites r. des	4	45	J16N
Guisarde r.	6	44	K13N
Guizot villa	17	17	E7
Gustave-Charpentier r.	17	16	D6-E6
Gustave-V-de-Suède av.	16	29	H7
Gustave-Courbet r.	16	28	G6
Gustave-Doré r.	17	18	D9-C9
Gustave-Eiffel av.	7	41	J7-J8
Gustave-Flaubert r.	17	17	D8S
Gustave-Geffroy r.	13	57	N15N
Gustave-Goublier r.	10	33	F16S
Gustave-Larroumet r.	15	56	L8S
Gustave-Le Bon r.	14	67	R11
Gustave-Lepeu pass.	11	47	J20
Gustave-Mesureur sq.	13	57	N16-N17
Gustave-Nadaud r.	16	28	H5S
Gustave-Rouanet r.	18	8	B13-B14
Gustave-Toudouze pl.	9	20	E13
Gustave-Zédé r.	16	40	J5
Gutenberg r.	15	52	L6-M5
Guttin r.	17	6	B10
Guy-de-la-Brosse r.	5	45	L16
Guy-de-Maupassant r.	16	28	H5N
Guy-Môquet r.	17	7	C11-B12
Guy-Patin r.	10	21	D15S
Guyane bd de la	12	61	N23-M23
Guyenne sq. de la	20	49	J23
Guynemer r.	6	43-44	K13-L13
Guyton-de-Morveau r.	13	68-69	R15N

H

Haie-Coq r. de la	19	10	A18
Haies r. des	20	48	K21-J22
Hainaut r. du	19	23	C20-D20
Halévy r.	9	31-32	F13
Hallé r.	14	67-68	P13-P12
Hallé villa	14	55-56	P12-N12

Halles jardin des	1	32	H14
Halles r. des	1	32	H14S
Hameau r. du	15	52-53	N6-N7
Hannah-Arendt pl.		23	E20
Hanovre r. de	2	32	F13S
Hardy villa	20	36	H22
Harlay r. de	1	44	J14
Harmonie r. de l'	15	54	N9S
Harpe r. de la	5	44	K14N
Harpignies r.	20	49	J23N
Hassard r.	19	23	E19
Haudriettes r. des	3	33	H16
Haussmann bd		18-20	F9-F13
nos 1-53, 2-70	9		
nos 55-fin, 72-fin	8		
Haut-Pavé r. du	5	45	K15
Hautefeuille imp.	6	44	K14N
Hautefeuille r.	6	44	K14N
Hauterive villa d'	19	23	D20S
Hautes-Formes r. des	13	70	P17
Hautes-traverses villa des	20	48	J22
Hauteville cité d'	10	21	E15S
Hauteville r. d'	10	21-33	F15-E15
Hautpoul r. d'	19	23	D20-E20
Hauts-de-Belleville villa des	20	24	F22
Havre cour du	8	19	E12S
Havre pass. du	9	19	E12-F12
Havre pl. du		19	E12-F12
nos impairs	8		
nos pairs	9		
Havre r. du		19	F12N
nos impairs	8		
nos pairs	9		
Haxo imp.	20	36	G22-G23
Haxo r.		24-36	E22-G22
nos 1-113, 2-110	20		
nos 115-fin, 112-fin	19		
Hébert pl.	18	10	B17
Hébrard pass.	10	22-34	F18
Hébrard ruelle des	12	59	L19S
Hector-Guimard r.	19	35	F19
Hector-Malot r.	12	46	L18-L19
Hégésippe-Moreau r.	18	7	C12S
Helder r. du	9	32	F13
Hélène r.	17	7	C12-D11
Hélène-Boucher sq.	13	69	S16
Hélène-Jakubowicz r.	20	36	G21-F21
Héliopolis r. d'	17	17	D7N
Héloïse et Abélard sq.	13	58	N17-P18
Hennel pass.	12	47	L19
Henner r.	9	20	E13N
Henri-Barboux r.	14	67	R12
Henri-Barbusse r.		56	L13-M13
nos 1-53, 2-60	5		
nos 55-fin, 62-fin	14		

Henri-Becque r.	13 68	R14N
Henri-Bergson pl.	8 19	E11S
Henri-Bocquillon r.	15 53	M7N
Henri-Brisson r.	18 8	A13S
Henri-Cadiou sq.	13 56	N14N
Henri-Chevreau r.	20 35	G20-F20
Henri-Christiné r.	10 34	G17
Henri-Collet sq.	16 40	K5N
Henri-de-Bornier r.	16 27	H4
Henri-de-France espl.	15 51	M4
Henri-Delormel sq.	14 55	N12S
Henri Desgrange r.	12 59	M19
Henri-Dubouillon r.	20 36	F22
Henri-Duchêne r.	15 41	L7N
Henri-Duparc sq.	17 18	D10
Henri-Duvernois r.	20 37	H23
Henri-et-Achille-Duchêne jardin	14 54	N10S
Henri-Feulard r.	10 22	F18N
Henri-Fiszbin pl.	10 22-23	F18-F19
Henri-Gaillard souterrain	16 28	F5
Henri-Galli sq.	4 45	K16
Henri-Heine r.	16 39	K4N
Henri-Huchard r.	18 7-8	A12-A13
Henri-Huchard sq.	18 7	A12
Henri-Karcher sq.	20 36	H22S
Henri-Langlois pl.	13 69	P16N
Henri-Martin av.	16 27-28	H4-H5
Henri-Matisse pl.	20 35	G20
Henri-Michaux r.	13 69	P15
Henri-Moissan r.	7 30	H9
Henri-Mondor pl.	6 44	K13-K14N
Henri-Murger r.	19 22	E18
Henri-Noguères r.	19 22	D18
Henri-Pape r.	13 69	R16-R15
Henri-Poincaré r.	20 36	G22-F22
Henri-IV bd	4 45-46	K16-K17
Henri-IV port	4 45-46	L17-K16
Henri-IV quai	4 45-46	L17-K16
Henri-Queuille pl.	15 42-54	L10
Henri-Ranvier r.	11 47	J20-H20
Henri-Regnault r.	14 67	R12N
Henri-Ribière r.	19 24	E21
Henri-Robert r.	1 44	J14
Henri-Rochefort r.	17 18	D9S
Henri-Rollet pl.	15 53	N7N
Henri-Tomasi r.	20 49	K23
Henri-Turot r.	19 22	E18S
Henry-Bataille sq.	16 39	J3
Henry-de-Bournazel r.	14 66	R10N
Henry-de-Jouvenel r.	6 44	K13
Henry-de-La-Vaulx r.	16 51	N3
Henry-de-Montherlant pl.	7 31	H12
Henry-Dunant pl.	8 29	F8-G8
Henry-Farmann r.	15 51-52	N4-N5
Henry-Monnier r.	9 20	E13N
Henry-Paté sq.	16 39	K4-K5
Hérault-de-Séchelles r.	17 7	A11
Héricart r.	15 40	K6S
Hermann-Lachapelle r.	18 9	B15
Hermel cité	18 8	C14N
Hermel r.	18 8	C14-B14
Herold r.	1 32	G14S
Héron cité	10 22	F17N
Herran r.	16 28	G6S
Herran villa	16 28	G5S
Herschel r.	6 56	L13S
Hersent villa	15 54	M9S
Hesse r. de	3 34	H17S
Hippodrome av. de l'	16 38	J1-J2
Hippolyte-Lebas r.	9 20	E13-E14
Hippolyte-Maindron r.	14 55	N11-P11
Hirondelle r. de l'	6 44	J14S
Hittorf cité	10 33	F16S
Hittorf r.	10 33	F16
Hiver cité	19 22-23	E18-E19
Hoche av.	8 17-18	F8-E9
Honoré-Champion sq.	6 44	J13
Honoré-Chevalier r.	6 43-44	K12-K13
Honoré-Gabriel-Riquet villa	40	L6
Hôpital bd de l'		57-58 L17-N16
nos 1-fin, 44-fin	13	
nos 2-42	5	
Hôpital-St-Louis r. de l'	10 22	F17N
Horloge quai de l'	1 44	J14
Horloge-à-Automates pass. de l'	3 33	H15
Hortensias allée des	14 66	P10
Hospice Debrousse jardin de l'	20 36-37	H22-H23
Hospitalières-St-Gervais r. des	4 45	J16N
Hôtel-Colbert r. de l'	5 45	K15
Hôtel-d'Argenson imp. de l'	4 45	J16
Hôtel-de-Ville pl. de l'	4 45	J15
Hôtel-de-Ville port de l'	4 45	K16-J15
Hôtel-de-Ville quai de l'	4 45	J15-J16
Hôtel-de-Ville r. de l'	4 45	J15-J16
Hôtel Salé jardin de l'	3 33	H16
Hôtel Salomon de Rothschild jardin de l'	8 17-18	F9N
Hôtel-St-Paul r. de l'	4 46	J17S
Houdart r.	20 35	H20N
Houdart-de-Lamotte r.	15 52-53	M7
Houdon r.	18 20	D13
Houseaux villa des	20 35	G20S
Hubert-Monmarché pl.	15 53	M8N
Huchette r. de la	5 44	K14N
Huit-Mai 1945 r. du	10 21	E16S
Huit-Novembre 1942 pl. du	10 21	E15

Hulot pass.	1 32	G13S
Humblot r.	15 41	K7
Hussein-1er-de-Jordanie av.	16 29	H7
Hutte-au-Garde pass. de la	17 6	C9
Huyghens r.	14 55	M12N
Huysmans r.	6 43	L12N

I

Ibsen av.	20 37	G23
Iéna av. d'	16 29	H7-F8
Iéna pl. d'	16 29	G7
Iéna pont d'	16 29	H7
Igor-Stravinsky pl.	4 33	H15
Ile de France sq. de l'	4 45	K15
Île-de-la-Réunion pl. de l'	12 48	L21
Île-de-Sein pl. de l'	14 56	N13
Immeubles-Industriels r. des	11 48	K21S
Indochine bd d'	19 24	C21-D21
Indre r. de l'	20 36	H22
Industrie cité de l'	11 35	G19S
Industrie pass. de l'	10 33	F15-F16
Industrie r. de l'	13 69	R16
Industrielle cité	11 47	J19-H19
Ingénieur-Robert-Keller r. de l'	15 40	K6-L6
Ingres av.	16 39	J4N
Innocents r. des	1 32-33	H14-H15
Institut pl. de l'	6 44	J13N
Insurgés-de-Varsovie pl. des	15 65	P7
Intendant jardin de l'	7 42	J10
Intérieure r.	8 19	E12S
Interne-Loeb r. de l'	13 69	R15
Invalides bd des	7 42	J10-L10
Invalides esplanade des	7 30	H10
Invalides pl. des	7 42	J10N
Invalides pont des	8 30	H10-G10N
Invalides port des	7 30	H10-H11
Irénée-Blanc r.	20 36-37	G22-G23
Iris r. des	13 68	R14
Iris villa des	19 24	E22
Irlandais r. des	5 44-56	L14
Isabey r.	16 39	K3S
Islettes r. des	18 21	D15
Isly r. de l'	8 19	F12N
Israël pl. d'	17 18	D9N
Issy-les-Moulineaux porte d'	15 52	N6
Issy-les-Moulineaux quai d'	15 51	M4-N4

Italie av. d'	13 69	P16-S16
Italie pl. d'	13 57	N16S
Italie porte d'	13 69	S16
Italie r. d'	13 69	R16-R15
Italiens bd des	32	F13
nos impairs	2	
nos pairs	9	
Italiens r. des	9 32	F13
Ivry av. d'	13 69-70	R17-P16
Ivry porte d'	13 70	S18N
Ivry quai d'	13 71	P20S

J

Jacob r.	6 44	J13
Jacob-Kaplan pl.	9 20	F13N
Jacobins pass. des	1 31	G12
Jacquard r.	11 34	G18S
Jacquemont r.	17 7	C11S
Jacquemont villa	17 7	C11S
Jacques-Antoine sq.	14 55	N12
Jacques-Audiberti sq.	17 16	D6
Jacques-Bainville pl.	7 31	H11-J11
Jacques-Baudry r.	15 66	P9
Jacques-Bidault sq.	2 33	G15N
Jacques-Bingen r.	17 18	D10
Jacques-Bonsergent pl.	10 34	F16S
Jacques-Callot r.	6 44	J13
Jacques-Cartier r.	18 7	B12
Jacques-Cœur r.	4 46	K17N
Jacques-Copeau pl.	6 44	K13-J13
Jacques-Debu-Bridel pl.	14 68	R14N
Jacques-Demy pl.	14 55	N12S
Jacques-Duchesne r.	19 10	A18
Jacques-et-Thérèse-Trefouel r.	15 54	L10S
Jacques-Froment pl.	18 7	C12N
Jacques-Garnerin allée	8 18	E10
Jacques-Henri-Lartigue r.	5 45	L15
Jacques-Hillairet r.	12 59	L20
Jacques-Ibert r.	17 5	C7
Jacques-Kablé r.	18 21-22	D16-D17
Jacques-Kellner r.	17 7	B12-B11
Jacques-Louvel-Tessier r.	10 34	F17-F18
Jacques-Marette pl.	15 53	N8
Jacques-Mawas r.	15 53	M7S
Jacques-Offenbach r.	16 40	J5
Jacques-Prévert r.	20 35	H20-G20
Jacques-Rouché pl.	9 32	F13
Jacques-Rueff pl.	7 41	J8
Jacques-Viguès cour	11 46	K18N
Jacquier r.	14 66-67	P11-P10

Jadin r.	17 *18*	E9-D9
Jaillot pass.	5 *57*	L15
James-Joyce jardin	13 *58*	N18
Jamot villa	14 *66*	P10-P11
Jan-Doornik sq.	16 *28*	G5
Jandelle cité	19 *23*	F19-E19
Jane-Evrard pl.	16 *40*	J5
Janssen r.	19 *24*	E21
Japon r. du	20 *36*	G22-G21
Japy r.	11 *47*	J19
Jardinet r. du	6 *44*	K13-K14
Jardiniers imp. des	11 *47-48*	K20N
Jardiniers r. des	12 *60*	N21
Jardiniers sq.	11 *47-48*	K20
Jardins-St-Paul r. des	4 *45*	K16-J16
Jarente r. de	4 *46*	J17
Jarry r.	10 *21-33*	F16
Jasmin cour	16 *39*	K4N
Jasmin r.	16 *39*	K4N
Jasmin sq.	16 *39*	K4N
Jaucourt r.	12 *48*	L21N
Javel port de	15 *51-40*	M4-K6
Javel r. de	15 *40-53*	L5-M7
Javelot r. du	13 *70*	P17-R17
Jean-Aicard av.	11 *35*	G19S
Jean-Anouilh r.	13 *59*	N19
Jean-Antoine-de-Baïf r.	13 *71*	P19
Jean-Arp r.	13 *58*	M18
Jean-Baptiste Berlier r.	13 *71*	P20-P19
Jean-Baptiste-Clément pl.	18 *8*	C13S
Jean-Baptiste-Dumas r.	17 *17*	D7
Jean-Baptiste-Dumay r.	20 *23*	F20N
Jean-Baptiste-Luquet villa	15 *41*	L7
Jean-Baptiste Pigalle r.	9 *20*	E13-D13
Jean-Baptiste-Say r.	9 *20*	D14S
Jean-Baptiste-Semanaz r.	19 *24*	D21-D22
Jean-Bart r.	6 *43*	K12-L12
Jean-Beausire imp.	4 *46*	J17
Jean-Beausire pass.	4 *46*	J17S
Jean-Beausire r.	4 *46*	J17S
Jean-Bologne r.	16 *40*	J6
Jean-Bouton r.	12 *46-47*	L18
Jean-Calvin r.	5 *57*	M15N
Jean-Carriès r.	7 *41*	K8N
Jean-Claude-Arnould r.	14 *56*	N13
Jean-Claude-Nicolas-Forestier jardin	13 *68*	S14-S15N
Jean-Cocteau r.	18 *9*	A15
Jean-Cocteau sq.	15 *52*	M6
Jean-Colly r.	13 *70*	P18-P17
Jean-Cottin r.	18 *10*	B17
Jean-Daudin r.	15 *42*	L9
Jean-de-Beauvais r.	5 *44-45*	K14-K15
Jean-Dolent r.	14 *56*	N14-N13
Jean-Dollfus r.	18 *8*	B13N
Jean-du-Bellay r.	4 *45*	K15-J15
Jean-Dunand r.	13 *70*	R17
Jean-Falck sq.	10 *22*	E17-E18
Jean-Fautrier r.	13 *70*	P18-R17
Jean-Ferrandi r.	6 *43*	L11N
Jean-Formigé r.	15 *53*	M8N
Jean-Fourastié r.	15 *41*	L8
Jean-François-Gerbillon r.	6 *43*	K12-L11
Jean-François Lépine r.	18 *21*	D16N
Jean-Giono r.	13 *58*	N18
Jean-Giraudoux r.	16 *29*	F7-G8
Jean-Godard villa	12 *60*	N22N
Jean-Goujon r.	8 *30*	G9-G10
Jean-Henri-Fabre r.	18 *8*	A13-A14
Jean-Hugues r.	16 *28*	G5N
Jean-Jacques-Rousseau r.	1 *32*	H14-G14
Jean-Jaurès av.	19 *22-12*	D18-C21
Jean-Lantier r.	1 *44*	J14-H14
Jean-Leclaire r.	17 *7*	B12
Jean-Leclaire sq.	17 *7*	B12
Jean-Lorrain pl.	16 *39*	K3-K4
Jean-Louis-Forain r.	17 *5*	C8
Jean-Macé r.	11 *47*	K19N
Jean-Maridor r.	15 *52*	M6-M7
Jean-Marie-Jégo r.	13 *69*	P15
Jean-Ménans r.	19 *23*	E19N
Jean-Mermoz r.	8 *30*	F10
Jean-Minjoz r.	14 *56*	N13
Jean-Moinon r.	10 *22*	F18
Jean-Monnet pl.	16 *28*	G6
Jean-Moréas r.	17 *5-17*	C7-D7S
Jean-Morin sq.	12 *59*	M20
Jean-Moulin av.	14 *67*	P12-R11
Jean-Moulin sq.	14 *67*	R11
Jean-Nicot pass.	7 *30*	H9-J9
Jean-Nicot r.	7 *30*	H9
Jean-Nohain r.	19 *22*	D18
Jean-Oberlé r.	19 *10*	A18S
Jean-Oestreicher r.	17 *17*	D7
Jean-Paul-Laurens sq.	16 *39*	J4S
Jean-Paul-Sartre-S.-de-Beauvoir pl.	6 *44*	J13S
Jean-Paulhan allée	7 *29*	H8S
Jean-Perrin sq.	8 *30*	G10
Jean-Pierre-Bloch r.	15 *41*	J8S
Jean-Pierre-Timbaud r.	11 *34-35*	G17-G19
Jean-Poulmarch r.	10 *34*	F17
Jean-Quarré r.	19 *24*	E21
Jean-Renoir r.	12 *59*	M19
Jean-Rey r.	15 *41*	J7
Jean-Richepin r.	16 *28*	H5
Jean-Robert r.	18 *9*	C16
Jean-Rostand pl.	19 *34-35*	F18
Jean-Sébastien-Bach r.	13 *70*	P17-N17
Jean-Sicard r.	15 *65*	P8
Jean-Thébaud sq.	15 *41*	L8N
Jean-Tison r.	1 *32*	H14S

Jean-Varenne r.	18 8	A13S
Jean-Veber r.	20 37	H23
Jean-Vilar pl.	13 58	N18
Jean-XXIII sq.	4 45	K15
Jean-Zay r.	14 55	M11
Jeanne-d'Arc pl.	13 70	P17
Jeanne-d'Arc r.	13 57-58	P17-M16
Jeanne-Hachette r.	15 53	M8N
Jeanne-Jugan r.	12 49	L23-L24
Jehan-Rictus sq.	18 20	D13
Jemmapes quai de	10 34	G17-E17
Jenner r.	13 58	N17-N16
Jérôme-Bellat sq.	17 17	D7
Jessaint r. de	18 21	D16N
Jessaint sq. de	18 21	D16
Jeu-de-Boules pass. du	11 34	G17S
Jeûneurs r. des	2 32-33	G14-G15N
Joachim-du-Bellay pl.	1 33	H15
Joanès pass.	14 66	P10
Joanès r.	14 67-67	P11-P10
Jobbé-Duval r.	15 53	N8
Jocelyn villa	16 28	G5S
Joffre pl.	7 41-42	J9-K8
Johann-Strauss pl.	10 33	G16
Joinville imp. de	19 11	C19N
Joinville pl. de	19 11	C19
Joinville r. de	19 11	C19
Jolivet r.	14 55	M11N
Joly cité	11 35	H19
Jomard r.	19 11	C19
Jonas r.	13 69	P15N
Jongkind r.	15 52	M5-M6
Jonquilles r. des	14 66	P9N
Jonquoy r.	14 66	P10
José-Maria-de-Heredia r.	7 42	K9-L9
José-Marti pl.	16 28	H6
José-Rizal pl.	9 20	E14S
Joseph-Bara r.	6 56	L13-M13
Joseph-Bédier av.	13 70	R18S
Joseph-Bouvard av.	7 41	J8
Joseph-Chailley r.	12 60	N22
Joseph-de-Maistre r.	18 7-20	B12-D13
Joseph-Dijon r.	18 8	B14
Joseph-et-Marie-Hackin r.	16 16	E5
Joseph-Granier r.	7 42	J9S
Joseph-Kessel r.	12 59	N19
Joseph-Kosma r.	19 11	C20
Joseph-Liouville r.	15 41-53	L8
Joseph-Python r.	20 37	G23-H23
Joseph-Sansbœuf r.	8 19	F11-E11
Joseph-Wresinski esplanade	16 29	H7
Joséphine r.	18 8	B13
Joséphine-Baker pl.	14 55	M11N
Josseaume pass.	20 48	J22S
Josset pass.	11 47	K18N
Joubert r.	9 19-31	F12-F13
Jouffroy pass.	9 32	F14
Jouffroy d'Abbans r.	17 6-18	C10-D9
Jour r. du	1 32	H14N
Jourdain r. du	20 23	F20N
Jourdan bd	14 67-68	S14-R12
Jouvenet r.	16 51	M4-L3
Jouvenet sq.	16 51	L4-M4S
Jouy r. de	4 45	J16
Jouye-Rouve r.	20 35	F19
Joyeux cité	17 7	B11N
Juan-Miró sq.	13 69	R16-S16
Juge r.	15 41	K7
Juge villa	15 41	K7S
Juges-Consuls r. des	4 45	J15-H15
Juillet r.	20 35	G20
Jules-Bourdais r.	17 5	C8S
Jules-Breton r.	13 57	M16S
Jules-César r.	12 46	K17-K18
Jules-Chaplain r.	6 55	L12S
Jules-Chéret sq.	20 49	J23
Jules-Claretie r.	16 28	H5
Jules-Cloquet r.	18 7-8	B12-B13
Jules-Cousin r.	4 46	K17
Jules-Dumien r.	20 36	G22N
Jules-Dupré r.	15 65	P8N
Jules-Ferry bd	11 34	G17
Jules-Ferry sq.	11 34	G17
Jules-Guesde r.	14 55	M11-N11
Jules-Hénaffe pl.	14 67	R12N
Jules-Janin av.	16 28	H5S
Jules-Joffrin pl.	18 8	B14S
Jules-Jouy r.	18 8	C14N
Jules-Laforgue villa	19 23	D20S
Jules-Lefebvre r.	9 19	E12N
Jules-Lemaître r.	12 61	L23S
Jules-Pichard r.	12 60	N21
Jules-Renard pl.	17 17	D7
Jules-Rimet pl.	16 50	M2
Jules-Romains r.	19 23-35	F19
Jules-Sandeau bd	16 27-28	H4-H5
Jules-Senard r.	19 25	E22-E23
Jules-Siegfried r.	20 37	G22-G23
Jules-Simon r.	15 53	M7N
Jules-Supervielle allée	1 32	H14
Jules-Vallès r.	11 47	K20-J19
Jules-Verne r.	11 34	F18S
Julia-Bartet r.	14 66	P9-R9
Julia-Bartet sq.	14 66	P9-R9
Julien-Lacroix r.	20 35	F19-G20
Julienne r. de	13 56-57	N15-N14
Juliette-Dodu r.	10 22	E17-F18
Juliette-Lamber r.	17 6	C9
Junot av.	18 8	C13
Jura r. du	13 57	M16S
Jussienne r. de la	2 32	G14S

Jussieu pl.	5	45	L15-L16
Jussieu r.	5	45	L15-L16
Juste-Métivier r.	18	8	C13
Justes de France allée des	4	45	J16S
Justice r. de la	20	37	G22-G23

K-L

Kabylie r. de	19	22	D17
Keller r.	11	46-47	J18
Kellermann bd	13	68-69	S16-S14
Kellermann parc	13	69	S15
Képler r.	16	29	F8-G8
Keufer r.	13	69	R16S
Kléber av.	16	29	F7-H7
Kléber imp.	16	29	G7
Kossuth pl.	9	20	E14S
Kracher pass.	18	9	B15
Küss r.	13	69	R15
Kyoto pl. de	15	41	J7S
La Baume r. de	8	18	F10N
La Boétie r.	8	30-19	F9-F11
La Bourdonnais av. de	7	29-42	H8-J9
La Bourdonnais port de	7	29	H8-H7
La Bruyère r.	9	20-18	E13-E12
La Bruyère sq.	9	20	E13
La Champmeslé sq.	19	11	C20
La Condamine r.	17	7-19	C11-D11
La Fayette r.		20-22	F13-D17
nos 1-91, 2-92	9		
nos 93-fin, 94-fin	10		
La Feuillade r.		32	G14S
nos impairs	1		
nos pairs	2		
La Fontaine hameau	16	40	K5N
La Fontaine r.	16	39-40	K4-K5
La Fontaine rd-pt	16	39-51	L3S
La Fontaine sq.	16	39-27	K4-K5
La Frillière av. de	16	51	M3N
La Jonquière r. de	17	6-7	B10-B12
La Michodière r. de	2	32	G13-F13
La Motte-Picquet sq. de	15	41	K8
La Motte-Picquet av. de		41-42	K8-J10
nos 1-43, 2-46	7		
nos 45-fin, 48-fin	15		
La Pérouse r.	16	29	G7-F8
La Planche r. de	7	43	J12-K12
La Quintinie r.	15	54	M9
La Reynie r. de		33	H15S
nos 1-19, 2-22	4		
nos 21-fin, 24-fin	1		
La Rochefoucauld r. de	9	20	E13
La Rochefoucauld sq. de	7	43	J11-K11
La Sourdière r. de	1	31-32	G12-G13
La Tour-d'Auvergne imp. de	9	20	E14N
La Tour-d'Auvergne r. de	9	20	E14
La Tour-Maubourg bd de	7	42-30	J9-H10
La-Tour-Maubourg sq. de	7	42	J9N
La Trémoille r. de	8	30	G8-G9
La Vacquerie r. de	11	47	J20-J19
La Vieuville r. de	18	20	D13-D14
La Vrillière r.	1	32	G14S
Labat r.	18	8-9	C14-C15
Labie r.	17	17	E7
Labois-Rouillon r.	19	10	B18S
Laborde r. de	8	18-19	E10-E11
Labrador imp. du	15	65-66	P9
Labrouste r.	15	54	N9
Labyrinthe cité du	20	35	G20
Lac allée du	14	68	R13-R14
Lacaille r.	17	7	B12S
Lacaze r.	14	67	R12N
Lacépède r.	5	45-57	L15S
Lachambeaudie pl.	12	59	N20N
Lacharrière r.	11	34-35	H18-H19
Lachelier r.	13	70	S17-R17
Lacordaire r.	15	52	L6-M6
Lacretelle r.	15	53	N7
Lacroix r.	17	7	C11
Lacs-à-Bagatelle rte des	16	26	G1-G2
Lacs-à-la-Porte-Dauphine allée des	16	27	G4
Lacs-à-Passy rte des	16	39	J3
Lacuée r.	12	46	K17-K18
Laferrière r.	9	20	E13
Laffitte r.	9	32	F13-E13
Lagarde r.	5	57	M14-M15N
Lagarde sq.	5	57	M15N
Laghouat r. de	18	9	C15-C16
Lagille r.	18	7	B12
Lagny pass. de	20	49	K23
Lagny r. de	20	48-49	K21-K24
Lagrange r.	5	45	K15
Lahire r.	13	70	P17N
Lakanal r.	15	41-53	L7-L8
Lalande r.	14	55	N12
Lallier r.	9	20	D14S
Lally-Tollendal r.	19	22	D18S
Lalo r.	16	16	F5-F6
Lamandé r.	17	19	C11-D11
Lamarck r.	18	7-8	C12-C14
Lamarck sq.	18	8	C13N
Lamartine r.	9	20	E13-E14
Lamartine sq.	16	28	G5S
Lamballe av. de	16	40	J6S
Lambert r.	18	8	C14
Lamblardie r.	12	60	M21
Lamennais r.	8	17-18	F9N

Lamier imp.	11 *47*	J20*N*
Lamoricière av.	12 *49*	L23
Lancette r. de la	12 *59-60*	M20-M21
Lancret r.	16 *51*	M4*N*
Lancry r. de	10 *33-34*	G16-F17
Landrieu pass.	7 *30*	H9*S*
Langeac r. de	15 *53*	N7*N*
Lanneau r. de	5 *44*	K14*S*
Lannes bd	16 *27-28*	H4-G5
Lantiez r.	17 *7*	B11-B12
Lantiez villa	17 *7*	B11
Laonnais sq. du	19 *24*	E21*N*
Laos r. du	15 *41*	K8
Lapeyrère r.	18 *8*	C14-B14
Laplace r.	5 *45*	L14-L15
Lappe r. de	11 *46*	J18-K18
Largillière r.	16 *40*	J5*N*
Larochelle r.	14 *55*	M11
Laromiguière r.	5 *56-57*	L14
Larrey r.	5 *57*	M15-L15
Larribe r.	8 *19*	E11*N*
Las Cases r.	7 *43*	J11-H11
Lasson r.	12 *60-61*	L22*S*
Lassus r.	19 *23*	E20-F20
Lasteyrie r. de	16 *28*	F6
Lathuille pass.	18 *19*	D12
Latran r. de	5 *44*	K14*S*
Laugier r.	17 *17*	D7-E8
Laugier villa	17 *17*	D8*S*
Laumière av. de	19 *23*	D19
Laure-Surville r.	15 *40*	L5*N*
Laurence-Savart r.	20 *36*	G21
Laurent-Pichat r.	16 *16-28*	F6
Laurent-Prache sq.	6 *44*	J13
Lauriston r.	16 *28-29*	G6-F7
Lauzin r.	19 *23*	F19-E19
Lavandières-Ste-Opportune r. des	1 *44*	J14-H14
Lavoir villa du	10 *33*	G16*N*
Lavoisier r.	8 *19-31*	F11
Le Brix-et-Mesmin r.	14 *67*	R12
Le Brun r.	13 *57*	M16-N15
Le Bua r.	20 *36*	G22
Le Châtelier r.	17 *17*	D8*N*
Le Corbusier pl.	6 *43*	K12
Le Dantec r.	13 *68-69*	P14-P15
Le Gramat allée	15 *52*	L5
Le Marois r.	16 *51*	M3*S*
Le Nôtre r.	16 *29*	H7*S*
Le Peletier r.	9 *20-32*	F13-E13
Le Regrattier r.	4 *45*	K15-K16
Le Sueur r.	16 *16-17*	E7-F7
Le Tasse r.	16 *28*	H6-H7
Le Vau r.	20 *37*	F23-G23
Le Verrier r.	6 *44*	L13-M13
Léandre villa	18 *8*	C13
Leblanc r.	15 *52*	M5-N6
Lebon r.	17 *17*	D7-E7
Lebouis imp.	14 *55*	M11*S*
Lebouis r.	14 *55*	M11-N11
Lebouteux r.	17 *18*	D10
Lechapelais r.	17 *19*	D12*N*
Léchevin r.	11 *34-35*	H18*N*
Leclaire cité	20 *36-37*	H22*S*
Leclerc r.	14 *56*	N13
Lécluse r.	17 *19*	D12
Lecomte r.	17 *7*	C11
Lecomte-du-Noüy r.	16 *50*	L2*S*
Leconte-de-Lisle r.	16 *39*	K4*S*
Leconte-de-Lisle villa	16 *39*	K4*S*
Lecourbe r.	15 *52-54*	N6-L10
Lecourbe villa	15 *52*	M7*S*
Lecuirot r.	14 *67*	P11*N*
Lecuyer r.	18 *8*	C14
Ledion r.	14 *66*	P10-P11*S*
Ledru-Rollin av.	*46-47*	L17-J19
n°s 1-87, 2-88	12	
n°s 89-fin, 90-fin	11	
Lefebvre bd	15 *53-65*	N7-P9
Lefebvre r.	15 *53*	N7*S*
Legendre pass.	17 *7*	C12*N*
Legendre r.	17 *18-7*	D10-B12
Léger imp.	17 *18*	D9-D10
Légion d'Honneur r. de la	7 *31*	H12
Légion-Étrangère r. de la	14 *67*	R12-R11
Legouvé r.	10 *33-34*	F17-F16
Legrand r.	19 *22*	E18*S*
Legraverend r.	12 *46*	L18*S*
Leibniz r.	18 *7-8*	B12-B13
Leibniz sq.	18 *7-8*	B12-B13
Lekain r.	16 *40*	J5
Lemaignan r.	14 *68*	R14*N*
Léman r. du	19 *24*	E22
Lemercier cité	17 *7*	C11-C12*S*
Lemercier r.	17 *7-19*	C11-D12
Lemoine pass.	2 *33*	G15*N*
Lémon r.	20 *35*	F19*S*
Leneveux r.	14 *67*	P12*S*
Lentonnet r.	9 *21*	E15*N*
Léo-Delibes r.	16 *29*	G7
Léo-Hamon esplanade	13 *57*	M15-N15*NS*
Léon r.	18 *9*	C15
Léon sq.	18 *21*	D15*N*
Léon-Blum pl.	11 *47*	J19*N*
Léon-Bollée av.	13 *70*	S17-S16
Léon-Bonnat r.	16 *39*	K4
Léon-Bourgeois allée	7 *41*	J7
Léon-Cladel r.	2 *32*	G14*N*
Léon-Cogniet r.	17 *18*	E9-D9
Léon-Cosnard r.	17 *18*	D10

Léon-Delagrange r.	15 *52*	N6
Léon-Delhomme r.	15 *53*	M8*S*
Léon-Deubel pl.	16 *51*	M3*S*
Léon-Dierx r.	15 *65*	P8
Léon-Droux r.	17 *19*	D11*S*
Léon-Frapié r.	20 *25-37*	F23
Léon-Frapié sq.	*25-37*	F23*N*
Léon-Frot r.	11 *47*	J19-J20
Léon-Gaumont av.	20 *49*	J24-K24
Léon-Gaumont sq.	20 *49*	K24
Léon-Giraud r.	19 *11*	C19*S*
Léon-Guillot sq.	15 *53*	N8
Léon-Heuzey av.	16 *39*	K4-L4
Léon-Jost r.	17 *17-18*	D8-E8
Léon-Jouhaux r.	10 *34*	G17*N*
Léon-Lhermitte r.	15 *53*	L8
Léon-Maurice- Nordmann r.	13 *56*	N14
Léon-Paul-Fargue pl.	6 *42*	L10*N*
Léon-Séché r.	15 *53*	M8*N*
Léon-Serpollet sq.	18 *8*	B13-C13
Léon-Vaudoyer r.	7 *42*	K9-L9
Léonard-Bernstein pl.	12 *59*	M19*S*
Léonard-de-Vinci r.	16 *28*	F6-F7
Léonce-Reynaud r.	16 *29*	G8*S*
Léone villa	14 *66*	P10*N*
Léonidas r.	14 *55*	P11-N11
Léontine r.	15 *40-52*	L5
Léopold Achille sq.	3 *46*	J17
Léopold-Bellan r.	2 *32*	G14
Léopold-II av.	16 *39-40*	K4-K5
Léopold-Robert r.	14 *55*	M12*N*
Lepage cité	19 *22*	E18*N*
Lepic pass.	18 *20*	D13
Lepic r.	18 *20*	C13-D13
Leredde r.	13 *70*	P18
Leriche r.	15 *53*	N7-N8
Leroi-Gourhan r.	15 *41*	K7
Leroux r.	16 *28*	F6-F7
Leroy cité	20 *36*	F21*S*
Leroy-Beaulieu sq.	16 *39*	J4*S*
Leroy-Dupré r.	12 *60*	L22*S*
Lesage cour	20 *35*	F19
Lesage r.	20 *35*	F19
Lescot porte Forum-des-Halles	1 *32*	H14
Lesdiguières r. de	4 *46*	K17-J17
Lespagnol r.	20 *47-48*	J20-J21
Lesseps r. de	20 *48*	J22-H21
Letellier r.	15 *41*	K7-L8
Letellier villa	15 *41*	K8*S*
Letort imp.	18 *8*	B14
Letort r.	18 *8*	B14
Leuck-Mathieu r.	20 *36*	H22*N*
Levant cour du	12 *59*	N20
Levert r.	20 *23-24*	F20
Lévis imp. de	17 *18*	D10*S*
Lévis pl. de	17 *18*	D10
Lévis r. de	17 *18*	D10
Lheureux r.	12 *59*	N20
Lhomme pass.	11 *46*	K18*N*
Lhomond r.	5 *56-57*	L14-M15
Lhuillier r.	15 *53*	N8
Liancourt r.	14 *55*	N11-N12
Liard r.	14 *68*	R14*S*
Liban r. du	20 *35*	G20*N*
Liberté r. de la	19 *24*	E21*N*
Libertés-et-des- Droits-de-l'Homme parvis des	16 *29-29*	H7
Libourne r. de	12 *59*	N20
Lido arcades du	8 *30*	F9
Liégat cour du	13 *58*	N18-P18
Liège r. de n°s 1-19, 2-18 n°s 21-fin, 20-fin	19 9 8	E11-E12
Lieutenance sentier de la	12 *61*	M23*N*
Lieutenant-Chauré r. du	20 *37*	G22-G23
Lieutenant- Colonel- Colonel-Dax r.	18 *8*	A14
Lieutenant-Colonel- Deport r. du	16 *50*	M2
Lieutenant- Henri-Karcher pl. du	1 *32*	H14*S*
Lieutenant-Lapeyre r. du	14 *66*	P10*S*
Lieutenant-Stéphane- Piobetta pl. du	14 *54-55*	N10-N11
Lieuvin r. du	15 *54*	N9-P9
Ligner r.	20 *48*	J21*N*
Lilas porte des	20 *25*	E23
Lilas r. des	19 *24*	E21
Lilas villa des	19 *24*	E21*N*
Lili-Boulanger pl.	9 *19*	D12*S*
Lille r. de	7 *31-43*	H11-J13
Lily-Laskine jardin	17 *5*	C7*S*
Limagne sq. de la	13 *70*	R18
Limousin sq. du	13 *70*	R18
Lincoln r.	8 *30*	G9-F9
Lingères pass. des	1 *32*	H14
Lingerie r. de la	1 *32-33*	H14-H15
Linné r.	5 *45*	L15-L16
Lino-Ventura pl.	9 *20*	E14
Linois r.	15 *40*	K6-L6
Lions-Saint-Paul r. des	4 *45-46*	K16-K17
Lippmann r.	20 *49*	K23*S*
Lisa pass.	11 *47*	J18-J19
Lisbonne r. de	8 *18*	E9-E11
Liserons r. des	13 *68*	R14
Lisfranc r.	20 *36*	H22
Littré r.	6 *43*	L11
Livingstone r.	18 *20*	D14
Lobau r. de	4 *45*	J15

Lobineau r.	6 44	K13N
Logelbach r. de	17 18	D9-E9S
Loi imp. de la	20 48	J22S
Loing r. du	14 67	P12S
Loire quai de la	19 22-11	D18-C19
Loiret r. du	13 71	P19S
Lombards r. des	33	H15S
nos 1-25, 2-28	4	
nos 27-fin, 30-fin	1	
Londres cité de	9 19	E12S
Londres r. de	19	E11-E12
nos 1-37, 2-38	9	
nos 39-fin, 40-fin	8	
Longchamp allée de	16 26-15	G1-E5
Longchamp r. de	16 28-29	G7-G5
Longchamp villa de	16 29	G7S
Longue-Queue rte de la	16 26	G1-F2
Longues-Raies r. des	13 68-69	R15-R14
Lord-Byron r.	8 17	F8
Lorraine r. de	19 23	D19N
Lorraine villa de	19 24	D21-E21
Lot quai du	19 11	A19
Lota r. de	16 28	G5
Louis-Aragon allée	1 32	H14
Louis-Armand cour	12 46	L18
Louis-Armand r.	15 52	N5-N6
Louis Armstrong pl.	13 57	N16N
Louis-Barthou av.	16 27	G4-H4
Louis-Bernier pl.	17 6	B9
Louis-Blanc r.	10 21-22	D16-E17
Louis-Blériot quai	16 51-40	M4-K5
Louis-Boilly r.	16 27	H4S
Louis-Bonnet r.	11 34-35	F18S
Louis-Braille r.	12 60	M22
Louis-Codet r.	7 42	J9
Louis-David r.	16 28	H6
Louis-Delaporte r.	20 49	K23S
Louis Delgrès r.	20 35	G20
Louis-Ganne r.	20 37	H23N
Louis-Gentil sq.	12 60	N22
Louis-le-Grand r.	2 31-32	G12-F13
Louis-Lépine pl.	4 45	J15
Louis-Loucheur r.	17 7	A12S
Louis-Lumière r.	20 49	J23-G23
Louis-Majorelle sq.	11 47	K19
Louis-Marin pl.	5 56	L13
Louis-Morard r.	14 67	P11
Louis-Murat r.	8 18	E9S
Louis-Nicolas-Clérambault r.	20 35	G20
Louis-Pasteur-Vallery-Radot r.	18 7-8	A12-A13
Louis-Pergaud r.	13 68-69	S14-S15
Louis-Philippe pass.	11 46	J18S
Louis-Philippe pont	4 45	J15S
Louis-Robert imp.	20 35-36	F20
Louis-Say jardin	13 57	N16
Louis-Thuillier r.	5 56	L14S
Louis-Vicat r.	15 65	P8-P7
Louis-Vierne r.	17 5	C7
Louis XIII sq.	4 46	J17
Louis-XVI sq.	8 19-31	F11
Louise de Marillac sq.	18 21	D16
Louise-et-Tony sq.	14 67	P12S
Louise-Labé allée	19 23	F19-E19
Louise-Thuliez r.	19 24	E21
Louise-Weiss r.	13 58	N17-N18
Louisiane r. de la	18 10	C17N
Lourcine villa de	14 56	N13-P13
Lourmel r. de	15 52-41	M6-K7
Louvat imp.	14 55	N12
Louvat villa	14 55	N12
Louvois r. de	2 32	G13N
Louvois sq.	2 32	G13
Louvre pl. du	1 32	H14S
Louvre port du	1 31-32	H12-H13
Louvre quai du	1 44	J14-H14
Louvre r. du	32	H14-G14
nos 1-25, 2-52	1	
nos 27-fin, 54-fin	2	
Lowendal av. de	42	K9
nos 1-23, 2-14	7	
nos 25-fin, 16-fin	15	
Lowendal sq.	15 42	K9S
Lübeck r. de	16 29	G8-H7
Lucien-Bossoutrot r.	15 51-39	M4-M5
Lucien-Descaves av.	14 67-68	S13-S12
Lucien-et-Sacha-Guitry r.	20 48	K22S
Lucien-Fontanarosa sq.	17 16	D6
Lucien-Gaulard r.	18 8	C13
Lucien-Herr pl.	5 57	M15N
Lucien-Lambeau r.	20 49	J23N
Lucien-Leuwen r.	20 36	H22
Lucien-Sampaix r.	10 33-34	F16-F17
Lulli r.	2 32	G13
Lunain r. du	14 67	P12S
Lune r. de la	2 33	G15-F15
Lunéville r. de	19 11	C20-D20
Lutèce r. de	4 44-45	J14-J15
Luxembourg jardin du	6 44	L13
Luynes r. de	7 43	J12
Luynes sq. de	7 43	J12
Lyanes r. des	20 36	H22N
Lyanes villa des	20 36	H22N
Lyautey r.	16 40	J6
Lyon r. de	12 46	L18-K17
Lyonnais r. des	5 56-57	M14

M

Mabillon r.	6	44	K13N
Mac-Mahon av.	17	17	F8-E7
Macdonald bd	19	9-12	A18-B21
Maconnais r. des	12	59	N20
Madagascar r. de	12	60	N21
Madame r.	6	43-44	K12-L12
Madeleine bd de la		31	G12N
nos 1-23	1		
nos 25-fin, 14-fin	8		
nos 2-12	9		
Madeleine galerie de la	8	31	G11N
Madeleine marché de la	8	31	F11-F12
Madeleine pass. de la	8	31	F11S
Madeleine pl. de la	8	31	F12-G11
Mademoiselle r.	15	53	L7-L8
Madone r. de la	18	9	B16S
Madone sq. de la	18	9	B16
Madrid r. de	8	19	E11
Madrid-à-Neuilly allée de	16	14-15	F2-E3
Magasins-de-l'Opéra-Comique pl. des	17	6	C9
Magdebourg r. de	16	29	H7-G7
Magellan r.	8	29	G8-F8
Magendie r.	13	56	N14
Magenta bd de		21-34	D15-G17
nos 1-153, 2-fin	10		
nos 155-fin	9		
Magenta cité de	10	33	F16S
Magenta r.		11-12	A20-A21
nos 2-8	19		
autres nos	Pantin		
Mahatma-Gandhi av. du	16	14-15	F2-E4
Maigrot-Delaunay pass.	20	48	K22
Mail r. du	2	32	G14
Maillard r.	11	47	J20N
Main-d'Or pass. de la	11	47	K19
Main-d'Or r. de la	11	47	K19
Maine av. du		55-67	L11-P12
nos 1-39, 2-58	15		
nos 41-fin, 60-fin	14		
Maine r. du	14	55	M11N
Maintenon allée	6	43	L11
Maire r. au	3	33	G16S
Mairie cité de la	18	20	D14
Maison-Blanche r. de la	13	69	P16S
Maison-Brûlée cour de la	11	46	K18N
Maison-Dieu r.	14	55	N11N
Maître-Albert r.	5	45	K15
Malakoff av. de	16	16-28	E6-F6
Malakoff imp. de	16	16	E6S
Malakoff villa	16	28	G6-G7
Malaquais quai	6	44	J13N
Malar r.	7	30	H9
Malassis r.	15	53	N7
Malebranche r.	5	44	L14N
Malesherbes bd		18-31	C9-F9
nos 1-121, 2-92	8		
nos 123-fin, 94-fin	17		
Malesherbes cité	9	20	E13-E14
Malesherbes villa	17	18	D9-D10
Maleville r.	8	18	E10
Malher r.	4	45	J16
Malherbe sq.	16	39	K3S
Mallebay villa	14	66	P10
Mallet-Stevens r.	16	39	J4S
Malmaisons r. des	13	69-70	R17-R16
Malte r. de	11	34	H17-G17
Malte-Brun r.	20	36	H21-G21
Malus r.	5	57	L15S
Mandar r.	2	32	G14S
Manin r.	19	23-24	E19-D21
Manin villa	19	24	D21
Mansart r.	9	20	D12-D13S
Manuel r.	9	20	E14
Manutention r. de la	16	29	H8-G8
Maquis-du-Vercors pl.	19	25	E23
Maraîchers r. des	20	48-49	J22-K23
Marais pass. des	10	33-34	F16
Marbeau bd	16	16	F5-F6
Marbeau r.	16	16	F6N
Marbeuf r.	8	30	G8-G9
Marc-Antoine-Charpentier r.	13	70	P18-R18
Marc-Bloch pl.	20	48	J22S
Marc-Chagall allée	13	69	S16N
Marc-Sangnier av.	14	66	P9-R10
Marc-Séguin r.	18	9-10	C16-C17
Marcadet r	18	7-9	B12-C15
Marceau av.		29	G8-F8
nos impairs	16		
nos pairs	8		
Marceau villa	19	23	E20N
Marcel-Achard pl.	19	22-23	F18
Marcel-Aymé pl.	18	8	C13
Marcel-Cerdan pl.	15	41	K7
Marcel-Doret av.	16	51	M3-N3
Marcel-Dubois r.	12	60-61	N22
Marcel-Duchamp r.	13	70	R17
Marcel-Gromaire r.	11	34	H17
Marcel-Jambenoire allée	13	68	R14
Marcel-Mouloudji sq.	19	22	D18-D19
Marcel-Pagnol sq.	8	19	E11S
Marcel-Paul r.		6	B9
nº 2	17		
nos 4-fin, nos impairs	Clichy		
Marcel-Proust allée	8	30-31	G10-G11
Marcel-Proust av.	16	40	J6
Marcel-Rajman sq.	11	35	H20
Marcel-Renault r.	17	17	E7N

Marcel-Sembat r.	18	8	A13S
Marcel-Sembat sq.	18	8	A13
Marcel-Toussaint sq.	15	53	N8N
Marcelin-Berthelot pl.	5	44	K14
Marcès villa	11	34	H18-J18
Marchais r. des	19	24	D21
Marché pass. du	10	33	F16S
Marché-aux-Chevaux imp.	5	57	M16
Marché-des-Blancs-Manteaux r. du	4	45	J16N
Marché-des-Patriarches r.	5	57	M15N
Marché-Neuf quai du	4	44	J14S
Marché-Ordener r. du	18	8	B13
Marché-Popincourt r. du	11	34	H18N
Marché-St-Antoine cour du	12	46	K18
Marché-St-Honoré pl. du	1	31-32	G12-G13
Marché-St-Honoré r. du	1	31	G12
Marché-Ste-Catherine pl. du	4	45-46	J16-J17
Marco-Polo jardin	6	56	M13
Mare imp. de la	20	35	G20N
Mare r. de la	20	35	G20-F20
Maréchal-de-Lattre-de-Tassigny pl. du	16	28	F5
Maréchal-Fayolle av. du	16	27-28	F5-G4
Maréchal-Franchet-d'Espérey av. du	16	39	J3
Maréchal-Gallieni av. du	7	30	H10
Maréchal-Harispe r. du	7	41	J8N
Maréchal-Juin pl. du	17	17	D8
Maréchal-Lyautey av. du	16	39	K3
Maréchal-Maunoury av. du	16	27	H4-J3
Marengo r. de	1	32	H13
Marguerin r.	14	67	P12S
Marguerite-de-Navarre pl.	1	32	H14
Marguerite-Long r.	17	6	C9
Marguerite-Long sq.	17	16	D6
Marguerite-Yourcenar allée	15	41	K7-K8
Margueritte r.	17	17-18	E8-E9N
Marguettes r. des	12	61	L23S
Maria-Callas allée	16	28	H5-H6N
Maria-Deraismes r.	17	7	B12
Marie cité	17	7	B11
Marie pont	4	45	K16N
Marie-Benoist r.	12	48	L21N
Marie-Blanche imp.	18	20	D13N
Marie-Curie sq.	13	58	M17
Marié-Davy r.	14	67	P12S
Marie-de-Miribel pl.	20	49	J23
Marie-et-Louise r.	10	34	F17S
Marie-Laurencin r.	12	60-61	M22
Marie-Laurent allée	20	48	K22
Marie-Madeleine-Fourcade pl.	15	41	K7-K8
Marie-Pape-Carpantier r.	6	43	K12
Marie-Rose r.	14	67	P12S
Marie-Stuart r.	2	32-33	G14-G15
Marietta-Martin r.	16	40	J5
Marignan pass.	8	30	G9N
Marignan r. de	8	30	G9
Marigny av. de	8	30	G10-F10
Marin-la-Meslée sq.	15	52	N6N
Mariniers r. des	14	66	P10S
Marinoni r.	7	41	J8
Mario-Nikis r.	15	42	K9S
Mariotte r.	17	19	D11
Marius-Barroux allée	19	24	E22
Marivaux r. de	2	32	F13S
Marlène-Dietrich pl.	16	29	G7
Marmontel r.	15	53	M8S
Marmousets r. des	13	57	N15N
Marne quai de la	19	11	C19-C20
Marne r. de la	19	11	C19
Maroc imp. du	19	10	C17S
Maroc pl. du	19	22	D17N
Maroc r. du	19	22	D18-C17
Maronites r. des	20	35	G19-G20
Marquis-d'Arlandes r. du	17	5	C8
Marronniers r. des	16	40	J5S
Marronniers r. des	16	15	E3-E4
Marseillaise r. de la	19	12	C21-D21
Marseillaise sq. de la	19	12	C21
Marseille r. de	10	34	F17S
Marsollier r.	2	32	G13
Marsoulan r.	12	48	L22
Marteau imp.	18	9	A16
Martel r.	10	21	F15N
Martignac cité	7	43	J11
Martignac r. de	7	31	H11-J11
Martin-Bernard r.	13	69	P15S
Martin-Garat r.	20	37	H22-G22
Martin-Nadaud pl.	20	36	G21S
Martini imp.	10	33	G16-F16
Martinique r. de la	18	9	C16N
Marty imp.	17	7	B12N
Martyrs r. des		20	E13-D13
n°s 1-67, 2-fin	9		
n°s 69-fin	18		
Martyrs de la Résistance de la Porte-de-Sèvres pl. des	15	52	N5S
Martyrs-Juifs-du-Vélodrome-d'Hiver pl. des	15	41	J7
Marx-Dormoy r.	18	21-9	D16-C16
Maryse-Bastié r.	13	70	R18S
Maryse-Hilsz r.	20	49	K23
Maspéro r.	16	27-28	H4-H5

Masséna bd	13 *70-71*	P20-S16
Masséna sq.	13 *70*	R18
Massenet r.	16 *40*	J6-H5
Masseran r.	7 *42*	K10S
Massif-Central sq. du	12 *60*	N21-N22
Massillon r.	4 *45*	J15-K15
Massonnet imp.	18 *9*	B15
Mathieu imp.	15 *54*	M10N
Mathis r.	19 *10*	C18N
Mathurin-Moreau av.	19 *22-23*	E18-E19
Mathurin-Régnier r.	15 *54*	M9
Mathurins r. des	*19-31*	F11-F12
n°s 1-21, 2-28	9	
n°s 23-fin, 30-fin	8	
Matignon av.	8 *30*	G10-F10
Maubert imp.	5 *45*	K15
Maubert pl.	5 *45*	K15
Maubeuge r. de	*20-21*	E14-D16
n°s 1-65, 2-84	9	
n°s 67-fin, 86-fin	10	
Maubeuge sq. de	9 *20*	E14
Maublanc r.	15 *53*	M8
Mauconseil r.	1 *32-33*	H14-H15
Maure pass. du	3 *33*	H15
Maurel pass.	5 *58*	L17S
Maurice-Barrès pl.	1 *31*	G12
Maurice-Baumont allée	7 *41*	J8
Maurice-Berteaux r.	20 *37*	G23
Maurice-Bouchor r.	14 *66*	P9-P10
Maurice-Bourdet r.	16 *40*	K5
Maurice-Chevalier pl.	20 *35*	G20
Maurice-de-Fontenay pl.	12 *47-59*	L20
Maurice-de-la-Sizeranne r.	7 *42*	K10-L10
Maurice-Denis r.	12 *47-59*	L19
Maurice-d'Ocagne av.	14 *66*	R10N
Maurice-et-Louis-de Broglie r.	13 *58*	N17-N18
Maurice-Gardette sq.	11 *35*	H19
Maurice-Genevoix r.	18 *9*	B16
Maurice-Loewy r.	14 *68*	P13S
Maurice-Maignen r.	15 *54*	M10
Maurice-Noguès jardin	14 *66*	R9-P9
Maurice-Noguès r.	14 *66*	P9S
Maurice-Quentin pl.	1 *32*	H14
Maurice-Ravel av.	12 *61*	M23-L23
Maurice-Ripoche r.	14 *55*	N11
Maurice-Rollinat villa	19 *23*	D20S
Maurice-Rouvier r.	14 *54-66*	P10-N9
Maurice-Utrillo r.	18 *20*	D14N
Mauvais-Garçons r. des	4 *45*	J16
Mauves allée de	20 *49*	J23
Mauxins pass. des	19 *24*	E22
Max-Ernst r.	20 *35*	G20
Max-Guedj esplanade	15 *52*	M5N
Max-Hymans sq.	15 *54-55*	M10-M11
Max-Jacob r.	13 *69*	S16-R15
Mayenne sq. de la	17 *5*	C8
Mayet r.	6 *43*	L11N
Mayran r.	9 *20*	E14S
Mazagran av. de	14 *68*	S14S
Mazagran r. de	10 *33*	F15S
Mazarine r.	6 *44*	J13
Mazas pl.	12 *46*	L17
Mazas voie	12 *46*	L17
Meaux r. de	19 *22-23*	E18-D19
Méchain r.	14 *56*	N14-N13
Médéric r.	17 *18*	E9-D9
Médicis r. de	6 *44*	K13-K14
Mégisserie quai de la	1 *44*	J14N
Méhul r.	2 *32*	G13
Meilhac r.	15 *41*	L8
Meissonnier r.	17 *18*	D9
Mélingue r.	19 *23*	E20-F20
Melun pass. de	19 *22*	D18
Ménars r.	2 *32*	G13N
Mendelssohn r.	20 *49*	J23
Ménétriers pass. des	3 *33*	H15
Ménilmontant bd de	*35*	H20-G19
n°s impairs	11	
n°s pairs	20	
Ménilmontant et des Saint-Simoniens sq. de	20 *36*	F21
Ménilmontant pass. de	11 *35*	G19S
Ménilmontant pl. de	20 *35*	G20N
Ménilmontant porte de	20 *37*	F23
Ménilmontant r. de	20 *35-36*	G19-F21
Mercœur r.	11 *47*	J19-J20
Mercœur sq.	11 *47*	J19
Méridienne villa	14 *68*	P13
Mérimée r.	16 *28*	G6-G5
Merisiers sentier des	12 *61*	L23S
Merlin r.	11 *35*	H19-H20
Meryon r.	16 *38-50*	L2
Meslay pass.	3 *33*	G16
Meslay r.	3 *33-34*	G16-G17
Mesnil r.	16 *28*	G6
Messageries r. des	10 *21*	E15S
Messidor r.	12 *60*	M22
Messier r.	14 *56*	N13
Messine av. de	8 *18*	E10S
Messine r. de	8 *18*	E10S
Métairie cour de	20 *23-35*	F20
Metz quai de	19 *11*	C20
Metz r. de	10 *33*	F15
Meuniers r. des	12 *60*	N21
Meurthe r. de la	19 *11*	C19
Mexico pl. de	16 *28*	G6S
Meyerbeer r.	9 *32*	F13
Meynadier r.	19 *23*	D19
Mézières r. de	6 *43-44*	K12-K13

Michal r.	13	69	P15-P14S
Michel-Ange hameau	16	51	M3
Michel-Ange r.	16	39	K3-M3
Michel-Ange villa	16	39	K4S
Michel-Audiard pl.	14	68	P12
Michel-Bréal r.	13	70	R18
Michel-Chasles r.	12	46	L18-K18
Michel-de-Bourges r.	20	48	J22S
Michel-le-Comte r.	3	33	H15-H16
Michel-Peter r.	13	57	M15-N15
Michel-Petrucciani pl.	18	8	B14
Michel-Tagrine r.	19	22	E18
Michelet jardin	13	68	P14
Michelet r.	6	56	L13S
Midi cité du	18	20	D13
Midi cour du Z.E.U.S. Paris-Bercy	12	59	N20
Mignard r.	16	28	H5N
Mignet r.	16	39	K4S
Mignon r.	6	44	K14N
Mignot sq.	16	28	H6
Mignottes r. des	19	23	E20N
Miguel-Hidalgo r.	19	23	D20S
Milan r. de	9	19	E12
Milleret-de-Brou av.	16	39	J5-K4
Milne-Edwards r.	17	17	D7S
Milord imp.	18	7	B12N
Milton r.	9	20	E14
Mimosas sq. des	13	68	R14
Minervois cour du	12	59	N20
Minimes r. des	3	46	J17N
Miollis r.	15	42	L9N
Mirabeau pont	16	40	L5
Mirabeau r.	16	39	L4-L5
Mirbel r. de	5	57	M15N
Mire allée de la	14	68	R13-R14
Mire r. de la	18	20	C13-D13
Miromesnil r. de	8	18-30	E10-F10
Mission-Marchand r. de la	16	39	K4
Missions Étrangères sq. des	7	43	K11-K12
Mizon r.	15	54	M10N
Moderne av.	19	23	D19
Moderne villa	14	55-67	P11N
Modigliani r.	15	52	M5-M6
Modigliani terrasse	14	55	M11
Mogador r. de	9	19	F12-E12
Mohammed V pl.	5	45	K16
Moines r. des	17	7	C11-B11
Molière av.	16	39-51	L3S
Molière pass.	3	33	H15
Molière r.	1	32	G13S
Molin imp.	18	10	C17
Molitor porte	16	38	L2
Molitor r.	16	39	L3-L4
Molitor villa	16	39-51	L3-L4
Mollien r.	8	18	E10
Monbel r. de	17	6	C9S
Monceau parc	8	18	E9
Monceau r. de	8	18	F9-E10
Monceau r.	17	19	D11S
Monceau villa	17	17	D8
Moncey pass.	17	7	C12
Moncey r.	9	19	E12N
Moncey sq.	9	19	E12N
Mondétour r.	1	33	H15N
Mondonville r.	20	36-37	G22
Mondovi r. de	1	31	G11
Monge pl.	5	57	L15S
Monge r.	5	45	K15-M15
Mongenot r. nos 29-fin, 12-fin autres nos	12	61	L24-L23
	12		
		Saint-Mandé	
Monjol r.	19	22	E18S
Monnaie r. de la	1	32	H14S
Monplaisir pass.	20	35	G20S
Monseigneur-Loutil pl.	17	18	D9
Monseigneur-Maillet sq.	19	24	E21
Monseigneur-Rodhain r.	10	22	E17
Monsieur r.	7	42	K10
Monsieur-le-Prince r.	6	44	K13-K14
Monsigny r.	2	32	G13N
Monsoreau sq. de	20	48	J21
Mont-Aigoual r. du	15	52	L5
Mont-Blanc sq. du	16	40	K5S
Mont-Cenis pass. du	18	8	B14N
Mont-Cenis r. du	18	8	C14-B14
Mont-Dore r. du	17	19	D11
Mont-Louis imp. de	11	47	J20N
Mont-Louis r. de	11	47	J20N
Mont-Thabor r. du	1	31	G12S
Mont-Tonnerre villa du	15	43-55	L11S
Montagne-d'Aulas r. de la	15	52	M5-M6
Montagne-de-la-Fage r. de la	15	52	M5
Montagne-de-l'Esperou r. de la	15	52	L5-M5
Montagne-du-Goulet pl. de la	15	40-52	L5
Montagne-Ste-Geneviève r. de la	5	45	K15-L15
Montaigne av.	8	30	G9
Montalembert r.	7	43	J12
Montalivet r.	8	31	F11S
Montauban r.	15	53	N8
Montbrun pass.	14	67	P12
Montbrun r.	14	67	P12
Montcalm r.	18	8	C13-B14
Montcalm villa	18	8	B13N
Monte-Cristo r.	20	48	J21

Montebello port de	5 45	K15
Montebello quai de	5 45	K14-K15
Montebello r. de	15 65-66	P9N
Montempoivre porte de	12 61	M23
Montempoivre r. de	12 60-61	M22-M23
Montempoivre sentier de	12 60	M22
Montenegro pass.	19 24	E22S
Montenotte r. de	17 17	E8
Montéra r.	12 49	L23
Montespan av. de	16 28	G5S
Montesquieu r.	1 32	H13N
Montesquieu-Fezensac r.	12 61	N23
Montevidéo r. de	16 28	G5
Montfaucon r. de	6 44	K13N
Montgallet pass.	12 47-59	L20
Montgallet r.	12 59	L20S
Montgolfier r.	3 33	G16
Montgolfière sq. de la	13 69	P15
Monthiers cité	9 19	E12N
Montholon r. de	9 20-21	E14-E15
Montibœufs r. des	20 36	G22
Monticelli r.	14 67	R12S
Montmartre clos	18 8	C14
Montmartre bd	32	F14
nᵒˢ impairs	2	
nᵒˢ pairs	9	
Montmartre cité	2 32	G14S
Montmartre galerie	2 32	F14S
Montmartre porte de	18 8	A13-B13
Montmartre r.	32	H14-F14
nᵒˢ 1-21, 2-36	1	
nᵒˢ 23-fin, 38-fin	2	
Montmorency av. de	16 39	K3-K4
Montmorency bd de	16 39	J3-K3
Montmorency r. de	3 33	H15-H16
Montmorency villa de	16 39	K3
Montorgueil r.	32	H14-G14
nᵒˢ 1-35, 2-40	1	
nᵒˢ 37-fin, 42-fin	2	
Montparnasse bd du	42-56	L10-M13
nᵒˢ impairs	6	
nᵒˢ 2-66	15	
nᵒˢ 68-fin	14	
Montparnasse pass.	14 55	L11-M11
Montparnasse r. du	55	L12-M12
nᵒˢ 1-35, 2-40	6	
nᵒˢ 37-fin, 42-fin	14	
Montpensier galerie de	1 32	G13S
Montpensier r. de	1 32	H13-G13
Montreuil porte de	20 49	J23-J24
Montreuil r. de	11 47-48	K19-K21
Montrouge porte de	14 67	R11
Montsouris allée de	14 68	R13
Montsouris parc	14 68	R13
Montsouris sq. de	14 68	R13
Monttessuy r. de	7 29	H8S
Montyon r. de	9 20-32	F14
Mony r.	16 28	G5
Morand r.	11 34-35	G18N
Moreau r.	12 46	K18
Morère r.	14 67	R11N
Moret r.	11 35	G19
Morieux cité	15 41	J8-K8
Morillons r. des	15 53-54	N8-N9
Morland bd	4 46	K17
Morland pont	12 46	L17N
Morlet imp.	11 48	K21
Morlot r.	9 19	E12
Mornay r.	4 46	K17
Moro-Giafferi pl. de	14 55	N11
Mortier bd	20 25-37	E22-G23
Morvan r. du	11 35	H19S
Moscou r. de	8 19	D11-E12
Moselle pass. de la	19 23	D19
Moselle r. de la	19 22	D18N
Moskova r. de la	18 8	B13N
Mouffetard r.	5 57	L15-M15
Mouffetard-Monge galerie	5 57	L15-M15
Moufle r.	11 34	H18S
Moulin-Dagobert villa du	11 48	K21N
Moulin-de-Javel pl. du	51-52	M5
Moulin de la Pointe jardin du	13 69	R16S
Moulin-de-la-Pointe r. du	13 69	R16
Moulin-de-la-Vierge jardin du	14 54	N10
Moulin-de-la-Vierge r. du	14 54	N10S
Moulin des 3-Cornets jardin du	14 55	M11S
Moulin-des-Lapins r. du	14 55	N11
Moulin-des-Prés pass.	13 69	P15N
Moulin-des-Prés r. du	13 69	P15-R16
Moulin-Joly r. du	11 35	G19-F19
Moulin-Vert imp. du	14 55-67	P11N
Moulin-Vert r. du	14 55-67	P12-N11
Moulinet pass. du	13 69	P15S
Moulinet r. du	13 69	P16-P15
Moulins r. des	1 32	G13
Mounet-Sully r.	20 48	K22S
Mouraud r.	20 49	J23
Mousset imp.	12 47	L20
Mousset-Robert r.	12 60	L22S
Moussorgski r.	18 10	B17
Moussy r. de	4 45	J16N
Mouton-Duvernet r.	14 55	N12S
Mouzaïa r. de	19 24	E21-E20
Moynet cité	12 47-59	L20S
Mozart av.	16 39	J5-K4
Mozart sq.	16 39	J4
Mozart villa	16 39	J4-K4
Mt-Cenis sq. du	18 8	C14

Muette chaussée de la	16	39-40	J5-J4
Muette-à-Neuilly rte de la	16	15-27	E3-H4
Mulhouse r. de	2	32-33	G14-G15
Mulhouse villa	16	51	M3
Muller r.	18	8-20	C14-D14
Murat bd	16	39-51	L3-M3
Murat villa	16	51	M3S
Mûriers r. des	20	35	H20-G20
Mûriers sq. des	20	35	G20S
Murillo r.	8	18	E9
Musée Carnavalet jardin du	3	45-46	J16-J17
Musset r. de	16	51	M4-L3
Mutualité sq. de la	5	45	K15S
Myrha r.	18	9	C16-D15
Myron-Herrick av.	8	18	F10

N

n^{os} impairs	2		
Naboulet imp.	17	7	B11
Nadar sq.	18	20	D14
Nancy r. de	10	33	F16
Nanettes r. des	11	35	H19-G20
Nansouty imp.	14	68	R13S
Nansouty r.	14	68	R13
Nantes r. de	19	11	C19-B19
Nanteuil r.	15	54	N9
Naples r. de	8	18-19	E10-E11
Napoléon cour	1	32	H13
Napoléon-III pl.	10	21	E15-E16
Narbonne r. de	7	43	K12N
Narcisse-Diaz r.	16	39	L4-L5N
Narvik pl. de	8	18	E10S
Nation pl. de la		48	K21S
n^{os} impairs	11		
n^{os} pairs	12		
National pass.	13	70	R18-R17
National pont	12	71	P20
Nationale imp.	13	70	R17N
Nationale pl.	13	70	P17
Nationale r.	13	70	R17-N17
Nations-Unies av. des	16	29	H7
Nativité r. de la	12	59	N20
Nattier pl.	18	8	C13
Naturel jardin	20	36	H22-J21
Navarin r. de	9	20	E13-E14N
Navarre r. de	5	45-57	L15
Navier r.	17	7	B11-B12
Necker r.	4	46	J17
Necker sq.	15	54	M9
Négociants terrasse des Z.E.U.S. Paris-Bercy	12	59	N20
Nélaton r.	15	41	J7-K7

Nemours r. de	11	34	G18S
Nesle r. de	6	44	J13
Neuf pont	1	44	J14
Neuilly av. de	16	16	E6
Neuve-de-la-Chardonnière r.	18	9	B15
Neuve-des-Boulets r.	11	47	J20S
Neuve-Popincourt r.	11	34	G18-H18
Neuve-St-Pierre r.	4	46	J17S
Neuve-Tolbiac r.	13	58-59	P18-N19
Néva r. de la	8	17	E8
Nevers imp. de	6	44	J13
Nevers r. de	6	44	J13
New-York av. de	16	29	H8-J7
Newton r.	16	29	F8S
Ney bd	18	7-10	A12-A17
Nicaragua pl. du	17	18	D9N
Nice r. de	11	47	J20S
Nicolaï r.	12	60	N21-M21
Nicolas imp.	20	49	J23N
Nicolas-Appert r.	11	34	H18
Nicolas-Charlet r.	15	54	L10-M10
Nicolas-Chuquet r.	17	6	C9
Nicolas-de-Blégny villa	11	46	J18-J19
Nicolas-Flamel r.	4	45	J15-H15
Nicolas-Fortin r.	13	69	P16N
Nicolas-Houël r.	5	57-58	M16-M17
Nicolas-Roret r.	13	57	N15N
Nicolas-Taunay r.	14	67	R11
Nicolay sq.	17	7	C11S
Nicole-Chouraqui r.	19	23	D19N
Nicole-de-Hauteclocque jardin	15	41	K7-K8
Nicolet r.	18	8	C14
Nicolo hameau	16	28	H5-H6
Nicolo r.	16	40	J6-H5
Niel av.	17	17	E8-D8
Niel villa	17	17	D8S
Niepce r.	14	55	N11
Nieuport villa	13	70	R18N
Niger r. du	12	49-61	L23-L22
Nil r. du	2	33	G15
Nobel r.	18	8	C14
Nocard r.	15	41	J7S
Noël cité	3	33	H15-H16
Noël-Ballay r.	20	49	K23S
Noisiel r. de	16	28	G5N
Noisy-le-Sec r. de		37	F23-E24
n°s 1-47, 2-72	20		
autres n^{os} impairs	Les Lilas		
autres n^{os} pairs	Bagnolet		
Nollet r.	17	7-19	C11-D11
Nollet sq.	17	7	C11
Nollez cité	18	8	B13
Nom-de-Jésus cour du	11	46	K18N
Nonnains-d'Hyères r. des	4	45	J16S

Nord pass. du	19	23	D19
Nord r. du	18	9	B15S
Normandie r. de	3	34	H17N
Norvins r.	18	8	C13-C14
Notre-Dame pont	4	45	J15
N.-D.-de-			
Bonne-Nouvelle r.	2	33	G15-F15
N.-D.-de-Lorette r.	9	20	E13
N.-D.-de-Nazareth r.	3	33	G15-G16
N.-D.-de-Recouvrance r.	2	33	G15-F15
N.-D.-des-Champs r.	6	43-56	L12-M13
N.-D.-des-Victoires r.	2	32	G14-F14
Nouveau-Belleville sq. du	20	35	G19
Nouveau-Conservatoire			
av. du	19	11	C20
Nouvelle villa	8	17	E8S
Nouvelle-Calédonie			
r. de la	12	61	M23S
Noyer-Durand r. du	19	24	D21-C21
Nungesser-et-Coli r.	16	38-50	L2
Nymphéas villa des	20	37	G23N

O

Oberkampf r.	11	34-35	H17-G19
Observatoire av. de l'		56	L13-M13
nos 1-27, 2-20	6		
nos 29-47	5		
nos 49-fin, 22-fin	14		
Octave-Chanute pl.	20	36	G22
Octave-Feuillet r.	16	27-28	H4-H5
Octave-Gréard av.	7	41	J7
Oculus pl. Forum-des-Halles	1	32	H14
Oculus r. de l'			
Forum-des-Halles	1	32	H14
Odéon carr. de l'	6	44	K13N
Odéon pl. de l'	6	44	K13
Odéon r. de l'	6	44	K13
Odessa r. d'	14	55	L11-M12
Odiot cité	8	18-30	F9
Oise quai de l'	19	11	C19-C20
Oise r. de l'	19	11	C19
Oiseaux r. des	3	33	H16N
Olier r.	15	53	N7N
Olive r. l'	18	9	C16N
Olivet r. d'	7	43	K11
Olivier-de-Serres pass.	15	53	N8N
Olivier-de-Serres r.	15	53	M8-N7
Olivier-Métra r.	20	24-36	F21
Olivier-Métra villa	20	24-36	F21
Olivier-Noyer r.	14	55	P11-N11
Omer-Talon r.	11	35	H19
Onfroy imp.	13	69	R16N
Onze-Novembre-1918 pl.	10	21	E16S

Opéra av. de l'		32	G13-H13
nos 1-31, 2-26	1		
nos 33-fin, 28-fin	2		
Opéra pl. de l'		31-32	F13-F12
nos 1-3, 2-4	2		
nos 5, 6-8	9		
Opéra-Louis-Jouvet sq.	9	31	F12
Oradour-sur-Glane r. d'	15	52	P6-N6
Oran r. d'	18	9	C15
Oratoire r. de l'	1	32	H14
Orchampt r. d'	18	20	C13-D13
Orchidées r. des	13	68	R14
Ordener r.	18	8-9	B13-C16
Ordener villa	18	8	B14S
Orfèvres quai des	1	44	J14
Orfèvres r. des	1	44	J14N
Orfila imp.	20	36	G21
Orfila r.	20	36	G21-G22
Orgues-de-Flandre			
allée des	19	10	C18
Orient-Express			
r. de l' Forum-des-Halles	1	32	H14
Orillon r. de l'	11	34-35	G18-F19
Orillon-Jules-Verne jardin	11	34	F18
Orléans galerie d'	1	32	H13N
Orléans porte d'	14	67	R12
Orléans portiques d'	14	55	N12S
Orléans quai d'	4	45	K16-K15
Orléans sq. d'	9	20	E13
Orléans villa d'	14	67	P12
Orme r. de l'	19	24	E21-E22
Ormeaux r. des	20	48	K21-K22
Ormeaux sq. des	20	48	K22
Ormesson r. d'	4	45-46	J16-J17
Ornano bd	18	8-9	B14-B15
Ornano sq.	18	9	B15S
Ornano villa	18	8	B14N
Orsay quai d'	7	30	H9-H10
Orsel cité d'	18	20	D14
Orsel r. d'	18	20	D14
Orteaux imp. des	20	48	J21
Orteaux jardin des	20	49	J23
Orteaux r. des	20	48-49	J21-J23
Ortolan r.	5	45	L15S
Oscar-Roty r.	15	52-53	L6-M7
Oslo r. d'	18	7	C12-B12
Oswaldo-Cruz r.	16	39	J4
Oswaldo-Cruz villa	16	39	J4
Otages villa des	20	24	F22N
Oudiné-Dessous-			
des-Berges jardin	13	70	P18
Oudinot imp.	7	43	K11
Oudinot r.	7	42-43	K10-K11
Oudry r.	13	57	M16S
Ouessant r. d'	15	41	K8
Ouest r. de l'	14	54-55	N10-M11

Ourcq galerie de l'	19 *11*	B20
Ourcq r. de l'	19 *10-11*	C19-B18
Ours cour de l'	11 *46*	K18N
Ours r. aux	3 *33*	H15N
Ozanam pl.	6 *55*	L12S
Ozanam sq.	6 *55*	L12S

P

Pablo-Casals sq.	15 *40*	K6
Pablo-Picasso pl.	14 *55*	M12N
Pache r.	11 *47*	J19-H19
Padirac sq. de	16 *39*	K3N
Paganini r.	20 *49*	K23
Paganini sq.	20 *49*	K23
Paillet r.	5 *44*	L14N
Paix r. de la	2 *31*	G12N
Pajol r.	18 *21-10*	D16-B17
Pajou r.	16 *40*	J5
Palais-Bourbon pl. du	7 *31*	H11
Palais-Royal jardin du	1 *32*	G13-H13
Palais-Royal pl. du	1 *32*	H13
Palais-Royal-de-Belleville cité du	19 *23*	E20S
Palais bd du	*44*	J14
n^os pairs	1	
n^os impairs	4	
Palatine r.	6 *44*	K13
Palestine r. de	19 *23*	F20-E20
Palestro r. de	2 *33*	G15
Pali-Kao jardin de	20 *35*	F19
Pali-Kao r. de	20 *35*	G19-F19
Panama r. de	18 *9*	C15S
Paname galeries de	11 *34*	H18
Panhard-et-Levassor quai	13 *71*	P20-N19
Panier-Fleuri cour du	11 *46*	K18N
Panoramas pass. des	2 *32*	F14S
Panoramas r. des	2 *32*	F14S
Panoyaux imp. des	20 *35*	G19-G20
Panoyaux r. des	20 *35*	G19-G20
Panthéon pl. du	5 *44*	L14
Pantin porte de	19 *12*	C21
Papillon r.	9 *20-21*	E14-E15
Papin r.	3 *33*	G15
Paradis cité	10 *21*	F15N
Paradis r. de	10 *21*	E15-F16
Paraguay pl. du	16 *28*	F5S
Parc villa du	19 *23*	E19S
Parc-de-Charonne chemin du	20 *36*	H22
Parc-de-Choisy allée du	13 *69*	P16
Parc-de-Passy av. du	16 *40*	J6
Parc-des-Princes av. du	16 *50*	L2-M2
Parc-Montsouris r. du	14 *68*	R13

Parc-Montsouris villa du	14 *68*	R13
Parc-Royal r. du	3 *46*	J17N
Parchappe cité	11 *46*	K18N
Parcheminerie r. de la	5 *44*	K14
Parent-de-Rosan r.	16 *51*	M3
Parme r. de	9 *19*	D12S
Parmentier av.	*34-35*	F18-H19
n°s 1-135, 2-150	11	
n°s 137-fin, 152-fin	10	
Parnassiens galerie des	14 *55*	L12-M12
Parrot r.	12 *46*	L18N
Partants r. des	20 *35-36*	G20-G21
Parvis pl. du	19 *11*	B20
Parvis-du-Sacré-Cœur pl. du	18 *20*	D14N
Parvis-Notre-Dame pl. du	4 *45*	J15-K15
Pas-de-la-Mule r. du	*46*	J17
n^os impairs	4	
n^os pairs	3	
Pascal r.	*57*	M15-N15
n°s 1-25, 2-30	5	
n°s 27-fin, 32-fin	13	
Pasdeloup pl.	11 *34*	H17N
Pasquier r.	8 *19-31*	F11
Passy pl. de	16 *40*	J5N
Passy port de	16 *40-41*	K6-J7
Passy r. de	16 *40*	J6-J5
Passy-Plaza galerie	16 *40*	J5
Pasteur bd	15 *42*	L10-M10
Pasteur r.	11 *34*	H18
Pasteur sq.	15 *42-54*	L10
Pasteur-Marc-Bœgner r.	16 *28*	H6
Pasteur-Wagner r. du	11 *46*	J17-J18
Pastourelle r.	3 *33*	H16
Patay r. de	13 *70*	R18-P18
Patenne sq.	20 *48*	K22
Patriarches pass. des	5 *57*	M15N
Patriarches r. des	5 *57*	M15N
Patrice-Boudart villa	16 *40*	K5
Patrice-de-la-Tour-du-Pin r.	20 *49*	K23
Pâtures r. des	16 *40*	K5
Paturle r.	14 *66*	P9N
Pau-Casals r.	13 *58-59*	N18-N19
Paul-Abadie r.	18 *8*	B13
Paul-Adam av.	17 *5*	C8S
Paul-Albert r.	18 *20*	D14-C14
Paul-Appell av.	14 *67*	R12S
Paul-Barruel r.	15 *54*	M9
Paul-Baudry r.	8 *30*	F9
Paul-Beauregard pl.	16 *39*	K4S
Paul-Belmondo r.	12 *59*	M19-N20
Paul-Bert r.	11 *47*	K19-K20
Paul-Blanchet sq.	12 *60*	N22
Paul-Bodin r.	17 *6-7*	B10-B11
Paul-Borel r.	17 *18*	D9

Name			
Paul-Bourget r.	13	69	S16
Paul-Cézanne r.	8	18	F9N
Paul-Chautard r.	15	41	L8
Paul-Claudel pl.	6	44	K13S
Paul-Crampel r.	12	60	M22N
Paul-de-Kock r.	19	24	E21
Paul-Delaroche r.	16	28	H5
Paul-Delmet r.	15	53	N7-N8
Paul-Déroulède av.	15	41	K8
Paul-Deschanel allée	7	29	H8
Paul-Doumer av.	16	28	J5-H6
Paul-Dubois r.	3	33	G16S
Paul-Dukas r.	12	59	M20
Paul-Dupuy r.	16	40	K5
Paul-Eluard pl.	18	9	C16
Paul-Escudier r.	9	19-20	E12-E13
Paul-et-Jean-Lerolle r.	7	30	H10
Paul-Féval r.	18	8	C14
Paul-Fort r.	14	67	R12
Paul-Gervais r.	13	56-57	N15-P14
Paul-Gilot sq.	15	40-52	L6
Paul-Grimault sq.	13	69	R15
Paul-Henri-Grauwin r.	12	47-59	L19
Paul-Hervieu r.	15	40	L6N
Paul-Jean-Toulet r.	20	48-49	J22
Paul-Klee r.	13	58	M18
Paul Langevin sq.	5	45	K15-L15
Paul-Laurent r.	19	22	C17-D17
Paul-Leautaud pl.	17	5	C8S
Paul-Lelong r.	2	32	G14
Paul-Louis-Courier imp.	7	43	J11-J12
Paul-Louis-Courier r.	7	43	J11-J12
Paul-Meurice r.	20	25	E23-F23
Paul-Painlevé pl.	5	44	K14
Paul-Painlevé sq.	5	44	K14
Paul-Paray sq.	17	6	C9
Paul-Reynaud pl.	16	51	M3
Paul-Robin sq.	18	10	B17
Paul-Saunière r.	16	28	H6S
Paul-Séjourné r.	6	55	M12N
Paul-Signac pl.	20	36	G22
Paul-Strauss r.	20	37	G22-G23
Paul-Vaillant-Couturier av.		68	S14-S13
n°s pairs, 142-156	14		
autres n°s		Gentilly	
Paul-Valéry r.	16	29	G7-F7
Paul-Verlaine pl.	13	69	P15
Paul-Verlaine villa	19	23	D20S
Paulin-Enfert r.	13	70	S16-S17
Paulin-Méry r.	13	69	P15N
Pauline-Kergomard r.	20	49	J22
Pauly r.	14	54-66	P10N
Pauly-Suisses jardin	14	54	N10-P10
Pavée r.	4	45	J16
Pavillons av. des	17	17	D7S
Pavillons r. des	20	24-36	F21
Payenne r.	3	45-46	J16-J17
Péan r.	13	70	R18
Péclet r.	15	53	L8-M8
Pecquay r.	4	33	H16S
Pégoud r.	15	51	N4N
Péguy r.	6	55	L12S
Pékin pass. de	20	35	F19S
Pelée r.	11	34	H17-H18
Pélican r. du	1	32	H14-H13
Pelleport r.	20	24-36	F21-H22
Pelleport villa	20	24	F21
Pelouze r.	8	19	D11S
Penel pass.	18	8	B14
Pensionnat r. du	12	48	L21N
Penthièvre r. de	8	30-31	F10-F11
Pépinière r. de la	8	19	F11N
Perceval r. de	14	55	M11
Perchamps r. des	16	39	K4S
Perche r. du	3	33	H16
Percier av.	8	18	F10N
Perdonnet r.	10	21	D16
Père-Brottier r. du	16	39	K4
Père-Chaillet pl. du	11	47	J19
Père-Corentin r. du	14	67	P12-R12
Père-Guérin r. du	13	69	P15N
Père-Julien-Dhuit allée du	20	35	F20
Père-Julien-Dhuit r. du	20	35	F19-F20
Père-Lachaise av. du	20	36	H21N
Père-Marcellin-Champagnat pl. du	16	40	J6
Père-Plumier jardin du	14	54	N10
Père-Prosper-Enfantin r. du	20	37	G23
Père-Teilhard-de-Chardin pl. du	4	46	K17
Père-Teilhard-de-Chardin r.	5	57	M15N
Pereire bd	17	6-16	C10-E6
Pergolèse r.	16	16	E6-F6
Périchaux r. des	15	65	P8N
Périchaux sq. des	15	53-65	P8
Pérignon r.		42	K10-L9
n°s 2-28	7		
n°s impairs, 30-fin	15		
Périgord sq. du	20	49	J23S
Périgueux r. de	19	24	D21
Perle r. de la	3	33	H16S
Pernelle r.	4	45	J15N
Pernette-du-Guillet allée	19	22-23	F18-F19
Pernety r.	14	54-55	N10-N11
Pérou pl. du	8	18	E9S
Perrault r.	1	32	H14S
Perrée r.	3	33-34	G16-H17
Perreur pass.	20	36	G22N
Perreur villa	20	36	G22N
Perrichont av.	16	40	K5S

Perronet r.	7	43	J12
Pers imp.	18	8	C14
Pershing bd	17	16	D6-E6
Pestalozzi r.	5	57	L15-M15
Petel r.	15	53	M8N
Péterhof av. de	17	17	D7S
Petiet r.	17	7	B12
Pétin imp.	19	24	E21
Pétion r.	11	35-47	H19-J19
Petit r.	19	23	D19-D21
Petit-Bois sq. du	19	24	D21
Petit-Cerf pass.	17	6	B10-B11S
Petit-Modèle imp. du	13	57	N16S
Petit-Moine r. du	5	57	M15S
Petit-Musc r. du	4	46	K17-J17
Petit-Pont	4	44	J14-K14
Petit-Pont pl. du	5	44	K14N
Petit-Pont r. du	5	44	K14N
Petite-Arche r. de la	16	51	N3N
Petite-Boucherie pass.	6	44	J13S
Petite-Pierre r. de la	11	47	J20S
Petite-Truanderie r. de la	1	33	H15N
Petite-Voirie pass. de la	11	34	H18N
Petites-Écuries cour des	10	21-33	F15
Petites-Écuries pass. des	10	21-33	F15
Petites-Écuries r. des	10	21-33	F15
Petitot r.	19	24	E21S
Petits-Carreaux r. des	2	32-33	G14-G15
Petits-Champs r. des		32	G13
n⁰ˢ impairs	1		
n⁰ˢ pairs	2		
Petits-Hôtels r. des	10	21	E15
Petits-Pères pass. des	2	32	G14
Petits-Pères pl. des	2	32	G14
Petits-Pères r. des	2	32	G14
Petits-Ponts rte des	19	12	C21-B21
Pétrarque r.	16	28	H6
Pétrarque sq.	16	28	H6
Peupliers av. des	16	39	K3S
Peupliers poterne des	13	69	R15
Peupliers r. des	13	69	R15
Peupliers sq. des	13	69	P15-R15
Phalsbourg cité de	11	47	J19-J20
Phalsbourg r. de	17	18	D9-E9S
Philibert-Delorme r.	17	5-6	C8-C9
Philibert-Lucot r.	13	69-70	R17-R16
Philidor r.	20	49	K23
Philippe-Auguste av.	11	47-48	J20-K21
Philippe-Auguste pass.	11	48	K21
Philippe-de-Champagne r.	13	57	N16S
Philippe-de-Girard r.		9-21	C16-E16
n⁰ˢ 1-33, 2-34	10		
n⁰ˢ 35-fin, 36-fin	18		
Philippe-Hecht r.	19	22-23	E18-E19
Philosophe allée du	11	47	J19-J20
Piat r.	20	35	F19-F20
Pic-de-Barette r. du	15	40	L5-M5
Picardie r. de	3	34	H17N
Piccini r.	16	16	F6N
Picot r.	16	28	F6S
Picpus bd de	12	60	M22-L22
Picpus r. de	12	47-60	K20-N22
Piémontési r.	18	20	D13
Pierre-Adrien-Delpayrat jardin	15	54	M10S
Pierre-au-Lard r.	4	33	H15
Pierre-Bayle r.	20	47	J20-H20
Pierre-Bonnard r.	20	36	H22
Pierre-Bourdan r.	12	47	L20N
Pierre-Brisson pl.	16	29	G8S
Pierre-Brossolette r.	5	56-57	M14-M15
Pierre-Budin r.	18	9	C15
Pierre-Bullet r.	10	33	F16S
Pierre-Charron r.	8	30	G8-F9
Pierre-Chausson r.	10	33	F16S
Pierre-Dac r.	18	8	C13-C14
Pierre-de-Coubertin av.		68	S14
n⁰ˢ impairs	13		
n⁰ˢ pairs	14		
Pierre-de-Gaulle sq.	7	42	K10N
Pierre-Demours r.	17	17	E7-D8
Pierre-Dupont r.	10	22	E17
Pierre-Dux pl.	6	44	K13S
Pierre-et-Marie-Curie r.	5	44-56	L14
Pierre-Foncin r.	20	37	F23S
Pierre-Ginier r.	18	7	C12S
Pierre-Ginier villa	18	7	C12S
Pierre-Girard r.	19	23	D19N
Pierre-Gourdault r.	13	58	N18-P18
Pierre-Guérin r.	16	39	K4
Pierre-Haret r.	9	19	D12
Pierre-Jean-Jouve r.	19	11	C20
Pierre-Joseph-Desault r.	13	71	R19
Pierre-Joseph-Redouté jardin	11	47	J20
Pierre-Lafue pl.	6	43-55	L12
Pierre-Lampué pl.	5	56	M14N
Pierre-Larousse r.	14	66	P10
Pierre-Lazareff allée	2	33	G15
Pierre-le-Grand r.	8	17	E8
Pierre-Le-Roy r.	14	66	P10S
Pierre-l'Ermite r.	18	21	D16N
Pierre-Leroux r.	7	43	K11S
Pierre-Lescot r.	1	33	H15
Pierre-Levée r. de la	11	34	G18
Pierre-Loti av.	7	41	J8
Pierre-Louys r.	16	40	K5
Pierre-Mac-Orlan pl.	18	9-10	B16-B17
Pierre-Masse av.	14	68	S13

Pierre-Mendès-France av.	13 *58*	M17-N18
Pierre-Mille r.	15 *53*	N7
Pierre-Mollaret allée	19 *10*	A18
Pierre-Mouillard r.	20 *37*	G23
Pierre-Nicole r.	5 *56*	L14-M13
Pierre-Picard r.	18 *20*	D14
Pierre-1er-de-Serbie av.	*29*	G8
nos 1-33, 2-28	16	
nos 35-fin, 30-fin	8	
Pierre-Quillard r.	20 *37*	G23
Pierre-Rebière r.	17 *7-6*	A11-B10
Pierre-Reverdy r.	19 *22-23*	D18-D19
Pierre-Sarrazin r.	6 *44*	K14
Pierre-Seghers jardin	20 *36*	F21-G21
Pierre-Semard r.	9 *21*	E15
Pierre-Soulié r.	20 *37*	F23
Pierre-Vaudrey r.	20 *36*	H22
Pierre-Villey r.	7 *30*	H9S
Piet-Mondrian r.	15 *40-52*	L5
Pigalle cité	9 *20*	E13N
Pigalle pl.	9 *20*	D13S
Pihet r.	11 *34*	H18N
Pilâtre-de-Rozier allée	16 *27*	H4-J4
Pilier imp. du	20 *35*	H20-J20
Piliers r. des		
Forum-des-Halles	1 *32*	H14
Pillet-Will r.	9 *20-32*	F13
Pilleux cité	18 *7*	C12
Pinel pl.	13 *57*	N16
Pinel r.	13 *57*	N16
Pins rte des	16 *27*	H3
Pirandello r.	13 *57*	M16-N16
Pirogues-de-Bercy r. des	12 *59*	N20
Pirouette		
r. Forum-des-Halles	1 *32*	H14
Pissarro r.	17 *5*	C8
Piver imp.	11 *34*	F18S
Piver pass.	11 *34*	F18S
Pixérécourt r.	20 *36*	F21
Plaine porte de la	15 *65*	P7
Plaine r. de la	20 *48*	K21-K22
Plaine rte de la	12 *73*	P22-P24
Plaisance porte de	15 *65*	P8
Plaisance r. de	14 *55*	N11S
Planchart pass.	20 *36*	F22S
Planchat r.	20 *48*	K21-J21
Planchette imp. de la	3 *33*	G16N
Planchette ruelle de la	12 *59*	M20
Plantes jardin des	5 *45*	L16
Plantes r. des	14 *55-67*	N11-R11
Plantes villa des	14 *55-67*	P11N
Plantin pass.	20 *35*	F20S
Plat-d'Étain r. du	1 *32*	H14
Platanes villa des	18 *20*	D13
Plateau pass. du	19 *23*	E20
Plateau r. du	19 *23*	E19-E20
Platon r.	15 *54*	M10S
Plâtre r. du	4 *33*	H15-H16
Plâtrières r. des	20 *35*	G20
Plélo r. de	15 *52-53*	M6-M7
Pleyel r.	12 *59*	M20
Plichon r.	11 *35*	H20
Plumet r.	15 *54*	M9
Pocquelin		
r. Forum-des-Halles	1 *32*	H14
Poètes sq. des	16 *38*	L2N
Poinsot r.	14 *55*	M11N
Point-du-Jour port du	16 *51*	N3-M4
Point-du-Jour porte du	16 *51*	M3
Point-du-Jour- à-Bagatelle rte du	16 *26-38*	G1-K1
Point-Show galerie	8 *30*	F9S
Pointe sentier de la	20 *48*	J22
Pointe-d'Ivry r. de la	13 *70*	R17
Poirier villa	15 *42-54*	L9
Poirier-de-Narçay r.	14 *67*	R12-R11
Poissonnerie imp. de la	4 *46*	J17
Poissonnière bd	*32*	F14S
nos impairs	2	
nos pairs	9	
Poissonnière r.	2 *33*	G15-F15
Poissonnière villa	18 *21*	D15N
Poissonniers porte des	18 *9*	A15S
Poissonniers r. des	18 *21-9*	D15-B15
Poissy r. de	5 *45*	K15
Poitevins r. des	6 *44*	K14N
Poitiers r. de	7 *31*	H12-J12
Poitou r. de	3 *33-34*	H16-H17
Pôle-Nord r. du	18 *8*	B13
Poliveau r.	5 *57*	M16
Pologne av. de	16 *28*	G5N
Polonceau r.	18 *21*	D15
Pomereu r. de	16 *28*	G5
Pommard r. de	12 *59*	N20-M19
Pompe r. de la	16 *40-28*	J5-F6
Ponant cour du Z.E.U.S. Paris-Bercy	12 *59*	N20
Ponceau pass. du	2 *33*	G15
Ponceau r. du	2 *33*	G15
Poncelet pass.	17 *17*	E8N
Poncelet r.	17 *17*	E8
Pondichéry r. de	15 *41*	K8
Poniatowski bd	12 *71-60*	P20-N22
Ponscarme r.	13 *70*	P17S
Pont-à-Mousson r. de	17 *7*	A11S
Pont-aux-Biches pass. du	3 *33*	G16
Pont-aux-Choux r. du	3 *34*	H17
Pont-de-Lodi r. du	6 *44*	J14S
Pont-Louis-Philippe r. du	4 *45*	J16
Pont-Mirabeau rd-pt du	15 *40*	L5N
Pont-Neuf pl. du	1 *44*	J14

Pont-Neuf		
porte Forum-des-Halles	1 *32*	H14
Pont-Neuf r. du	1 *32*	H14*S*
Ponthieu r. de	8 *30*	F9-F10
Pontoise r. de	5 *45*	K15
Popincourt cité	11 *34*	H18
Popincourt imp.	11 *34-35*	H18*S*
Popincourt r.	11 *34-47*	H18-J19
Port-au-Prince pl. de	13 *70*	S17*N*
Port-Mahon r. de	2 *32*	G13*N*
Port-Royal bd de	*56-57*	M13-M15
n°s 1-93	13	
n°s 95-fin	14	
n°s pairs	5	
Port-Royal sq. de	13 *56*	M14*S*
Port-Royal villa de	13 *56*	M14*S*
Portalis r.	8 *19*	E11
Porte-Brancion av. de la	15 *65*	P8
Porte-d'Aubervilliers av. de	*10*	A18
n°s impairs	18	
n°s pairs	19	
Porte Dauphine	16 *28*	F5
Porte-Dauphine-à-la-Porte-des-Sablons rte de la	16 *15-16*	E4-F5
Porte de Bagatelle	16 *14*	E2
Porte-de-Châtillon av. de la	14 *66-67*	R11-R10
Porte-de-Châtillon pl. de la	14 *67*	R11*N*
Porte-de-Choisy av. de la	13 *70*	S17
Porte de la Muette	16 *27*	H4
Porte-de-la-Plaine av. de la	15 *53-65*	P7
Porte-de-la-Plaine sq. de la	15 *65*	P7
Porte-de-Montrouge av.	14 *67*	R11
Porte de Passy	16 *39*	J3*N*
Porte-de-Plaisance av.	15 *65*	P8
Porte-de-St-Ouen av. de la	*7*	A12
n°s impairs	17	
n°s pairs	18	
Porte-de-Versailles pl.	15 *52-53*	N7*S*
Porte-de-Vincennes av.	*49*	L24-L23
n°s 2-24, 143-151	12	
n°s 1-23, 198	20	
Porte-de-Vitry av. de la	13 *71*	R19
Porte-des-Lilas av. de la	*25*	E22-E23
n°s impairs	19	
n°s pairs	20	
Porte-des-Sablons-à-la-Porte-Maillot rte de la	16 *15-16*	E4-E5
Porte-Didot av. de la	14 *66*	P10*S*
Porte-d'Ivry av. de la	13 *70*	S18-R17
Porte-Dorée villa de la	12 *60*	N22
Porte-du-Pré-St-Gervais		
av. de la	19 *24*	E22-D22
Porte Maillot	17 *16*	E6
Porte-Molitor av. de la	16 *38*	L2
Porte-Molitor pl. de la	16 *38*	L2-L3
Porte-St-James rte de la	16 *15*	E3
Portefoin r.	3 *33*	H16*N*
Portes-Blanches r. des	18 *9*	C15*N*
Portugais av. des	16 *29*	F7*S*
Possoz pl.	16 *28*	H5*S*
Postes pass. des	5 *57*	M15*S*
Pot-de-Fer r. du	5 *57*	L15*S*
Poteau pass. du	18 *8*	B13*N*
Poteau r. du	18 *8*	B13-B14
Poteaux allée des	16 *27*	F4-F5
Poterne-des-Peupliers r.	13 *69*	R15-S15
Potier pass.	1 *32*	G13*S*
Pottier cité	19 *10*	B18-C18
Pouchet pass.	17 *7*	B11
Pouchet porte	17 *7*	A11-B11
Pouchet r.	17 *7*	C11-B11
Poulbot r.	18 *8-20*	C13-D13
Poule imp.	20 *48*	J21-K21
Poulet r.	18 *9*	C15*S*
Poulletier r.	4 *45*	K16
Poussin r.	16 *39*	K3-K4
Pouy r. de	13 *69*	P15*S*
Pradier r.	19 *23*	F19-E19
Prado pass. du	10 *33*	G15-F15
Prague r. de	12 *46*	K18*S*
Prairies r. des	20 *36*	H22
Pré r. du	18 *9*	B16*N*
Pré-aux-Chevaux sq. du	16 *40*	K5
Pré-aux-Clercs r. du	7 *43*	J12
Pré-Catelan rte du	16 *26-27*	G2-G3
Pré-St-Gervais porte du	19 *24*	D21-D22
Pré-St-Gervais r. du	19 *24*	E21*S*
Préault r.	19 *23*	E19
Prêcheurs r. des	1 *33*	H15
Presbourg r. de	*29*	F7-F8
n°s 1-2	8	
n°s 3-fin, 4-fin	16	
Présentation r. de la	11 *34-35*	F18
Président-Édouard-Herriot pl. du	7 *31*	H11
Président-Kennedy av. du	16 *40*	K5-J7
Président-Mithouard pl. du	7 *42*	K10
Président-Wilson av. du	*29*	H7-G8
n°s impairs, n°s 8-fin	16	
n°s 2-6	8	
Presles imp. de	15 *41*	K8*N*
Presles r. de	15 *41*	K8*N*
Pressoir r. du	20 *35*	G19*N*
Prêtres imp. des	16 *28*	G6*S*

Prêtres-St-Germain-l'Auxerrois r. des	1	32	H14S
Prêtres-St-Séverin r. des	5	44	K14N
Prévost-Paradol r.	14	66	P9S
Prévôt r. du	4	45	J16S
Prévoyance r. de la	19	24	D20-D21
Primatice r.	13	57	N16
Primevères imp. des	11	46	J17-H18
Princes pass. des	2	32	F13S
Princesse r.	6	44	K13N
Printemps r. du	17	6	C9-C10S
Prisse-d'Avennes r.	14	67	R12-P12
Procession r. de la	15	54	M9-N10
Professeur-André-Lemierre av. du		49	J23-J24
n⁰ˢ impairs	20		
n⁰ˢ pairs	Montreuil-Bagnolet		
Professeur-Florian-Delbarre r. du	15	52	M5
Professeur-Gosset r. du	18	8-9	A14-A15
Professeur-Hyacinthe-Vincent r. du	14	67	R12-S12
Professeur-Louis-Renault r. du	13	69	R16-R15
Progrès villa du	19	24	E21N
La Promenade Plantée	12	46-59	K18-M23
Prony r. de	17	17-18	D8-E9
Prosper-Goubaux pl.		18	D10S
n⁰ˢ impairs	8		
n⁰ˢ pairs	17		
Proudhon r.	12	59	M20-N20S
Prouvaires r. des	1	32	H14
Provence av. de	9	20	F13N
Provence r. de		19-20	F12-F14
n⁰ˢ 1-125, 2-118	9		
n⁰ˢ 127-fin, 120-fin	8		
Providence pass. de la	20	48	J22S
Providence r. de la	13	68-69	R15-P14
Prudhon av.	16	27-39	J4-H4
Pruniers r. des	20	35	G20-H20
Porte-Brunet av. de la	19	24	D21
Porte-Chaumont av. de la	19	24	D21N
Porte-d'Asnières av. de la	17	5-6	B8-C9
Porte-d'Auteuil av. de la	16	38	K1-K2
Porte-d'Auteuil pl. de la	16	39	K3S
Porte-de-Bagnolet av. de la	20	37	G23S
Porte-de-Bagnolet pl. de la	20	37	G23-H23
Porte-de-Champerret av. de la	17	16-17	D6-D7
Porte-de-Champerret pl.	17	17	D7N
Porte-de-Charenton av. de la	12	60	N21-P22
Porte-de-Clichy av. de la	17	6	B10
Porte-de-Clignancourt av.	18	8	A14
Porte-de-la-Chapelle av.	18	9	A16
Porte-de-la-Villette av. de la	19	11	A20
Porte-de-Ménilmontant av.	20	37	F23S
Porte-de-Montmartre av.	18	8	A13
Porte-de-Montreuil av. de la	20	49	J23S
Porte-de-Montreuil pl. de la	20	49	J23S
Porte-de-Pantin av. de la	19	12	C21
Porte-de-Pantin pl. de la	19	12	C21
Porte-de-Passy pl. de la	16	39	J3N
Porte-de-Sèvres av. de la	15	52	N5
Porte-de-St-Cloud av. de la	16	50	M2
Porte-de-St-Cloud pl. de la	16	50	M2-M3
Porte-de-Vanves av. de la	14	66	P9-R9
Porte-de-Vanves pl. de la	14	66	P9S
Porte-de-Villiers av. de la	17	16	D6-D7
Porte-des-Poissonniers av.	18	9	A15
Porte-des-Ternes av. de la	17	16	D6S
Porte-d'Issy r. de la	15	52	N6
Porte-d'Italie av. de la	13	69	S16
Porte-d'Orléans av. de la	14	67	R12S
Porte-Maillot pl. de la	16	16	E6
Porte-Pouchet av. de la	17	7	B11-A11
Puget r.	18	20	D13
Puits allée du	14	68	R13
Puits-de-l'Ermite pl. du	5	57	L15S
Puits-de-l'Ermite r. du	5	57	L15-M15
Pusy cité de	17	6	C10S
Puteaux pass.	8	19-31	F11
Puteaux r.	17	19	D11
Puvis-de-Chavannes r.	17	17	D8N
Py r. de la	20	36-37	G22-H23
Pyramides pl. des	1	31-32	H12-H13
Pyramides r. des	1	32	H13-G13
Pyrénées r. des	20	23-49	F20-K22
Pyrénées villa des	20	48	J22-K22

— Q-R —

49 Faubourg-St-Martin imp. du	10	33	F16S
Quatre-Fils r. des	3	33	H16
Quatre-Frères-Peignot r.	15	40	L6N
Quatre-SePortembre r. du	2	32	G14-F13
Quatre-Vents r. des	6	44	K13N
Quatrefages r. de	5	57	L15S
Québec pl. du	6	44	J13S

Quellard cour	11 *46*	J18S
Quentin-Bauchart r.	8 *29-30*	G8-F9
Quercy sq. du	20 *49*	K23-J23
Questre imp.	11 *35*	G19
Quinault r.	15 *41-53*	L8
Quincampoix r.	*33*	H15
nᵒˢ 1-63, 2-64	4	
nᵒˢ 65-fin, 66-fin	3	
Rabelais r.	8 *30*	F10S
Racan sq.	16 *39*	K3
Rachel av.	18 *19*	D12
Rachmaninov sq.	18 *10*	B17
Racine imp.	16 *39-51*	L3S
Racine r.	6 *44*	K13-K14
Radziwill r.	1 *32*	G13S
Raffaëlli r.	16 *50*	L2S
Raffet imp.	16 *39*	K4
Raffet r.	16 *39*	K3-K4
Raguinot pass.	12 *47-59*	L19
Rambervillers r. de	12 *60-61*	M22N
Rambouillet r. de	12 *46-59*	L19
Rambuteau		
porte Forum-des-Halles	1 *32*	H14
Rambuteau r.	*33*	H15-H16
nᵒˢ 1-73	4	
nᵒˢ 2-66	3	
nᵒˢ 75-fin, 68-fin	1	
Rameau r.	2 *32*	G13
Ramey pass.	18 *8-9*	C14-C15
Ramey r.	18 *8-9*	C14-C15
Rampal r.	19 *23-35*	F19
Rampon r.	11 *34*	G17
Ramponeau r.	20 *35*	F19
Ramus r.	20 *36*	H21
Rançon imp.	20 *48*	J22
Ranelagh av. du	16 *39*	J4N
Ranelagh jardin du	16 *27*	H4-J4
Ranelagh r. du	16 *39-40*	J4-K6
Ranelagh sq. du	16 *39*	J4
Raoul r.	12 *60*	M21
Raoul-Dautry pl.	15 *55*	M11N
Raoul-Dufy r.	20 *35*	G20
Raoul-Follereau pl.	10 *22*	E17
Raoul Follereau sq.	10 *22*	E17S
Raoul-Nordling sq.	11 *47*	K19N
Rapée port de la	12 *58*	L17-M18
Rapée quai de la	12 *58*	L18-M19
Raphaël av.	16 *27*	H4-J4
Rapp av.	7 *29*	H8-J8
Rapp sq.	7 *41*	J8N
Raspail bd	*43-55*	J12-N12
nᵒˢ 1-41, 2-46	7	
nᵒˢ 43-147, 48-136	6	
nᵒˢ 201-fin, 202-fin	14	
Rasselins r. des	20 *49*	J23
Rataud r.	5 *56*	L14-M14
Rauch pass.	11 *47*	J19S
Ravignan r.	18 *20*	D13N
Raymond-Aron r.	13 *58*	N18
Raymond-Losserand r.	14 *66-55*	P9-M11
Raymond-Pitet r.	17 *5*	C8
Raymond-Poincaré av.	16 *28*	F6-H6
Raymond-Queneau av.	18 *9*	B16
Raymond-Queneau sq.	18 *9*	B16
Raymond-Radiguet r.	19 *10*	B18-C18
Raymond-Souplex sq.	18 *8*	C13N
Raynouard r.	16 *40*	J6-K5
Raynouard sq.	16 *40*	J6N
Réale pass.		
de la Forum-des-Halles	1 *32*	H14
Réaumur r.	*32-33*	G4-G16
nᵒˢ 1-49, 2-72	3	
nᵒˢ 51-fin, 74-fin	2	
Rébeval jardin de	19 *22-23*	F18-F19
Rébeval r.	19 *22-23*	F18-F19
Rébeval sq. de	19 *22-23*	F18-F19
Récamier r.	7 *43*	K12N
Récamier sq.	7 *43*	K12
Récollets pass. des	10 *21*	F16N
Récollets r. des	10 *21*	F16-F17
Récollets sq. des	10 *22-34*	F17
Recteur-Poincaré av. du	16 *39-40*	J4-K5
Reculettes r. des	13 *57*	N15S
Redon r.	17 *5-6*	C8-C9
Refuzniks allée des	7 *41*	J7
Regard r. du	6 *43*	K12-L12S
Regard de la Lanterne		
jardin du	19 *24*	E21S
Régis r.	6 *43*	K11-K12S
Réglises r. des	20 *49*	J23S
Regnard r.	6 *44*	K13
Regnault r.	13 *70-71*	P19-R17
Reilhac pass.	10 *33*	F15-F16
Reille av.	14 *68*	P14-R12
Reille imp.	14 *68*	P14-P13
Reims bd de	17 *5*	C8
Reims r. de	13 *70*	P18
Reine cours la	8 *30-31*	G10-G11
Reine-Astrid pl. de la	8 *30*	G9S
Reine-Blanche r. de la	13 *57*	M16-N15
Reine-de-Hongrie		
pass. de la	1 *32-33*	H14N
Reine-Marguerite		
allée de la	16 *38-26*	J1-F2
Réjane sq.	20 *48*	K22S
Rembrandt r.	8 *18*	E9
Rémi-Belleau villa	19 *23*	D19
Rémusat r. de	16 *39*	K4-L5
Rémy-de-Gourmont r.	19 *22-23*	E18-E19
Remy-Dumoncel r.	14 *67-68*	P13-P12
Renaissance r. de la	8 *30*	G9
Renaissance villa de la	19 *24*	E21N

Name			
Renard r. du	4	45	J15-H15
Renaudes r. des	17	17	E8-D8
Rendez-vous cité du	12	48	L22
Rendez-vous r. du	12	48	L22
René-Bazin r.	16	39	J4-K4
René-Binet jardin	18	8	A13
René-Binet r.	18	8	A13-A14
René-Boulanger r.	10	33	G16-G17N
René-Boylesve av.	16	40	J6
René-Cassin pl.	1	32	H14
René-Coty av.	14	56-68	N13-R13
René-Fonck av.	19	25	E23
René Goscinny r.	13	71	P19
René-le-Gall sq.	13	57	N15
René-Panhard r.	13	57	M16
René-Ravaud r.	15	51	M4-N4NS
René-Villermé r.	11	35	H20
René-Viviani sq.	5	45	K14-K15
Rennequin r.	17	17	E8-D8
Rennes r. de	6	55-44	L11-J13
Repos r. du	20	47	J20-H20
République av. de la	11	34-35	G17-H20
République pl. de la		34	G17
nos impairs	3		
nos 2-10	11		
nos 12-16	10		
République-de-l'Équateur pl. de la	8	18	E9
République-de-Panama pl. de la	15	42	L9
République-Dominicaine pl. de la		18	E9N
nos impairs	8		
nos pairs	17		
Résal r.	13	70	P18S
Réservoirs chemin des	16	26	H1
Résistance pl. de la	7	29-30	H8
Restif-de-la-Bretonne sq.	5	45	K15
Restif-de-la-Bretonne sq.	5	45	K15
Retiro cité du	8	31	G11N
Retrait pass. du	20	36	G21N
Retrait r. du	20	36	G21
Reuilly bd de	12	59-60	M20-M21
Reuilly jardin de	12	59	L20-M20
Reuilly porte de	12	60	N22
Reuilly r. de	12	47-60	K20-M21
Reuilly rte de	12	60-72	N22-P22
Réunion pl. de la	20	48	J22
Réunion r. de la	20	48	K22-J21
Réunion villa de la	16	39	L4S
Révérend-Père-Michel-Riquet allée du	6	44	K13S
Reynaldo-Hahn r.	20	49	K23
Rhin r. du	19	23	D19
Rhin-et-Danube pl. de	19	24	D21S
Rhône sq. du	17	5	C8
Ribera r.	16	39	K4
Riberolle villa	20	48	J21N
Ribet pass.	15	41	L8N
Riblette r.	20	36-37	H22S
Ribot cité	11	35	G19
Riboutté r.	9	20	E14S
Ricaut r.	13	69	P16N
Richard imp.	15	54	N9
Richard-Baret pl.	17	19	D11
Richard-de-Coudenhove-Kalergi pl.	16	29	F7-F8
Richard-Lenoir bd	11	46	J17-G17
Richard-Lenoir r.	11	47	J19
Richard-Lenoir sq.	11	34	H18
Richelieu pass. de	1	32	G13
Richelieu r. de		32	H13-F14
nos 1-53, 2-56	1		
nos 55-fin, 58-fin	2		
Richemond r. de	13	70	P17
nos impairs	8		
nos pairs	1		
Richer r.	9	20	F14
Richerand av.	10	34	F17
Richomme r.	18	21	D15N
Ridder r. de	14	54	N10-P10S
Riesener r.	12	59	L20S
Rigaunes imp. des	19	24	E21
Rigny r. de	8	19	F11N
Rigoles r. des	20	35-36	F20-F21
Rimbaud villa	19	23	D20S
Rimbaut pass.	14	67	P12N
Rimski-Korsakov allée	18	10	B17
Rio-de-Janeiro pl. de	8	18	E10
Riquet jardin	19	10	C18
Riquet r.		9-10	C16-C18
nos 1-53, 2-64	19		
nos 65-fin, 66-fin	18		
Riverin cité	10	33	F16-G16
Rivoli r. de		31-45	G11-J16
nos 1-39, 2-96	4		
nos 41-fin, 98-fin	1		
Robert imp.	18	8	B13
Robert Bajac sq.	13	69	S16
Robert-Blache r.	10	22	E17
Robert-Cavelier-de-la-Salle jardin	6	44-56	L13
Robert-de-Flers r.	15	40	K6
Robert-Desnos pl.	10	22	E17
Robert-Esnault-Pelterie r.	7	30	H10
Robert-Estienne r.	8	30	G9N
Robert-et-Sonia-Delaunay r.	11	48	J21
Robert-Etlin r.	12	71	P20
Robert-Fleury r.	15	53	L8-L9

Robert-Guillemard pl.	15 52	N6S
Robert-Houdin r.	11 34	F18S
Robert-Le-Coin r.	16 40	J5S
Robert-Lindet r.	15 53	N8
Robert-Lindet villa	15 53	N8
Robert-Montagne sq.	5 45	L15-M15
Robert-Planquette r.	18 20	D13
Robert-Schuman av.	7 30	H9
Robert-Schuman sq.	16 27	G4-G5
Robert-Turquan r.	16 39	K4N
Roberval r.	17 7	B11
Robiac sq. de	7 42	J9N
Robineau r.	20 35-36	G20-G21S
Robiquet imp.	6 43-55	L12S
Rocamadour sq. de	16 39	K3N
Rochambeau pl.	16 29	G8S
Rochambeau r.	9 20	E14
Rochebrune pass.	11 35	H19
Rochebrune r.	11 35	H19
Rochechouart bd de	20-21	D14-D15
n⁰ˢ impairs	9	
n⁰ˢ pairs	18	
Rochechouart r. de	9 20	E14-D14
Rocher r. du	8 19	E11
Rockfeller av.	14 68	S14-R13
Rocroy r. de	10 21	E15-D15
Rodenbach allée	14 56	N13
Rodier r.	9 20	E14-D14
Rodin av.	16 28	H5N
Rodin pl.	16 39	J4S
Roger r.	14 55	N12N
Roger-Bacon r.	17 17	D7S
Roger-Bissière r.	20 48-49	J22
Roger-Verlomme r.	3 46	J17
Rohan cour de	6 44	K13N
Rohan r. de	1 32	H13N
Roi-d'Alger pass. du	18 9	B15
Roi-d'Alger r. du	18 8-9	B14-B15
Roi-de-Sicile r. du	4 45	J16
Roi-Doré r. du	3 34	H17S
Roi-François cour du	2 33	G15
Roland-Barthes r.	12 47	L19
Roland-Dorgelès carr.	18 8	C13-C14
Roland-Garros sq.	20 37	G23
Roli r.	14 68	R14S
Rolleboise imp.	20 48	J21-K21
Rollin r.	5 45-57	L15
Romain-Rolland bd	14 66-67	S12-R10
Romainville r. de	19 24	E21-E22
Rome cour de	8 19	E11S
Rome r. de		18-19 C10-F12
n⁰ˢ 1-73, 2-82	8	
n⁰ˢ 75-fin, 84-fin	17	
Rond-Point des Canaux pl. du	19 11	C20
Rondeaux pass. des	20 36	G21S
Rondeaux r. des	20 36	H21-G21
Rondelet r.	12 47	L20N
Rondonneaux r. des	20 36	H21N
Ronsard r.	18 20	D14N
Ronsin imp.	15 42-54	L10S
Roquépine r.	8 18-31	F11
Roquette cité de la	11 46	J18
Roquette r. de la	11 46-47	J18-H20
Roquette sq. de la	11 35	H19-H20SS
Rosa-Bonheur r.	15 42	L9-L10
Rosenwald r.	15 54	N9
Roses r. des	18 9-10	B16-B17
Roses villa des	18 9	B16S
Rosière r. de la	15 41-53	L7
Rosiers r. des	4 45	J16
Rosny-Aîné sq.	13 69	S16
Rossini r.	9 20-32	F13-F14
Rothschild imp.	18 7	C12S
Rotonde esplanade de la	19 11	B20
Rotonde pl. de la Forum-des-Halles	1 32	H14
Rotrou r.	6 44	K13S
Rottembourg r.	12 60-61	M22-M23
Roubaix pl. de	10 21	E15
Roubo r.	11 47	K20
Rouelle r.	15 41	K7
Rouen r. de	19 10	C18S
Rouet imp. du	14 67	P12S
Rougemont cité	9 32	F14
Rougemont r.	9 32	F14
Rouget-de-l'Isle r.	1 31	G12S
Roule r. du	1 32	H14S
Roule sq. du	8 17	E8S
Rousselet r.	7 43	K11S
Rouvet r.	19 11	B20-B19
Rouvray av. de	16 39	L4-L3
Roux pass.	17 17	D8S
Roy r.	8 19	F11N
Royal pont	1 31	H12S
Royale galerie	8 31	G11
Royale r.	8 31	G11
Royer-Collard imp.	5 44	L14
Royer-Collard r.	5 44	L14
Rubens r.	13 57	N16
Rude r.	16 17	F7N
Rudolf-Noureïev pl.	2 32	F13S
Ruelle pass.	18 9	C16S
Ruhmkorff r.	17 16	D6S
Ruisseau r. du	18 8	C13-B14
Ruisseau-de-Ménilmontant pass. du	20 36	G21
Rungis pl. de	13 68-69	R14
Rungis r. de	13 68	R14
Rutebeuf pl.	12 47-59	L19

Ruysdaël av.	8	*18*	E10

S

Sablière r. de la	14	*55*	N11-N12
Sablonneuse rte	16	*27*	F4-G4
Sablons r. des	16	*28*	G6-H6
Sablonville r. de		*16*	E6-E5
n°s 1-4	17		
autres n^{os}		Neuilly-sur-Seine	
Sabot r. du	6	*43*	K12N
Sacré-Cœur cité du	18	*8*	C14S
Sadi-Carnot villa	19	*24*	E21N
Sadi-Lecointe r.	19	*22*	E18N
Sahel r. du	12	*60-61*	M22-M23
Sahel villa du	12	*61*	M22N
Saïd villa	16	*16-28*	F5-F6
Saïda r. de la	15	*53*	N7-N8
Saïgon r. de	16	*17*	F7N
Saillard r.	14	*55*	N12S
St-Alphonse imp.	14	*67*	R12
St-Amand r.	15	*54*	N9
St-Ambroise pass.	11	*35*	H18-H19
St-Ambroise r.	11	*34-35*	H18-H19
St-André-des-Arts pl.	6	*44*	K14-J14N
St-André-des-Arts r.	6	*44*	J14-J13
St-Ange pass.	17	*7*	B12N
St-Ange villa	17	*7*	B12N
St-Antoine pass.	11	*46*	K18N
St-Antoine r.	4	*45-46*	J16-J17
St-Augustin pl.	8	*19*	F11N
St-Augustin r.	2	*32*	G13N
St-Benoît r.	6	*44*	J13S
St-Bernard pass.	11	*47*	K19
St-Bernard port	5	*45-46*	L17-K16
St-Bernard quai	5	*45-46*	L17-K16
St-Bernard r.	11	*47*	K19-J19
St-Bernard sq.	18	*21*	D16N
St-Blaise pl.	20	*36*	H22S
St-Blaise r.	20	*36-49*	H22-J23
St-Bon r.	4	*45*	J15N
St-Bruno r.	18	*21*	D15-D16
St-Charles pl.	15	*40-41*	K7S
St-Charles r.	15	*52-41*	M5-K7
St-Charles rd-pt	15	*52*	L6-M6
St-Charles sq.	12	*47*	L20N
St-Charles villa	15	*40*	L6N
St-Chaumont cité	19	*22*	F18-E18
St-Christophe r.	15	*40-52*	L5-L6
St-Claude imp.	3	*34*	H17S
St-Claude r.	3	*34*	H17S
St-Cloud av. de	16	*38*	K1-J2
St-Cloud porte de	16	*50*	M2-N2
St-Denis allée	16	*38-16*	J1-E5
St-Denis bd		*33*	G15-G16
n°s 1-9	3		
n°s 11-fin	2		
n^{os} pairs	10		
St-Denis imp.	2	*33*	G15S
St-Denis r.		*45-33*	J14-G15
n°s 1-133, 2-104	1		
n°s 135-fin, 106-fin	2		
St-Didier r.	16	*28-29*	G7-G6
St-Dominique r.	7	*41-43*	J8-J11
St-Éleuthère r.	18	*20*	D14N
St-Éloi cour	12	*47*	L20N
St-Éloi sq.	12	*47*	L20
St-Émilion cour	12	*59*	N20S
St-Émilion pass.	12	*59*	N20N
St-Esprit cour du	11	*47*	K19
St-Estèphe pl.	12	*59*	N20-P20
St-Étienne-du-Mont r.	5	*45*	L15N
St-Eustache balcon Forum-des-Halles	1	*32*	H14
St-Eustache imp.	1	*32*	H14N
Saint-Exupéry quai	16	*51*	M4-N3
St-Fargeau pl.	20	*36*	F22S
St-Fargeau r.	20	*36-37*	F21-F23
St-Fargeau villa		*36*	F22S
St-Ferdinand pl.	17	*17*	E7
St-Ferdinand r.	17	*16-17*	E6-E7
St-Fiacre r.	2	*32*	G14-F14
St-Florentin r.		*31*	G11
n^{os} pairs	1		
n^{os} impairs	8		
St-François imp.	18	*8*	B14N
St-Georges pl.	9	*20*	E13
St-Georges r.	9	*20*	F13-E13
St-Germain bd		*31-45*	H11-K16
n°s 1-73, 2-100	5		
n°s 75-175, 102-186	6		
n°s 177-fin, 188-fin	7		
St-Germain-des-Prés pl.	6	*44*	J13S
St-Germain-l'Auxerrois r.	1	*44*	J14N
St-Gervais pl.	4	*45*	J15
St-Gilles r.	3	*46*	J17N
St-Gilles-Grand-Veneur jardin	3	*34*	H17
St-Gothard r. du	14	*68*	P13
St-Guillaume r.	7	*43*	J12
St-Hippolyte r.	13	*56-57*	N15-N14
St-Honoré r.		*31-32*	H14-G11
n°s 1-271, 2-404	1		
n°s 273-fin, 406-fin	8		
St-Honoré-d'Eylau av.	16	*28*	G6
St-Hubert r.	11	*35*	H19N
St-Hyacinthe r.	1	*31*	G12S
St-Irénée sq.	11	*35*	H18
St-Jacques bd	14	*56-57*	N14-N13
St-Jacques pl.	14	*56*	N13

St-Jacques r.	5	44-56	K14-M14
St-Jacques villa	14	56	N13S
St-Jean pl.	17	7	C12
St-Jean r.	17	7	C11-C12
St-Jean-Baptiste-de-la-Salle r.	6	43	L11N
St-Jérôme r.	18	21	D16
Saint-John-Perse allée	1	32	H14
St-Joseph cour	11	46	K18N
St-Joseph r.	2	32	G14N
St-Jules pass.	18	8	B13N
St-Julien-le-Pauvre r.	5	44-45	K14-K15
Saint-Just r.	17	6	B10N
St-Lambert r.	15	53	M7-N7
St-Lambert sq.	15	53	L8-M8
St-Laurent r.	10	21	E16S
St-Laurent sq.	10	21	F16N
St-Lazare r.		19-20	F12-E13
nos 1-109, 2-106	9		
nos 111-fin, 108-fin	8		
St-Louis cour	11	46	K18-J18
St-Louis pont	4	45	K15N
St-Louis-en-l'Île r.	4	45	K15-K16
St-Luc r.	18	21	D15N
St-Mandé av. de	12	48-49	L21-L23
St-Mandé porte de	12	49-61	L23
St-Mandé villa de	12	48	L21-L22
St-Marc galerie	2	32	F14S
St-Marc r.	2	32	F14-F13
St-Marceaux r. de	17	5	C8
St-Marcel bd		57	M16-M15
nos impairs	13		
nos pairs	5		
St-Martin bd		33	G16
nos impairs	3		
nos pairs	10		
St-Martin cité	10	21-33	F16
St-Martin r.		45-33	J15-G16
nos 1-143, 2-152	4		
nos 145-fin, 154-fin	3		
St-Mathieu r.	18	21	D15-D16
St-Maur pass.	11	35	H19N
St-Maur r.		34-35	F18-H19
nos 1-175, 2-176	11		
nos 177-fin, 178-fin	10		
St-Maurice av. de	12	61	N24-R24
St-Médard r.	5	45-57	L15S
St-Médard sq.	5	57	M15
St-Merri r.	4	33	H15S
St-Michel bd		44-56	K14-M13
nos impairs	5		
nos pairs	6		
St-Michel pass.	17	7	C12
St-Michel pl.		44	J14S
nos 1-7	5		
nos 2-10, 9-13	6		
St-Michel pont	4	44	J14
St-Michel quai	5	44	K14-J14
St-Michel villa	18	7	C12
St-Nicolas r.	12	46	K18
St-Ouen av. de		7	C12-B12
nos impairs	17		
nos pairs	18		
St-Ouen imp.	17	7	B12S
St-Ouen porte de	17	7	A12
St-Paul imp.	20	48	J22
St-Paul pass.	4	45	J16S
St-Paul r.	4	45-46	K16-J17
Saint Pétersbourg r. de	8	19	E11-D12
St-Philippe r.	2	33	G15N
St-Philippe-du-Roule pass.	8	18-30	F10
St-Philippe-du-Roule r.	8	18-30	F9
St-Pierre cour	17	7	C12-C11
St-Pierre imp.	20	48	J22-J21
St-Pierre pl.	18	20	D14
St-Pierre-Amelot pass.	11	34	H17-H18
St-Placide r.	6	43	L12-K11
St-Quentin r. de	10	21	E16
St-Roch pass.	1	32	G13S
St-Roch r.	1	31	H12-G13
St-Romain r.	6	43	K11-L11
St-Romain sq.	6	43	K11-L11
St-Rustique r.	18	8	C14S
St-Sabin pass.	11	46	J18
St-Sabin r.	11	46	J18-H17
Saint-Saëns r.	15	41	J7-K7
St-Sauveur r.	2	33	G15S
St-Sébastien imp.	11	34	H18
St-Sébastien pass.	11	34	H17-H18
St-Sébastien r.	11	34	H17-H18
St-Senoch r. de	17	17	D7S
St-Séverin r.	5	44	K14N
St-Simon r. de	7	43	J11
Saint-Simoniens pass.	20	36	F21S
St-Spire r.	2	33	G15N
St-Sulpice pl.	6	44	K13
St-Sulpice r.	6	44	K13
St-Thomas-d'Aquin pl.	7	43	J12
St-Thomas-d'Aquin r.	7	43	J12
St-Victor r.	5	45	K15S
St-Vincent imp.	19	23	E20
St-Vincent r.	18	8	C13-C14
St-Vincent-de-Paul r.	10	21	E15-D15
St-Vivant pass.	12	59	N20S
St-Yves r.	14	68	R13-P12
Ste-Anastase r.	3	34	H17S
Ste-Anne pass.	2	32	G13
Ste-Anne r.		32	G13
nos 1-47, 2-38	1		
nos 49-fin, 40-fin	2		
Ste-Anne-Popincourt pass.	11	46	J17-J18

Ste-Apolline r.	33	G15-G16
n⁰ˢ 1-11, 2-8	3	
n⁰ˢ 13-fin, 10-fin	2	
Ste-Avoie pass.	3 33	H16S
Ste-Beuve r.	6 43	L12
Ste-Cécile r.	9 32-33	F14-F15
Ste-Claire-Deville r.	12 47-59	L20
Ste-Croix villa	17 7	B11
Ste-Croix-de-la-Bretonnerie r.	4 45	J16-H15
Ste-Croix-de-la-Bretonnerie sq.	4 45	J15N
Ste-Elisabeth pass.	3 33	G16S
Ste-Elisabeth r.	3 33	G16S
Ste-Eugénie av.	15 53	N8N
Ste-Félicité r.	15 54	M9
Ste-Foy pass.	2 33	G15N
Ste-Foy r.	2 33	G15N
Ste-Geneviève pl.	5 44-45	L14-L15
Ste-Hélène r. de	13 69	R15-S15
Ste-Hélène sq.	18 8	B14
Ste-Henriette imp.	18 8	B14N
Ste-Isaure r.	18 8	B14S
Ste-Léonie r.	14 55	N11
Ste-Lucie r.	15 40-52	L6
Ste-Marie av.	61	N23-N24
sans n⁰ˢ	12	
n⁰ˢ 1-91, 2-72	Saint-Mandé	
Ste-Marie villa	20 37	F23S
Ste-Marthe imp.	10 22-34	F18
Ste-Marthe pl.	10 22-34	F18
Ste-Marthe r.	10 22-34	F18
Ste-Monique imp.	18 7	B12
Ste-Odile sq.	17 5	C7S
Ste-Opportune pl.	1 33	H15
Ste-Opportune r.	1 33	H14-H15
Saintonge r. de	3 33-34	H16-G17
Sts-Pères port des	6 43-44	J13-H12
Sts-Pères r. des	43-44	K12-J13
n⁰ˢ impairs	6	
n⁰ˢ pairs	7	
Salamandre sq. de la	20 48-49	J22
Salarnier imp.	11 46	J18
Salneuve r.	17 18	D10N
Salomon-de-Caus r.	3 33	G15
Salonique av. de	17 16	D6S
El Salvador pl.	7 42	K10
Salvador-Allende pl.	7 42	J10N
Sambre-et-Meuse r. de	10 22	F17-F18
Samson r.	13 69	P15
Samuel-Beckett allée	14 68	P13
Samuel-de-Champlain sq.	20 36	H21-H20
Samuel-Rousseau sq.	7 31	H11-J11
Sancerrois sq. du	12 60	N22
Sandrié imp.	9 31	F12
Santé imp. de la	13 56	M14S
Santé r. de la	56-68	M14-P14
n⁰ˢ impairs	13	
n⁰ˢ pairs	14	
Santerre r.	12 60	L21-L22
Santeuil r.	5 57	M16-M15
Santiago du Chili sq. de	7 42	J10N
Santos-Dumont r.	15 54	N9
Santos-Dumont villa	15 54	N9
Saône r. de la	14 67	P12
Sarah-Bernhardt sq.	20 48	K22
Sarasate r.	15 52	M6-L6
Sarrette r.	14 67	P12-R12
Satan imp.	20 48	J22
Sauffroy r.	17 7	C11-B11
Saulaie villa de la	20 48	J21
Saules r. des	18 8	C13-C14
Saulnier r.	9 20	F14-E14
Saussaies pl. des	8 31	F11S
Saussaies r. des	8 30-31	F10-F11
Saussier-Leroy r.	17 17	E8
Saussure r. de	17 6-18	C9-D10
Sauval r.	1 32	H14
Savart pass.	20 48	J22
Savies r. de	20 35	F20
Savoie r. de	6 44	J14S
Savorgnan-de-Brazza r.	7 42	J9S
Saxe av. de	42	K9-L10
n⁰ˢ impairs, n⁰ˢ 2-48	7	
n⁰ˢ 50-fin	15	
Saxe villa de	7 42	K9-K10
Scarron r.	11 46	J17
Scheffer r.	16 28	H5-H6
Scheffer villa	16 28	H5-H6
Schomberg r. de	4 46	K17S
Schubert r.	20 49	K23N
Schutzenberger r.	15 41	K7
Scipion r.	5 57	M15S
Scipion sq.	5 57	M15
Scribe r.	9 31	F12
Sébastien-Bottin r.	7 43	J12
Sébastien-Mercier r.	15 40-52	L5-L6
Sébastopol bd de	45-33	J15-G15
n⁰ˢ 1-65	1	
n⁰ˢ 67-fin	2	
n⁰ˢ 2-40	4	
n⁰ˢ 42-fin	3	
Secrétan av.	19 22-23	D18-E19
Sécurité pass.	15 41	K8S
Sedaine cour	11 46	J18
Sedaine r.	11 46-47	J18-H19
Sédillot r.	7 29	H8-J8
Sédillot sq.	7 41-42	J8-J9
Séguier r.	6 44	J14S
Ségur av. de	42	K10-L9
n⁰ˢ 1-73, 2-36	7	
n⁰ˢ 75-fin, 38-fin	15	
de Ségur villa	7 42	K9-K10

Seine quai de la	19	22-11	D18-C19
Seine r. de	6	44	J13-K13
Selves av. de	8	30	G10
Séminaire allée du	6	44	K13
Sénégal r. du	20	35	F19S
Senlis r. de	17	5	C8S
Sentier r. du	2	32	G14-F14
Séoul pl. de	14	55	N11
Sept-Arpents r. des		12	C21-C22
nos 8-30 Le Pré-Saint-Gervais			
nos 2-6		19	
nos 32-44, nos impairs Pantin			
7ème-Art cours du	19	23	E20
Serge-Prokofiev r.	16	39	J4
Sergent-Bauchat r. du	12	48-60	L20-L21
Sergent-Hoff r. du	17	17	D7S
Sergent-Maginot r. du	16	50	M2
Serment-de-Koufra			
sq. du	14	67	R11
Serpente r.	6	44	K14N
Serpollet r.	20	37	H23
Serres d'Auteuil			
jardin des	16	38	L2N
Serret r.	15	53	M7N
Sérurier bd	19	24	E22-B21
Servan r.	11	35	H19
Servan sq.	11	35	H19
Servandoni r.	6	44	K13
Seurat villa	14	68	P12-P13
Séverine sq.	20	37	G23
Severo r.	14	55	N11S
Seveste r.	18	20	D14
Sévigné r. de		45-46	J16-J17
nos 1-21, 2-34	4		
nos 23-fin, 36-fin	3		
Sèvres porte de	15	52	N5
Sèvres r. de		42	L10-K12
nos 1-143, 2-8	6		
nos 10-98	7		
nos 145-fin, 100-fin	15		
Sèvres-à-Neuilly rte de	16	26	G1-F1
Sévrien galerie le	6	43	K11-L11
Sextius-Michel r.	15	41	K7
Sèze r. de		31	F12S
nos 1-11, 2-18	9		
nos 13-fin, 20-fin	8		
Sfax r. de	16	28	F6S
Siam r. de	16	28	H5
Sibelle av. de la	14	68	P13-R13NS
Sibour r.	10	21	F16N
Sibuet r.	12	60	M22-L22
Sidi-Brahim r.	12	60	M21-M22
Sigaud pass.	13	69	P15
Sigmund-Freud r.	19	24	D21-D22
Signoret-Montand			
promenade	19	10	C18-D18
Silvestre-de-Sacy av.	7	29	H8-J8
Simart r.	18	8-9	C14-C15
Simon-Bolivar av.	19	22-23	E18-F19
Simon-Dereure r.	18	8	C13
Simon-le-Franc r.	4	33	H15S
Simone-Weil r.	13	70	R17
Simonet r.	13	69	P15
Simplon r. du	18	8-9	B14-B15
Singer pass.	16	40	J5
Singer r.	16	40	J5
Singes pass. des	4	45	J16N
Sisley r.	17	6	C9
Sivel r.	14	55	N12
Sizerins villa des	19	23	D20
Skanderbeg pl.	19	10	A18
Sœur-Catherine-Marie r.	13	68	P14
Sœur-Rosalie av. de la	13	57	N15S
Sofia r. de	18	21	D15
Soissons r. de	19	22	D18N
Soleil r. du	20	24	F21N
Soleil-d'Or cour du	15	54	M9N
Soleillet r.	20	35-36	G20-G21
Solférino passerelle	7	31	H11-H12
Solférino port de	7	31	H11-H12
Solférino r. de	7	31	H11S
Solidarité r. de la	19	24	D20-D21
Solitaires r. des	19	23	E20
Somme bd de la	17	5-17	C7-D7
Sommeiller villa	16	51	M3S
Sommerard r. du	5	44-45	K14-K15
Sommet-des-Alpes r. du	15	66	P9N
Sonatine villa	19	11	C20
Sontay r. de	16	28	F6S
Sophie-Germain r.	14	55-56	P12-N12
Sorbier r.	20	35-36	G20-G21
Sorbier sq.	20	35	G20
Sorbonne pl. de la	5	44	K14S
Sorbonne r. de la	5	44	K14S
Souchet villa	20	36	G22
Souchier villa	16	28	H5N
Soudan r. du	15	41	K8
Soufflot r.	5	44	L14N
Souhaits imp. des	20	48	J21S
Souham pl.	13	70	P17
Soult bd	12	61-49	N22-L23
Soupirs pass. des	20	36	G21N
Source r. de la	16	39	K4
Sourdis ruelle	3	33	H16
Souvenir-Français			
esplanade du	7	42	K10
Souzy cité	11	47	K20
Spinoza r.	11	35	H20N
Spontini r.	16	28	F5-G5
Spontini villa	16	28	G5
Square av. du	16	39	K3-K4
Square-Carpeaux r. du	18	7-8	B2-B13

Staël r. de	15 54	L9-L10
Stanislas r.	6 55	L12S
Stanislas-Meunier r.	20 37	G23N
Station sentier de la	19 11	B19
Steinkerque r. de	18 20	D14
Steinlen r.	18 8	C13
Stemler cité	19 22	F18-E18
Stendhal pass.	20 36	H22
Stendhal r.	20 36	H22
Stendhal villa	20 36	H22
Stéphane-Mallarmé av.	17 5-17	C7-D7
Stéphen-Pichon av.	13 57	N16S
Stephenson r.	18 9-21	C16-D16
Sthrau r.	13 70	P17
Stinville pass.	12 47-59	L20
Stockholm r. de	8 19	E11S
Strasbourg bd de	10 33	G15-E16
Stuart-Merrill pl.	17 17	D7N
Suchet bd	16 27-39	K3-H4
Sud pass. du	19 23	D19
Suez imp.	20 48	J22N
Suez r. de	18 9	C15S
Suffren av. de		41-42	J7-L9
nos 1-143 bis	7	
nos 145-fin, nos pairs	15	
Suffren port de	7 29	H7-J7
Suger r.	6 44	K14N
Suisses r. des	14 54	N10-P10
Sully ponts de	4 45	K16
Sully r. de	4 46	K17
Sully-Prudhomme av.	7 30	H9
Surcouf r.	7 30	H9
Surène r. de	8 31	F11S
Suresnes rte de	16 26-27	H1-F5
Surmelin pass. du	20 36	G22-F22
Surmelin r. du	20 36-37	G22-F23
Suzanne-Buisson sq.	18 8	C13
Suzanne-Valadon pl.	18 20	D14
Sycomores av. des	16 39	K3
Sydney pl. de	15 41	J7N

T

Tacherie r. de la	4 45	J15
Taclet r.	20 36	F21S
Tage r. du	13 69	R16
Tagore r.	13 69	R16
Taillade av.	20 24	F21N
Taillandiers pass. des	11 46	J18S
Taillandiers r. des	11 46	J18S
Taillebourg av. de	11 48	K21
Taine r.	12 60	M20-M21
Taitbout r.	9 20-32	F13-E13
Taïti r. de	12 60	M21-M22

Talleyrand r. de	7 30	H10-J10
Talma r.	16 40	J5N
Talus imp. du	18 8	B13N
Tandou r.	19 23	D19N
Tanger r. de	19 22-10	D17-C18
Tanneries r. des	13 56	N14
Tapisseries r. des	17 6	C9
Tarass-Chevtchenko sq.	6 43	J12
Tarbé r.	17 18	D10-C10
Tardieu r.	18 20	D14
Tarn sq. du	17 5	C8
Tattegrain pl.	16 27-28	H4-H5
Taylor r.	10 33	G16-F16
Tchaikovski r.	18 10	B17
Téhéran r. de	8 18	E10
Télégraphe pass. du	20 24	F21
Télégraphe r. du	20 24-36	E21-F22
Temple bd du		34	H17-G17
nos impairs	3	
nos pairs	11	
Temple r. du		45-34	J15-G17
nos 1-63, 2-58	4	
nos 65-fin, 60-fin	3	
Temple sq. du	3 33	G16
Tenaille pass.	14 55	N11-N12
Tennis r. des	18 7	B12
Ternaux r.	11 34	H18-G18
Ternes porte des	17 16	E6
Ternes r. des	17 17	E7-D7
Ternes villa des	17 17	D7-E7
Ternes av. des	17 17	E6-E8
Ternes pl. des		17	E8
nos impairs, no 6	17	
nos pairs (sauf le 6)	8	
Terrage r. du	10 21-22	E16-E17
Terrasse r. de la	17 18	D10S
Terrasse villa de la	17 18	D10
La Terrasse du Parc	19 11	B20
Terre-Neuve r. de	20 48	J21-J22
Terres-au-Curé r. des	13 70	R18N
Terroirs-de-France av. des	12 59	N20-P20
Tertre imp. du	18 8	C14S
Tertre pl. du	18 20	D14N
Tessier r.	15 54	M9
Tesson r.	10 34	F18S
Texel r. du	14 55	M11-N11
Thann r. de	17 18	E9-D10
Théâtre r. du	15 40-41	K6-L8
Thénard r.	5 44	K14
Théodore-de-Banville r.	17 17	D8S
Théodore-Deck r.	15 53	M7S
Théodore-Deck villa	15 53	M7S
Théodore-Deck prolongée r.	15 53	M7S
Théodore-Hamont r.	12 60	N21
Théodore-Judlin sq.	15 41	K8S
Théodore-Rivière pl.	16 39	L4N

142

Théodore-Rousseau av.	16	39	J4S
Théodule-Ribot r.	17	17	E8
Théophile-Gautier av.	16	39-40	K4-K5
Théophile-Gautier sq.	16	39	K4-L4
Théophile-Roussel r.	12	47-47	K18-K19
Théophraste-Renaudot r.	15	53	L8-M8
Thérèse r.	1	32	G13
Thermopyles r. des	14	55	N11-N12S
Thibaud r.	14	55-67	P12N
Thiboumery r.	15	54	N9N
Thiéré pass.	11	46	K18-J18
Thierry-de-Martel bd	16	16	E5-E6
Thiers r.	16	28	G5
Thiers sq.	16	28	G5
Thimerais sq. du	17	5	C8S
Thimonnier r.	9	20-21	E14-E15
Thionville pass. de	19	11	C19S
Thionville r. de	19	11	C19-C20
Tholozé r.	18	20	C13-D13
Thomas Francine r.	14	20	D13
Thomas-Jefferson sq.	16	29	G7-G8
Thomas-Mann r.	13	70-71	P18-P19N
Thomire r.	13	69	S15N
Thomy-Thierry allée	7	41	J8
Thorel r.	2	33	G15-F15
Thoréton villa	15	52	M6S
Thorigny pl. de	3	34	H17S
Thorigny r. de	3	34	H17S
Thorins r. de	12	59	N20
Thouin r.	5	45-57	L15
Thuré cité	15	41	L8
Thureau-Dangin r.	15	53-65	P7N
Tibre r. du	13	69	R16
Tilleuls av. des	16	39	K3
Tilsitt r. de	17		F7-F8
nos 1-5, 2-14	8		
nos 7-11, 16-34	17		
Tino-Rossi jardin	5	45-46	K16-L17
Tiphaine r.	15	41	K8S
Tiquetonne r.	2	32-33	G14-G15
Tiron r.	4	45	J16
Tisserand r.	15	52	M6
Titien r.	13	57	N16N
Titon r.	11	47	K20
Tlemcen r. de	20	35	H20-G20
Toccata villa	19	11	C20
Tocqueville r. de	17	6-18	C9-D10
Tokyo pl. de	16	29	G8S
Tolain r.	20	48	K22
Tolbiac pont de	12	59	N19
Tolbiac port de	13	71	P20-N19
Tolbiac r. de	13	68-70	P14-P18
Tolstoï sq.	16	39	K3N
Tombe-Issoire r. de la	14	56-67	N13-R12
Tombouctou r. de	18	21	D16
Torcy pl. de	18	9	C16N
Torcy r. de	18	9-10	C16-C17
Torricelli r.	17	17	E7-D7
Toul r. de	12	60	M22
Toullier r.	5	44	L14N
Toulouse r. de	19	24	D21N
Toulouse-Lautrec r.	17	7	A12
Tour r. de la	16	40	J6-H5
Tour villa de la	16	28	H5N
Tour-de-Vanves pass. de la	14	55	N11
Tour-des-Dames r. de la	9	20	E12-E13
Tour-Saint-Jacques sq. de la	4	45	J15
Tourelles pass. des	20	24	F22N
Tourelles r. des	20	24-25	F22N
Tourlaque r.	18	7-8	C12-C13S
Tournefort r.	5	57	L15-M15
Tournelle pont de la	4	45	K16
Tournelle port de la	5	45	K15-K16
Tournelle quai de la	5	45	K15-K16
Tournelles r. des		46	J17
nos 1-29 2-44	4		
nos 31-fin, 46-fin	3		
Tourneux imp.	12	60	M21S
Tourneux r.	12	60	M21S
Tournon r. de	6	44	K13
Tournus r.	15	41	L7N
Tourtille r.	20	35	F19
Tourville av. de	7	42	J9-J10
Toussaint-Féron r.	13	69	P16S
Toustain r.	6	44	K13N
de Tracy r.	2	33	G15
Traktir r. de	16	29	F7
Transvaal r. du	20	35	F20
Traversière r.	12	46	L17-K18
Treilhard r.	8	18	E10S
Trésor r. du	4	45	J16
Trétaigne r. de	18	8	C14-B14
Trévise cité de	9	20	F14-E14
Trévise r. de	9	20	F14-E14
Trinité pass. de la	2	33	G15S
Trinité r. de la	9	19	E12
Tristan-Bernard pl.	17	17	E7
Tristan-Tzara r.	18	10	B17
Trocadéro jardins du	16	29	H7
Trocadéro sq. du	16	28	H6
Trocadéro et Onze-Novembre pl. du	16	28-29	H6-H7
Trois-Bornes cité des	11	34	G18
Trois-Bornes r. des	11	34	G18
Trois-Couronnes r. des	11	34-35	G18-G19
Trois-Couronnes villa des	20	35	G19
Trois-Frères cour des	11	46	K18N
Trois-Frères r. des	18	20	D13-D14
Trois-Portes r. des	5	45	K15
Trois-Quartiers galerie des	1	31	G12
Trois-Sœurs imp. des	11	47	J18-J19N
Trolley-de-Prévaux r.	13	70	P18

Tronchet r.		*31*	F12
n^{os} impairs, 2-26	8		
n°s 28-fin	9		
Trône av. du		*48*	K21S
n^{os} impairs	11		
n^{os} pairs	12		
Trône pass. du	11	*48*	K21S
Tronson-du-Coudray r.	8	*19-31*	F11
Trousseau r.	11	*47*	K19-J19
Trousseau sq.	12	*47*	K18-K19
Troyon r.	17	*17*	E8S
Trubert-Bellier pass.	13	*69*	R15N
Trudaine av.	9	*20*	D14-E14
Trudaine sq.	9	*20*	E14
Truffaut r.	17	*6-19*	C10-D11
Truillot imp.	11	*34*	H18
Tuileries jardin des	1	*31*	H12
Tuileries port des	1	*31*	H11-H12
Tuileries quai des	1	*31*	H12-H11
Tulipes villa des	18	*8*	B14N
Tunis r. de	11	*48*	K21
Tunisie r. de la	14	*68*	R13
Tunnel r. du	19	*23*	E19-E20
Turbigo r. de		*32*	H14-G16
n°s 1-11, 2-14	1		
n°s 13-31, 16-24	2		
n°s 33-fin, 26-fin	3		
Turenne r. de		*46-34*	J17-H17
n°s 1-27, 2-22	4		
n°s 29-fin, 24-fin	3		
Turgot r.	9	*20*	E14-D14
Turin r. de	8	*19*	E12-D11
Turlure parc de la	18	*8*	C14
Turquetil pass.	11	*48*	K21

U-V

Ulm r. d'	5	*44-56*	L14-M14
Ulysse-Trélat sq.	13	*70*	R17
Union pass. de l'	7	*42*	J9
Union sq. de l'	16	*28-29*	G7
Université r. de l'	7	*29-43*	H8-J12
Urfé sq. d'	16	*39*	K3
Ursins r. des	4	*45*	J15S
Ursulines r. des	5	*56*	L14S
Uruguay pl. de l'	16	*29*	G8N
Uzès r. d'	2	*32*	F14S
Val-de-Grâce r. du	5	*56*	M13-M14
Val-de-Marne r. du	13	*68-69*	S16-S14
Valadon r.	7	*42*	J9
Valence r. de	5	*57*	M15S
Valenciennes pl. de	10	*21*	E15
Valenciennes r. de	10	*21*	E15-E16
Valentin-Abeille allée	18	*10*	A17
Valentin-Haüy r.	15	*42*	L10-L9

Valéry-Larbaud r.	13	*58*	N18
Valette r.	5	*44*	K14-L14
Valhubert pl.		*46-58*	L17
n°s 1, 2 et 3	13		
n°s 5-21 et 4	5		
Vallée-de-Fécamp imp. de la	12	*60*	N21
Vallée Suisse	8	*30*	G10S
Vallet pass.	13	*57*	N16
Valmy imp. de	7	*43*	J12
Valmy quai de	10	*22-34*	D17-G17
Valmy-Terrage sq.	10	*22*	E17
Valois av. de	8	*18*	E10N
Valois galerie de	1	*32*	H13-G13
Valois pl. de	1	*32*	H13N
Valois r. de	1	*32*	H13-G13
Van-Dyck av.	8	*18*	E9
Van-Gogh r.	12	*46-58*	L18
Van-Loo r.	16	*51*	M4N
Van-Vollenhoven sq.	12	*60-61*	N22
Vandal imp.	14	*66*	P9
Vandamme r.	14	*55*	M11
Vandrezanne pass.	13	*69*	P15S
Vandrezanne r.	13	*69*	P16-P15
Vaneau cité	7	*43*	J11S
Vaneau r.	7	*43*	J11-K11
Vanne allée de la	14	*68*	R13
Vanves porte de	14	*66*	R9
Var sq. du	20	*49*	K23S
Varenne cité de	7	*43*	J11S
Varenne r. de	7	*42-43*	J10-J12
Varet r.	15	*52*	M6
Variétés galerie des	2	*32*	F14S
Varize r. de	16	*50-51*	L2-M3
Varsovie pl. de	16	*29*	H7S
Vasco-de-Gama r.	15	*52*	M6-N6
Vassou imp.	12	*49*	L23N
Vauban pl.	7	*42*	J10S
Vaucanson r.	3	*33*	G16
Vaucluse sq. de	17	*5*	C8
Vaucouleurs r. de	11	*34-35*	F18-G19
Vaugelas r.	15	*53*	N7-N8
Vaugirard bd de	15	*54-55*	M10-M11
Vaugirard galerie	15	*54*	L10-M11
Vaugirard r. de		*44-53*	K14-N7
n°s 1-111, 2-132	6		
n°s 113-fin, 134-fin	15		
Vauquelin r.	5	*56-57*	M14-M15
Vauvenargues r.	18	*7-8*	B12-C13
Vauvenargues villa	18	*7*	B12N
Vauvilliers r.	1	*32*	H14
Vavin av.	6	*44-56*	L13
Vavin r.	6	*55*	L12
Vega r. de la	12	*60*	M22
Velasquez av.	8	*18*	E10N
Velay sq. du	13	*70*	R18
Velpeau r.	7	*43*	K12

Vendée sq. de la	12 *60*	N22
Vendôme cour	1 *31*	G12
Vendôme pass.	3 *34*	G17
Vendôme pl.	1 *31*	G12
Vénétie pl. de	13 *70*	R17
Venezuela pl. du	16 *28*	F6
Venise r. de	4 *33*	H15
Ventadour r. de	1 *32*	G13
Vercingétorix r.	14 *66-55*	P9-M11
Vercingétorix-Jonquilles sq.	14 *66*	P9
Verdeau pass.	9 *20-32*	F14
Verderet r.	16 *39*	L4*N*
Verdi r.	16 *28*	H5*S*
Verdun av. de	10 *21-22*	E16-E17
Verdun pass. de	19 *11*	C19
Verdun pl. de	17 *16*	E6
Verdun sq. de	10 *21-22*	E16-E17
Vergennes sq.	15 *53*	M8-M9
Vergers allée des	12 *60*	N21
Vergniaud r.	13 *68*	P14-R14
Verhaeren allée	14 *56*	N13
Vérité pass.	1 *32*	H13*N*
Vermandois sq. du	19 *24*	E21-D21
Vermenouze sq.	5 *57*	M15*N*
Vernet r.	8 *29*	F8*S*
Verneuil r. de	7 *43*	J12-H12*N*
Vernier r.	17 *17*	D7
Verniquet r.	17 *5*	C8*S*
Véro-Dodat galerie	1 *32*	H14
Véron cité	18 *19*	D12
Véron r.	18 *20*	D13
Véronèse r.	13 *57*	N16-N15
Verrerie r. de la	4 *45*	J15-J16
Verrières pass. des Forum-des-Halles	1 *32*	H14
Versailles av. de	16 *51-40*	M3-K5
Versailles porte de	15 *52-53*	N7
Versigny r.	18 *8*	B14
Vert-Galant sq. du	1 *44*	J14
Vertbois r. du	3 *33*	G16
Verte allée	11 *34*	H18-H17
Vertus r. des	3 *33*	H16-G16
Verzy av. de	17 *16-17*	E6-D7
Vésale r.	5 *57*	M15*S*
Vexin sq. du	19 *24*	D21*S*
Vézelay r. de	8 *18*	E10
Viala r.	15 *41*	K7
Viallet pass.	11 *47*	J19
Viarmes r. de	1 *32*	H14*N*
Vichy r. de	15 *53*	N7
Vicq-d'Azir r.	10 *22*	E17-E18
Victoire r. de la	9 *19-20*	F12-F14
Victoires pl. des	*32*	G14*S*
nos 1-7, 2-4	1	
nos 9-fin, 6-fin	2	
Victor bd	15 *52*	N5-N6
Victor-Chevreuil r.	12 *60*	M22*N*
Victor-Considérant r.	14 *55*	N12*N*
Victor-Cousin r.	5 *44*	K14-L14
Victor-Dejeante r.	20 *37*	G23
Victor-Duruy r.	15 *53*	M8-N8
Victor-et-Hélène-Basch pl.	14 *67*	P12
Victor-Galland r.	15 *54-66*	P9*N*
Victor-Gelez r.	11 *35*	G19*S*
Victor-Hugo av.	16 *28-29*	G5-F7
Victor-Hugo pl.	16 *28*	G6-F6*N*
Victor-Hugo villa	16 *28*	G6-G5
Victor-Letalle r.	20 *35*	G20
Victor-Marchand pass.	13 *68*	P14
Victor-Massé r.	9 *20*	E14-D13
Victor-Schœlcher r.	14 *55*	N12-M12*N*
Victor-Segalen r.	20 *36-37*	H22
Victoria av.	*44-45*	J14-J15
nos 1-15, 2-10	4	
nos 17-fin, 12-fin	1	
Victorien-Sardou r.	16 *51*	L4*S*
Victorien-Sardou sq.	16 *51*	L4*S*
Victorien-Sardou villa	16 *51*	L4*S*
Vidal-de-la-Blache r.	20 *37*	G23*N*
Vide-Gousset r.	2 *32*	G14*S*
Vieille-du-Temple r.	*45-34*	J16-H17
nos 1-69, 2-52	4	
nos 71-fin, 54-fin	3	
Vienne r. de	8 *19*	E11
Vierge pass. de la	7 *42*	J9
Vierge-aux-Berceaux rte de la	16 *26*	H1-J2
Viète r.	17 *18*	D9
Vieux-Chênes chemin des	16 *38*	K2
Vieux-Colombier r. du	6 *43-44*	K12-K13
Vigée-Lebrun r.	15 *54*	M10
Vignes r. des	16 *40*	J5
Vignoles imp. des	20 *48*	J22
Vignoles r. des	20 *48*	K21-J22
Vignon r.	*31*	F12*S*
nos impairs	8	
nos pairs	9	
Viguès cour	11 *46*	K18*N*
Vilin r.	20 *35*	F19
Villa-de-la-Réunion gr. av. de la	16 *51*	L4*S*
Villafranca r. de	15 *54*	N9*S*
Village-Suisse	15 *41*	K8
Villaret-de-Joyeuse r.	17 *17*	E7*S*
Villaret-de-Joyeuse sq.	17 *17*	E7*S*
Villars av. de	7 *42*	K10*N*
Ville-l'Evêque r. de la	8 *31*	F11*S*
Ville-Neuve r. de la	2 *33*	G15-F15
Villebois-Mareuil r.	17 *17*	E7
Villedo r.	1 *32*	G13
Villehardouin r.	3 *46*	J17-H17
Villemain av.	14 *54-55*	N10-N11*S*
Villemin sq.	10 *21-22*	E13-F16

Villersexel r. de	7 *43*	J11-J12
Villette bd de la	*22*	D18-F18
nºˢ impairs	10	
nºˢ pairs	19	
Villette galerie de la	19 *11*	B20-C20
Villette porte de la	19 *11*	A20
Villette r. de la	19 *23*	F20-E20
Villette parc de la	19 *11*	B20
Villiers av. de	17 *17-18*	D7-D10
Villiers porte de	17 *16*	D6
Villiers-de-l'Isle-Adam r.	20 *36*	G21-G22
Villiot r.	12 *58*	M18*N*
Vimoutiers r. de	13 *58*	N18
Vinaigriers r. des	10 *21-22*	F16-F17
Vincennes cours de	*48-49*	K22-L23
nºˢ impairs	20	
nºˢ pairs	12	
Vincennes porte de	12 *49*	L23-L24
Vincent-Auriol bd	13 *57-58*	N16-M18
Vincent-Compoint r.	18 *8*	B13
Vincent-d'Indy av.	12 *61*	L23
Vincent-Scotto r.	19 *22*	D18
Vineuse r.	16 *28*	H6*S*
Vingt-Cinq-Août-1944		
pl. du	14 *67*	R12
Vingt-Neuf-Juillet r. du	1 *31*	G12*S*
Vins-de-France pl. des	12 *59*	N20
Vintimille r. de	9 *19*	D12*S*
Violet pl.	15 *41-53*	L7
Violet r.	15 *41*	K7-L7
Violet sq.	15 *41-53*	L7
Violet villa	15 *41*	L7
Viollet-le-Duc r.	9 *20*	D14*S*
Vion-Whitcomb av.	16 *39*	J4
Virginie villa	14 *67*	R12*N*
Viroflay r. de	15 *53*	L8*S*
Visconti r.	6 *44*	J13
Visitation pass. de la	7 *43*	J11
Vistule r. de la	13 *69*	R16
Vital r.	16 *28*	H6-J5
Vitruve r.	20 *48-37*	J22-H23
Vitruve sq.	20 *48-37*	J22-H23
Vitry porte de	13 *71*	R19
Vivaldi allée	12 *59*	M20-M21
Vivarais sq. du	17 *17*	D7
Vivienne galerie	2 *32*	G13
Vivienne r.	*32*	G13-F14
nº 1	1	
nºˢ pairs, nºˢ 3-fin	2	
Volga r. du	20 *48-49*	K22-K23
Volney r.	2 *31*	G12*N*
Volontaires r. des	15 *54*	L9-M9
Volta r.	3 *33*	G16
Voltaire bd	11 *34-48*	G17-K21
Voltaire cité	11 *47*	K20*N*
Voltaire imp.	16 *39-51*	L3*S*
Voltaire quai	7 *43-44*	H12-J13
Voltaire r.	11 *47*	K20*N*
Volubilis r. des	13 *68*	R14
Vosges pl. des	*46*	J17
nºˢ 1-19, 2-22	4	
nºˢ 21-fin, 24-fin	3	
Vouillé r. de	15 *54*	N9
Voûte pass. de la	12 *49*	L23*N*
Voûte r. de la	12 *49*	L22-L23
Vulpian r.	13 *56*	N14*S*

W-X

Wagram av. de	*17-18*	F8-C9
nºˢ impairs, nº 48-fin	17	
nºˢ 2-46	8	
Wagram pl. de	17 *6*	C9*S*
Wagram-St-Honoré villa	8 *17*	E8*S*
Waldeck-Rousseau r.	17 *16*	E6*N*
Wallons r. des	13 *57*	M16*S*
Washington r.	8 *17-18*	F8-F9
Wassily-Kandinsky pl.	15 *54*	M9-M10
Watt r.	13 *71*	P19
Watteau r.	13 *57*	N16*N*
Wattieaux pass.	19 *10*	B18
Wattignies imp.	12 *60*	N21
Wattignies r. de	12 *60*	M20-N22
Wauxhall cité du	10 *34*	G17*N*
Weber r.	16 *16*	F6
Wilfrid-Laurier r.	14 *66*	P9*S*
Wilhem r.	16 *39-51*	L4
Willette sq.	18 *20*	D14
Winston-Churchill av.	8 *30*	G10
Wurtz r.	13 *68*	P14-R14*S*
Xaintrailles r.	13 *70*	P18-P17
Xavier-Privas r.	5 *44*	K14*N*

Y-Z

Yéo-Thomas r.	13 *58*	N17-N16
Yitzhak-Rabin jardin	12 *59*	M19-N19*NS*
Yonne pass. de l'	12 *59*	N20*S*
Yorktown sq.	16 *28*	H6
Yser bd de l'	17 *16-17*	D6-D7
Yvart r.	15 *53*	M8-M9
Yves-du-Manoir av.	17 *17*	D7*S*
Yves-Toudic r.	10 *34*	F17-G17
Yvette r. de l'	16 *39*	K4-J4
Yvon-et-Claire-		
Morandat pl.	17 *17*	E7*S*
Yvon-Villarceau r.	16 *28-29*	G7*N*
Yvonne-Le-Tac r.	18 *20*	D13-D14
Zadkine r.	13 *58*	N17
Zénith allée du	19 *11*	B20-C20

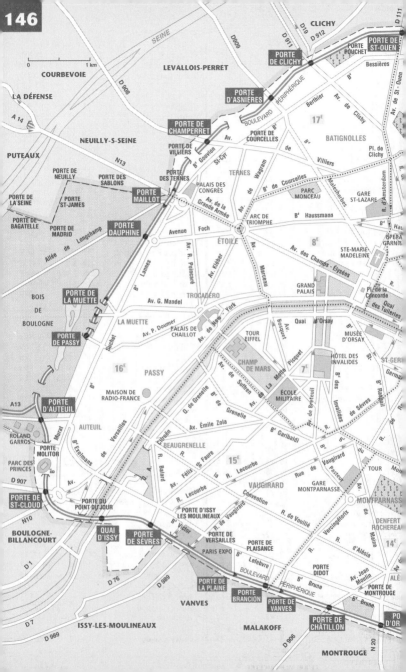

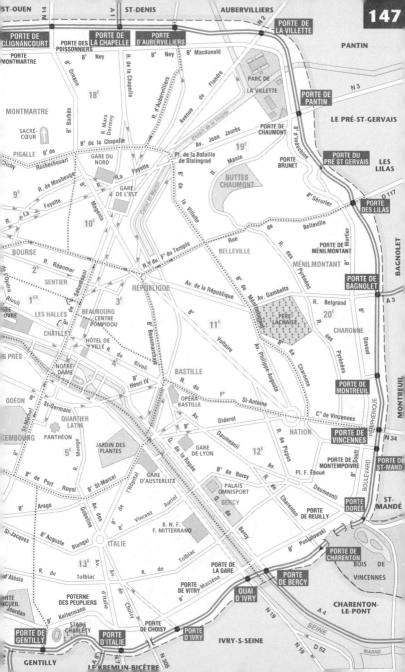

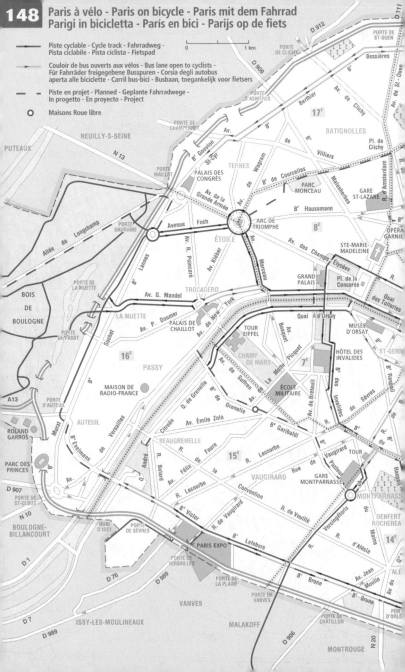

TELEPHONES UTILES

USEFUL TELEPHONE NUMBERS, NUTZLICHE TELEFONNUMMERN, NUMERI DI TELEFONI UTILI, TELEFONOS UTILES, NUTTIGE TELEFOONNUMMERS

Divers

Horloge parlante	3699
Informations téléphonées (France Inter)	0 892 68 10 33
Information Météo	0 892 68 00 00
Météo Ile-de-France	0 892 68 02 75
SOS Réveil	* 55 * puis heure en 4 chiffres et #
Télégrammes téléphonés	3655
Allô propreté	0 820 00 75 75
Minitel	3615 PARIS

Cartes bancaires perdues ou volées :

American Express *(7 jours/7, 24h/24)*	01 47 77 72 00
Carte Bleue/Visa *(7 jours/7, 24h/24)*	0 892 705 705
Diners Club	0 810 314 159
Eurocard/Mastercard *(7 jours/7, 24h/24)*	01 45 67 47 67
JCB International	01 42 86 06 01

Objets perdus et trouvés :

Voie publique ainsi que Aéroports de Paris CDG-ORLY, 36 r. des Morillons, 15ᵉ	01 55 76 20 20
RATP	0 892 68 77 14
Aéroport de Paris Orly Sud	01 49 75 34 10
Aéroport de Paris Orly Ouest	01 49 75 42 34
Aéroport de Paris CDG1	01 48 62 13 34
Aéroport de Paris CDG2	01 48 16 63 83

Tourisme

32   G13   Office du Tourisme de Paris   08 92 68 31 12 (0,34€/mn)
ou   www.paris-touristoffice.com

Bureau d'accueil central, 25/27, rue des Pyramides, 9ᵉ (7 jours/7, de 9h à 20h)

Opéra - Grands Magasins, 11bis, rue Scribe, 9ᵉ (Lundi à samedi, de 9h à 18h30)

Gare de Lyon, 20, bd Diderot, 12ᵉ (Lundi à samedi, de 8h à 20h)

32   G13   **La Boutique Michelin**   32 av. de l'Opéra, 2ᵉ
01 42 68 05 00 - 01 42 68 05 20

Fax :	01 47 42 10 50
Minitel :	3615 et 3617 Michelin
Internet :	www.ViaMichelin.com

Personnes à mobilité réduite

Pour connaître les établissements et équipements adaptés :
Groupement pour l'Insertion des Personnes Handicapées Physiques (GIHP)

Saint-Cloud (92), 98, rue de la Porte Jaune	01 46 02 21 46
SNCF Accessibilité Service	0 800 15 47 53

URGENCES 112

EMERGENCY, NOTDIENSTE, EMERGENZE, ÚRGENCIA, ALARMNUMMERS

Police-Secours (Paris et banlieue)   *17*

Pompiers

Incendies, asphyxies (y compris en banlieue)	18
Laboratoire Central de la Préfecture de Police (explosifs, intoxications)	01 55 76 20 00

Santé

SAMU (Paris)	15
S.O.S. Médecin	01 41 07 77 77
Urgences médicales de Paris 24h/24	01 53 94 94 94
Centre de soins aux grands brûlés (Hôpital Foch)	01 46 25 23 42
Centre antipoison (Hôpital Fernand-Widal)	01 40 37 04 04
S.O.S. Amitié (secours moral)	01 42 96 26 26
	01 43 60 31 31
	01 46 21 31 31
S.O.S. Dentaire (tlj 20h-23h40 ; week-ends, jours fériés, vacances scolaires 14h20-19h)	01 43 37 51 00
S.O.S. Dépression	01 45 22 44 44
S.O.S. Psychiatrie (7h-24h)	01 45 65 81 09
Urgence Psychiatrie (visite à domicile)	01 43 87 79 79
S.O.S. Vétérinaire Ile-de-France (tlj 20h-8h ; dim et jours fériés 24h/24)	0 836 68 99 33
Ambulances Assistance Publique	01 45 13 67 89
Radio-Ambulances	01 47 07 37 39

Pharmacies

84 av. des Champs-Élysées (Galerie des Champs), 8e	24h/24 ; 7 jours/7	01 45 62 02 41
6 Place Clichy, 9e	24h/24 ; 7 jours/7	01 48 74 65 18
17 bis bd de Rochechouart, 9e	9h -1h ; 7 jour/7	01 48 78 03 01
6 Place Félix-Eboué, 12e	24h/24 ; 7 jours/7	01 43 43 19 03
86 bd Soult, 12e	8h-2h ; 7 jour/7	01 43 43 13 68
61 av. d'Italie, 13e	8h-2h lun - sam	01 44 24 19 72
106 bd de Montparnasse, 14e	9h–24h lun au sam ; 17h–21h dim et jf	01 43 35 44 88
6 r. de Belleville, 20e	9h-21h lun au ven ; 9h-21h sam	01 46 36 67 42

Fourrières

Un véhicule enlevé stationne **36 heures** à la **pré-fourrière** la plus proche de son enlèvement. Passé ce délai, il est transféré à la **fourrière.**
Pour le récupérer adressez-vous au commissariat de police de l'arrondissement où il a été enlevé.

Pré-Fourrière Préfecture de Police	01 53 71 53 71

TAXIS
TAXEN, TAXI, TAXI'S

Compagnies de Taxis-radio

Radio-taxi companies, Funktaxi-Gesellschaften, Compagnie di radio-taxi, Compañías de radio-taxi, Taxibedrijven met radio-oproepsysteem

Artaxi	0 891 70 25 50
Alpha-Airport	01 45 85 45 45
Alpha-Taxis	01 45 85 85 85
Taxis G7	01 47 39 47 39
Taxis bleus	01 49 36 10 10

Stations de taxis avec borne téléphonique

Taxi ranks with phone numbers, Taxistationen mit Telefon, Stazioni di taxi con colonnina telefonica, Paradas de taxis con teléfono, Taxistandplaatsen met telefoon

Sur le plan, le signe ⊕ signale les stations.

1er Arrondissement

32	H13	Place André-Malraux	01 42 60 61 40
45	J15	Place du Châtelet	01 42 33 20 99
31	G11	Métro Concorde	01 42 61 67 60
31	G12	23-25 Place Vendôme	01 47 03 02 92

2e Arrondissement

31	F13	7 Place de l'Opéra	01 47 42 75 75
33	G15	Porte St-Denis	01 42 36 93 55

3e Arrondissement

33	H15	Métro Rambuteau	01 42 72 00 00
33	H16	Square du Temple	01 42 78 00 00

4e Arrondissement

45	J16	Métro St-Paul	01 48 87 49 39

5e Arrondissement

44	L14	Place Edmond-Rostand	01 46 33 00 00
57	M15	88 Place des Gobelins	01 43 31 00 00
45	K15	Place Maubert	01 46 34 10 32
57	L15	Place Monge	01 45 87 15 95
44	J14	Place St-Michel	01 43 29 63 66
45	K16	Pont de la Tournelle	01 43 25 92 99

6e Arrondissement

43	K12	Place Alphonse-Deville	01 45 48 84 75
44	K13	Place Henri-Mondor	01 43 26 00 00
44	J13	Place Mabillon	01 43 29 00 00
56	M13	Métro Port-Royal	01 43 54 74 37
44	J13	Métro St-Germain	01 42 22 00 00
44	K13	Place St-Sulpice	01 56 24 09 63

7e Arrondissement

42	J9	Place de l'École Militaire	01 47 05 00 00
41	J8	Place du Général-Gouraud	01 47 05 06 89
42	L10	Place Léon-Paul-Fargue	01 45 67 00 00
43	J12	Métro Rue du Bac	01 42 22 49 64
31	H11	Métro Solférino	01 45 55 00 00
29	H8	Place de la Résistance	01 47 05 66 86
41	J7	Tour Eiffel	01 45 55 85 41
30	H10	27, bd La Tour-Maubourg	01 45 51 76 76
42	J10	Métro La Tour-Maubourg	01 45 55 78 42

8e Arrondissement

29	G8	Place de l'Alma	01 40 70 96 04
30	G9	Rond-Point Champs-Élysées	01 42 56 29 00
18	F9	1 av. de Friedland	01 45 61 00 00
31	F11	Place de la Madeleine	01 42 65 00 00
18	E10	Place Rio-de-Janeiro	01 45 62 00 00
19	F11	Place St-Augustin	01 47 42 54 73
17	E8	Place des Ternes	01 47 63 00 00

9e Arrondissement

19	E12	Place d'Estienne-d'Orves	01 48 74 00 00
32	F14	Métro Richelieu-Drouot	01 42 46 00 00
20	E14	Square de Montholon	01 48 78 12 22

10ᵉ Arrondissement

46	F16	Mairie du 10ᵉ	01 42 00 17 75

11ᵉ Arrondissement

46	K18	10, Place de la Bastille	01 43 47 03 32
47	K19	Métro Faidherbe-Chaligny	01 43 72 00 00
34	F18	Métro Goncourt	01 42 03 00 00
47	J19	Place Léon-Blum	01 43 79 00 00
48	K21	Place de la Nation	01 43 73 29 58
35	H20	Métro Père-Lachaise	01 48 05 92 12
34	G17	Place de la République	01 43 55 92 64

12ᵉ Arrondissement

60	N23	Porte Dorée	01 46 28 00 00
61	M21	9 Place Félix-Éboué	01 43 43 00 00

13ᵉ Arrondissement

58	M18	Quai de la Gare	01 53 94 00 40
56	N14	Métro Glacière	01 45 80 00 00
69	S16	Métro Porte d'Italie	01 45 86 00 44
70	R18	Métro Porte d'Ivry	01 45 86 54 71
70	P18	Carr. Patay-Tolbiac	01 45 83 00 00
57	N16	Place Pinel	01 45 86 60 00
70	S17	36, av. Porte de Choisy	01 45 85 40 00
57	P16	Bd Vincent-Auriol	01 45 83 34 93

14ᵉ Arrondissement

56	N13	Place Denfert-Rochereau	01 43 35 00 00
57	N10	Métro Plaisance	01 45 41 66 00
67	R12	Métro Porte d'Orléans	01 45 40 52 05
68	P14	1, av. Reille	01 45 89 05 71
66	P9	Porte de Vanves	01 45 39 87 33
67	P12	Place Victor-et-Hélène-Basch	01 43 46 00 00

15ᵉ Arrondissement

52	M5	Place Balard	01 45 54 01 89
42	L10	Place de Breteuil	01 45 66 70 17
40	L6	Place Charles-Michels	01 45 78 20 00
53	M8	Métro Convention	01 42 50 00 00
53	M7	44, av. Félix Faure	01 40 60 08 77
42	L10	Place Henri Queuille	01 47 34 00 00
41	K8	Métro La Motte-Picquet	01 45 66 00 00
53	M8	252, r. de Vaugirard	01 48 42 00 00
53	N7	Porte de Versailles	01 48 28 00 00
55	L11	Place du 18-Juin-1940	01 42 22 13 13

16ᵉ Arrondissement

40	L5	Place de Barcelone	01 45 27 11 11
40	K5	Place Clément-Ader	01 45 24 56 17
51	M4	23, bd Exelmans	01 45 25 93 91
27	G5	78, av. Henri-Martin	01 45 04 00 00
29	G7	Place d'Iéna	01 40 70 00 36
39	K4	Place Jean-Lorrain	01 45 27 00 00
39	K4	Métro Jasmin	01 45 25 13 13
38	L3	Porte Molitor	01 46 51 19 19
40	J5	Métro Muette	01 42 88 00 00
40	J6	Métro Passy	01 45 20 00 00
39	L3	Place de la Porte d'Auteuil	01 46 51 14 61

(colonne de droite)

28	F5	Métro Porte Dauphine	01 45 53 00 00
51	M3	Place de la Porte de St Cloud	01 46 51 60 40
40	K5	Maison de Radio-France	01 42 24 99 99
28	H6	Place du Trocadéro	01 47 27 00 00
28	G6	12, Place Victor-Hugo	01 45 53 00 11
29	F7	1, av. Victor-Hugo-Étoile	01 45 01 85 24

17ᵉ Arrondissement

17	D8	Place Aimé-Maillart	01 46 22 40 70
6	C9	Porte d'Asnières	01 43 80 00 00
7	C11	Métro Brochant	01 46 27 00 00
17	F8	Place Charles-de-Gaulle	01 43 80 01 99
6	B10	Porte de Clichy	01 46 27 90 06
19	D11	Mairie du 17e	01 43 87 00 00
17	D8	3, Place Maréchal-Juin	01 42 27 00 00
18	D9	Place du Nicaragua	01 42 67 59 67
17	D7	Place Porte de Champerret	01 47 66 22 77
18	E9	Place République-de-l'Équateur	01 47 66 80 50
7	B12	Porte de St-Ouen	01 42 63 00 00
18	D10	Métro Villiers	01 46 22 00 00

18ᵉ Arrondissement

10	A18	Porte d'Aubervilliers	01 40 36 08 88
20	D13	Place Blanche	01 42 57 00 00
20	C13	Pont Caulaincourt	01 42 54 00 00
21	D16	Place de la Chapelle	01 42 05 49 10
21	C15	Place du Château-Rouge	01 42 52 00 00
8	B13	85, r. Damrémont	01 42 54 59 00
8	B14	Place Jules-Joffrin	01 46 06 00 00
7	B12	Métro Guy-Môquet	01 42 28 00 00
8	C14	Métro Lamarck-Caulaincourt	01 42 55 00 00
9	A16	Métro Porte de la Chapelle	01 42 09 65 52
8	B14	Porte de Clignancourt	01 42 58 00 00
20	C14	Place du Tertre	01 42 59 00 00

19ᵉ Arrondissement

23	E20	Métro Botzaris	01 42 06 01 32
22	E18	Place du Colonel-Fabien	01 42 03 41 50
22	C18	13, av. de Flandre	01 40 35 28 27
23	D19	34, av. de Laumière	01 42 06 00 00
24	E22	Porte des Lilas	01 42 02 71 40
12	C21	Porte de Pantin	01 42 41 00 62
2	D17	Métro Stalingrad	01 40 34 00 00
11	A20	Porte de la Villette	01 40 34 64 00

20ᵉ Arrondissement

36	H21	Place Gambetta	01 46 36 00 00
35	G19	Métro Ménilmontant	01 43 55 64 00
36	G22	2, Place Paul-Signac	01 40 31 70 99
37	H23	Métro Porte de Bagnolet	01 40 31 60 79
49	J23	Métro Porte de Montreuil	01 43 70 00 00
23	F20	Métro Pyrénées	01 43 49 10 00

TRANSPORTS
TRANSPORTATION, VERKEHRSMITTEL, TRASPORTI, COMUNICACIONES, VERVOER

RATP (Autobus - Métro)

44	J14	Régie Autonome des Transports Parisiens (RATP) Centre de Renseignements	54 quai de la Rapée, 12ᵉ	0 892 68 77 14
		Info-flash (24h/24)		0 810 03 04 05
		RATP Informations en anglais		0 836 68 41 14
		Minitel		3615 RATP
		Calculer un itinéraire précis d'adresse à adresse sur le site de la RATP :		www.ratp.fr
58	L18	Maison de la RATP	54 quai de la Rapée, 12ᵉ	01 44 68 20 20

Gare routière

		Eurolines		
37	G23	Gare internationale de Paris-Gallieni	Bagnolet (93), 28 av. du Gén.-de-Gaulle	0 892 69 52 52

SNCF

		SNCF Service Informations Ile-de-France	01 53 90 20 20	
		Serveur vocal (24h/24)		0 891 67 68 69
		Renseignements et réservations	0 892 35 35 35	
		Horaires et réservations : Minitel	3615 SNCF	
		Horaires de trains :		www.voyages-sncf.com
		Voyageurs à mobilité réduite : SNCF Accessibilité Service		0 800 15 47 53
58	M17	Gare d'Austerlitz	55 quai d'Austerlitz, 13ᵉ	
59	M19	Gare de Bercy	48 bis bd de Bercy, 12ᵉ	
21	E16	Gare de l'Est	Place du 11-Novembre-1918, 10ᵉ	
46	L18	Gare de Lyon	Place Louis-Armand, 12ᵉ	
55	M11	Gare Montparnasse 1 (Porte Océane)	16-24 Place Raoul-Dautry, 15ᵉ	
55	M11	Gare Montparnasse 2 (Pasteur)	Place des 5 Martyrs du Lycée Buffon, 15ᵉ	
54	M10	Gare de Montparnasse 3-Vaugirard	r. du Cotentin, 15ᵉ	
21	E16	Gare du Nord	18 r. de Dunkerque, 10ᵉ	
19	E12	Gare Saint-Lazare	r. St-Lazare, 8ᵉ	
		EUROSTAR		0 892 35 35 39
		EUROTUNNEL		0 810 63 03 04
		THALYS		0 892 35 35 36

Location de voitures
Car rental companies, Autovermietung, Noleggio di automobili, Coches de alquiler, Autoverhuur

		Ada		0 825 169 169
		Avis		0 820 05 05 06
47	J19	Axeco	88 r. de la Roquette, 11ᵉ	01 43 14 78 87
		Budget France		01 45 44 62 00
		Europcar-Inter-Rent		0 825 352 352
		Hertz-France (Centrale) 7 jours/7 24h/24		01 39 38 38 38
		National-Citer		01 45 22 77 91
		Rent a Car		0 892 694 695
		Sixt-Eurorent		01 44 38 55 55

AÉROPORTS

AIRPORTS, FLUGHÄFEN, AEROPORTI, AEROPUERTOS, LUCHTHAVENS

160-161	Aéroport Roissy-Charles-de-Gaulle (CDG)	Roissy-en-France (95)	01 48 62 22 80
159	Aéroport d'Orly (ORY)	Orly – Aérogare (94)	01 49 75 15 15
	Aéroport de Paris (ADP)		Minitel 3615 HORAV
	Horaires des vols du jour actualisés (24 h/24)	www.adp.fr ou 0 892 68 15 15	
52 N5	Héliport de Paris	4 av. de la Pte-de-Sèvres, 15e	
	Mont-Blanc Hélicoptère		01 40 60 10 14
	Trans-Hélicoptère		01 40 60 05 05
	Hélifrance		01 45 54 95 11
	Aéroport de Paris-Beauvais (BVA)	Tillé (60)	03 44 11 46 66

LIAISONS PARIS-AÉROPORTS

How to get to the airports, Bus- und Bahnverbindungen zu den Flughäfen, Collegamenti tra Parigi e gli aeroporti Enlaces París-Aeropuertos, Verbinding Parijs-Vliegvelden

Par autobus

INFO CARS AIR FRANCE

(24h/24 7 jours/7) 01 41 56 89 00
Les tickets sont en vente à bord des cars. Les horaires et les fréquences des cars varient en fonction des lieux de départ.

Pour se rendre à ROISSY - CDG1 - CDG2

Ligne 2 :
7 jours/7 de 5h45 au départ de l'Étoile à 23h, toutes les 12 minutes. Durée moyenne du trajet : 35 minutes - 10€.

Départ : Étoile
Place Charles-de-Gaulle, angle 1 av. Carnot, 17e

Arrêt : Porte Maillot
Bd Gouvion-St-Cyr, face à l'Hôtel Méridien, 17e

Ligne 4 :
7 jours/7 de 7h au départ de Montparnasse à 21h30 toutes les 30 minutes. Durée moyenne du trajet : 45 minutes – 11,50€.

Départ : Montparnasse
Rue de Cdt-Mouchotte, côté gare SNCF, 14e

Arrêt : Gare de Lyon
20 bis bd Diderot 12e

Pour se rendre à Orly Sud - Orly Ouest

Ligne 1 :
7 jours/7, 6h au départ des Invalides à 23h30 toutes les 12 minutes. Durée moyenne du trajet : 30 minutes – 7,50€.

Départ : Terminal Invalides
Esplanade des Invalides, 2 r. Esnault-Pelterie, 7e

Arrêt : Montparnasse
Rue du Cdt-Mouchotte, face à l'Hôtel Méridien, 14e

Ligne 3 : Navette Roissy CDG - Orly
Une liaison directe entre les aéroports de Roissy et d'Orly est assurée 7 jours/7, CDG – Orly 6h-23h, Orly – CDG 6h – 23h30, toutes les 30 minutes environ – 15,50€.

INFO BUS R.A.T.P.

0 892 68 77 14

ROISSY BUS

7 jours/7, 5h45-23h toutes les 15 minutes. Dessert aérogare T9. Durée moyenne du trajet : 45 minutes – 8,08€. Heures de pointe : compter 10 à 15 minutes supplémentaires.

Départ : OPÉRA
Rue Scribe, angle r. Auber, 9e

ORLY BUS

7 jours/7 de 5h35 à 23h toutes les 12 minutes. Durée moyenne du trajet : 35 minutes – 5,64€. Heures de pointe, compter 10 minutes de plus

Départ : Place Denfert-Rochereau
sortie gare RER, 14e

JETBUS

7 jours/7 de 6h23 à 22h49 toutes les 20 minutes. Durée moyenne du trajet : 20 minutes – 4,80€. Heures de pointe, compter 10 minutes de plus

Départ : Station de métro Louis Aragon à Villejuif (Ligne7)

Par rail (RER)
0 892 88 77 14

ROISSY RAIL – Via la ligne B3 du RER

Conseillé pour un vol à partir de CDG2 (direct) 7 jours/7 de 4h56 (départ Gare du Nord en surface) à 0h14 (départ Gare du Nord RER). Possibilité d'emprunter Roissy Rail dans toutes les stations de la ligne B du RER. Deux arrêts RER Aéroport Charles-de-Gaulle sont prévus :
CDG1 si départ (ou arrivée) du terminal T1 ou T9 puis navette (compter 10 minutes).
CDG2 (terminus) si départ (ou arrivée) du terminal T2.
Compter 30 minutes entre Gare du Nord et CDG2 - 7,62€.

ORLY RAIL – Via la ligne C2 du RER

7 jours/7 de 5h17 a 0h17 (si départ de la station RER St-Michel). Possibilité d'emprunter Orly Rail dans toutes les gares desservies par la ligne C du RER.
A la station RER Pont de Rungis – Aéroport d'Orly prendre la navette ADP pour les aérogares Sud et Ouest.
Fréquences des bus : de 15 à 30 minutes, temps de trajet : 15 minutes.
Compter 1h15 de trajet entre la station RER St-Michel et l'aéroport d'Orly. Prix 5,18€.

ORLY VAL – Via la ligne B4 du RER

Conseillé
7 jours/7 de 6h (7h dimanche et lundi férié) à 23h. Tarification spécifique 8,69€ (avec métro).
C'est à la station d'Antony (ligne B du RER) que s'effectue la liaison Orly-Val pour Orly (aérogares Sud et Ouest).
Fréquence des navettes Val : toutes les 7 minutes. A titre indicatif le temps de trajet entre Châtelet et Orly est de 35 minutes.

Par la route

Roissy (CDG)

A 23 km au nord de Paris, de la Porte de la Chapelle par A1, ou de la Porte de Bagnolet par A3 puis A1

Stationnement

Aérogare 1
P1 Trois niveaux couverts ; accès face à « arrivée [32] », puis accès direct à l'aérogare par ascenseurs. - 1h (2,20€), 24h (18,50€), pas de tarif dégressif.

Aérogare 2
PAB (aérogares 2A et 2B) Couvert. Voir tarifs aérogare 1.
PCD (aérogares 2C et 2D) Couvert. Voir tarifs aérogare 1.
PF/TGV (aérogares 2A et 2B) Accès à la gare TGV par le hall F. Voir tarifs aérogare 1.
P_G Parc gardé couvert, même accès que **P_{AB}** ; accès direct à l'aérogare par ascenseurs - forfait 3h (11,13€), 24h (17,84€), puis 3,35€ par tranche de 3h.
P_R Parc tarif réduit, non couvert, situé entre les aérogares 1 et 2 ; accès aérogare par navette gratuite. - 1h (1,10€), 24h (10€).
Px Parc tarif réduit, non couvert, accès aérogare 2 par navette gratuite. 1h (1,10€), 24h (10€).

Aérogare T9
P_{T9} Non couvert. - 1h (2,20€), 24h (18,50€).

Orly (ORY)

A 14 km au sud de Paris, de la Porte d'Orléans ou la Porte d'Italie par A6, puis A106

Stationnement

Aérogare sud
P_1 Couvert ; accès direct à l'aérogare par ascenseurs. - 1h (2,20€), 24h (18,50€).
P_3 Accès direct à l'aérogare par trottoirs roulants. Voir tarif **P_1**.

Aérogare ouest
P_0 P_2 Couverts ; accès aérogare par ascenseurs. Voir tarif **P_1**.
P_5 Plus proche d'Orly Ouest. Couvert ; accès aérogare par navette gratuite. - Parc tarif réduit, 1h (2,20€), 24h (12€).
P_4 P_7 Non couverts, accès aérogare par navette gratuite. - Parc tarif réduit, 1h (1,10€), 24h (10€).

Paris-Beauvais (BVA)

Par la route : à 82 km au nord de Paris, de la Porte de la Chapelle par N1 puis A16
Par autobus : 7 jours/7, une navette part de Paris 2h45 avant le départ de chaque vol. Retour de Paris-Beauvais 20mns après l'arrivée du vol. 10€.
Départ : Boutique billetterie bus   1 bd Pershing, 17e   01 58 05 08 45

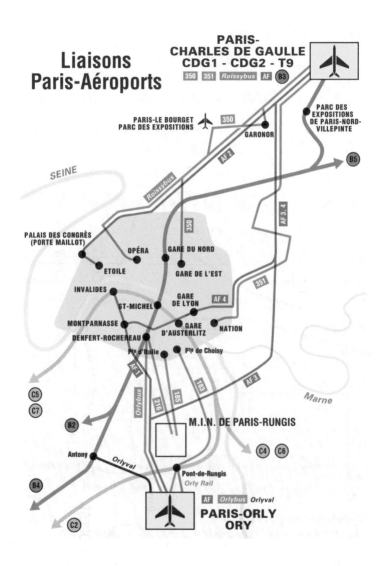

Liaisons Paris-Aéroports

PARIS-CHARLES DE GAULLE
CDG1 - CDG2 - T9
350 351 Roissybus AF B3

PARC DES EXPOSITIONS DE PARIS-NORD-VILLEPINTE

PARIS-LE BOURGET PARC DES EXPOSITIONS 350

GARONOR

AF 2

SEINE

Roissybus

B5

350

AF 3, 4

PALAIS DES CONGRÈS (PORTE MAILLOT)

OPÉRA

GARE DU NORD

ETOILE

GARE DE L'EST

INVALIDES

351

GARE DE LYON

AF 4

ST-MICHEL

MONTPARNASSE

GARE D'AUSTERLITZ

NATION

DENFERT-ROCHEREAU

Pte d'Italie

Pte de Choisy

AF 1

Orlybus

216

185

183

AF 3

Marne

C5
C7

B2

M.I.N. DE PARIS-RUNGIS

C4 C6

Antony Orlyval

Pont-de-Rungis
Orly Rail

B4

AF Orlybus Orlyval

C2

PARIS-ORLY ORY

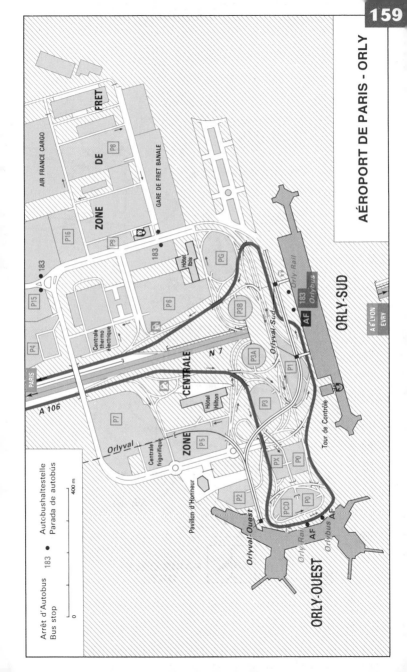

159

AÉROPORT DE PARIS - ORLY

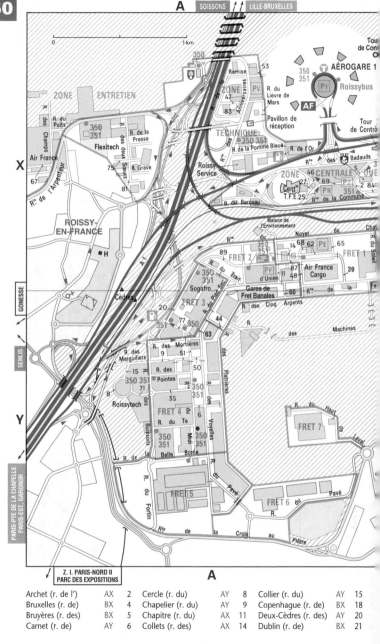

Archet (r. de l')	AX	2	Cercle (r. du)	AY	8	Collier (r. du)	AY	15
Bruxelles (r. de)	BX	4	Chapelier (r. du)	AY	9	Copenhague (r. de)	BX	18
Bruyères (r. des)	BX	5	Chapitre (r. du)	AX	11	Deux-Cèdres (r. des)	AY	20
Carnet (r. de)	AY	6	Collets (r. des)	AX	14	Dublin (r. de)	BX	21

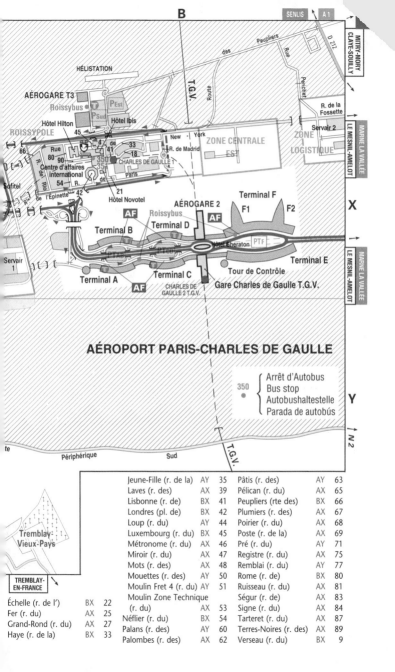

AÉROPORT PARIS-CHARLES DE GAULLE

350 Arrêt d'Autobus
Bus stop
Autobushaltestelle
Parada de autobús

Jeune-Fille (r. de la)	AY	35
Laves (r. des)	AX	39
Lisbonne (r. de)	BX	41
Londres (pl. de)	BX	42
Loup (r. du)	AY	44
Luxembourg (r. du)	BX	45
Métronome (r. du)	AX	46
Miroir (r. du)	AX	47
Mots (r. des)	AX	48
Mouettes (r. des)	AY	50
Moulin Fret 4 (r. du) AY		51
Moulin Zone Technique (r. du)	AX	53
Néflier (r. du)	BX	54
Palans (r. des)	AY	60
Palombes (r. des)	AX	62

Pâtis (r. des)	AY	63
Pélican (r. du)	AX	65
Peupliers (rte des)	BX	66
Plumiers (r. des)	AX	67
Poirier (r. du)	AX	68
Poste (r. de la)	AX	69
Pré (r. du)	AY	71
Registre (r. du)	AX	75
Remblai (r. du)	AY	77
Rome (r. de)	BX	80
Ruisseau (r. du)	AX	81
Ségur (r. de)	AX	83
Signe (r. du)	AX	84
Tarteret (r. du)	AX	87
Terres-Noires (r. des)	AX	89
Verseau (r. du)	BX	9

Échelle (r. de l')	BX	22
Fer (r. du)	AX	25
Grand-Rond (r. du)	AX	27
Haye (r. de la)	BX	33

TREMBLAY-EN-FRANCE

Tremblay-Vieux-Pays

LINES URBAINES D'AUTOBUS

LIST OF CITY BUSES, STADTISCHE AUTOBUSLINIEN, LINEE D'AUTOBUS URBANI , LÍNEAS URBANAS, LIJNDIENSTEN STADSAUTOBUSSEN

Service général de 7h à 20h30 – Normal service from 7am to 8.30pm
Normaler Busverkehr von 7 bis 20.30 Uhr – Linee diurne in servizio dalle 7 alle 20.30
Circulacíon general de 7h a 20h30 – Normale dienst van 7 u. tot 20.30 u.

Service assuré jusqu'à 0h30 Busverkehr bis 0.30 Uhr Servicio hasta las 0h30	■	Buses running to 0.30am Servizio fino alle 24.30 Rijdt tot 0.30 u.
Service assuré les dimanches et fêtes Busverkehr auch an Sonn- and Feiertagen Servicio los domingos y festivos	●	Buses running on Sundays and holidays In servizio domenica e festivi Rijdt op zon- en feestdagen

20 ● **Gare Saint-Lazare** – Opéra – Poissonnière-Bonne Nouvelle/Sentier – République – Bastille – **Gare de Lyon.**

21 ■ ● **Gare Saint-Lazare** – Opéra – Palais Royal – Châtelet – Luxembourg – Berthollet-Vauquelin – Glacière-Auguste Blanqui **– Porte de Gentilly.**

22 **Opéra** – Pasquier-Anjou/Gare Saint-Lazare – Haussmann-Courcelles – Charles de Gaulle-Étoile – Trocadéro – La Muette-Boulainvilliers – Chardon Lagache-Molitor/Pont Mirabeau **– Porte de Saint-Cloud.**

24 **Gare Saint-Lazare** – Concorde – Pont du Carrousel – Pont Neuf – Maubert-Mutualité – Gare d'Austerlitz – Gare de Bercy – Parc de Bercy – Charenton-Écoles – **École Vétérinaire de Maisons-Alfort** (● : Gare d'Austerlitz – École Vétérinaire de Maisons-Alfort).

26 ■ ● **Gare Saint-Lazare** – Carrefour de Châteaudun – Gare du Nord – Jaurès-Stalingrad – Botzaris-Buttes Chaumont – Pyrénées-Ménilmontant – Pyrénées-Bagnolet – **Cours de Vincennes.**

27 ■ ● **Gare Saint-Lazare** – Opéra – Palais Royal – Pont Neuf – Luxembourg – Berthollet-Vauquelin – Place d'Italie-Mairie du 13ᵉ – Nationale **– Porte de Vitry – Claude Regaud**

28 **Gare Saint-Lazare** – Saint-Philippe du Roule/Matignon-Saint-Honoré – Pont des Invalides – École Militaire – Breteuil – Gare Montparnasse – Mairie du 14ᵉ **– Porte d'Orléans.**

29 **Gare Saint-Lazare** – Opéra – Étienne Marcel-Montmartre – Grenier Saint-Lazare – Archives – Bastille – Gare de Lyon/Daumesnil-Diderot – Daumesnil-Félix Éboué – Fabre d'Églantine – **Porte de Montempoivre.** (● : Centre Georges Pompidou – Porte de Montempoivre).

30 **Trocadéro** – Charles de Gaulle-Étoile – Malesherbes-Courcelles – Place de Clichy – Pigalle – Barbès-Rochechouart – Magenta-Maubeuge **– Gare de l'Est.**

31 ■ ● **Charles de Gaulle-Étoile** – Jouffroy d'Abbans-Villiers – Brochant-Cardinet – Vauvenargues – Mairie du 18ᵉ-Jules Joffrin – Barbès-Rochechouart – Gare du Nord **– Gare de l'Est.**

32 **Porte d'Auteuil** – Porte de Passy – La Muette-Boulainvilliers – Trocadéro – Marceau-Pierre 1ᵉʳ de Serbie – Saint-Philippe du Roule/Matignon-Saint-Honoré – Gare Saint-Lazare – Carrefour de Châteaudun **– Gare de l'Est.**

38 **Gare du Nord** – Gare de l'Est – Réaumur-Arts et Métiers/Réaumur-Sébastopol – Châtelet – Luxembourg – Denfert-Rochereau – **Porte d'Orléans** (■ ● : Châtelet – Porte d'Orléans).

39 **Gare de l'Est** – Poissonnière-Bonne Nouvelle/Sentier – Richelieu-4 Septembre – Palais Royal – Saint-Germain des Prés – Hôpital des Enfants Malades – Mairie du 15ᵉ/Vaugirard-Favorites – Porte d'Issy/Balard-Lecourbe – **Issy-Val de Seine.**

42 **Gare du Nord** – Carrefour de Châteaudun/Le Peletier – Opéra – Concorde – Alma-Marceau – Champ de Mars-Suffren – Charles Michels – **Hôpital Européen Georges Pompidou.**

43 **Gare du Nord** – Carrefour de Châteaudun – Gare Saint-Lazare – Haussmann-Courcelles - Ternes – Général Koenig-Palais des Congrès – Neuilly-Église Saint-Pierre – Pont de Neuilly – **Neuilly-Bagatelle** (● : Gare Saint-Lazare – Neuilly-Bagatelle).

46 ● **Gare du Nord** – Gare de l'Est – Goncourt – Voltaire-Léon Blum – Faidherbe-Chaligny – Daumesnil-Félix Éboué – Porte Dorée – **Saint-Mandé – Demi-Lune** (Parc Zoologique) – (Desserte périodique jusqu'au Château de Vincennes).

47 **Gare de l'Est** – Réaumur-Arts et Métiers/Réaumur-Sébastopol – Châtelet – Maubert-Mutualité – Censier-Daubenton – Place d'Italie – Porte d'Italie – Hôpital – **Fort du Kremlin-Bicêtre.**

48 **Palais Royal** – **Musée du Louvre** – Richelieu-4 Septembre/Réaumur-Montmartre –. Grands Boulevards – Cadet/Paradis – La Fayette-Magenta/Magenta-Maubeuge – Gare du Nord – Place de La Chapelle – Stalingrad – Place des Fêtes – **Porte des Lilas**

52 ● **Opéra** – Concorde – Saint-Philippe du Roule – Charles de Gaulle-Étoile – Jean Monnet – La Muette- Boulainvilliers – Porte d'Auteuil – Boulogne-Jean Jaurès – Pont de Saint-Cloud – **Parc de Saint-Cloud** (■ : Charles de Gaulle-Étoile – Porte d'Auteuil).

53 **Opéra** – Auber/Havre Caumartin – Gare Saint-Lazare– Legendre – Porte d'Asnières – Aristide Briand – **Pont de Levallois**

54 **Porte d'Aubervilliers** – Crimée-Curial – Louis Blanc – Gare du Nord – Barbès-Rochechouart – Pigalle – La Fourche – Porte de Clichy –**Asnières-Gennevilliers – Gabriel Péri.**

56 **Porte de Clignancourt** – Barbès-Rochechouart – Gare de l'Est – République – Voltaire-Léon Blum – Nation – Porte de Saint-Mandé – Vincennes RER – **Château de Vincennes.**

57 **Porte de Bagnolet** – **Louis Ganne** – Porte de Montreuil – Nation – Reuilly-Diderot – Gare de Lyon – Gare d'Austerlitz – Place d'Italie – Poterne des Peupliers – Mairie de Gentilly - **Laplace RER.**

58 ● **Châtelet** – Pont Neuf – Palais du Luxembourg – Gare Montparnasse – Château/Mairie du 14ᵉ – Porte de Vanves – **Vanves – Lycée Michelet.**

60 ● **Gambetta** – Borrégo – Botzaris – Ourcq-Jean Jaurès – Crimée – Ordener-Marx Dormoy – Mairie du 18ᵉ-Jules Joffrin – **Porte de Montmartre.**

61 **Gare d'Austerlitz** – Gare de Lyon – Voltaire-Léon Blum – Roquette-Père Lachaise – Gambetta Mairie du 20ᵉ – Porte des Lilas – **Pré Saint-Gervais – Jean Jaurès.**

62 ■ ● **Cours de Vincennes** – Daumesnil-Félix Éboué – Pont de Tolbiac – Italie-Tolbiac – Alésia-Général Leclerc – Vercingétorix – Convention-Vaugirard – Javel – Chardon Lagache-Molitor/Michel Ange-Auteuil – **Porte de Saint-Cloud.**

63 ■ ● **Gare de Lyon** – Gare d'Austerlitz – Monge-Mutualité/Maubert-Mutualité – Saint-Germain-Odéon – Solférino-Bellechasse – Invalides – Alma-Marceau – Trocadéro – **Porte de la Muette.**

65 **Gare de Lyon** – Bastille – République – Gare de l'Est – Place de La Chapelle – Porte de La Chapelle – Aubervilliers-La Haie Coq – **Mairie d'Aubervilliers** (● : Gare de l'Est – Mairie d'Aubervilliers).

66 ■ **Opéra** – Gare Saint-Lazare – Square des Batignolles – Porte Pouchet – **Clichy – Victor Hugo.**

67 **Pigalle** – Carrefour Châteaudun – Richelieu-4 Septembre/Réaumur-Montmartre – Louvre-Rivoli – Châtelet-Hôtel de Ville – Jussieu – Buffon-Mosquée – Place d'Italie-Mairie du 13ᵉ – **Porte de Gentilly.** (● : Châtelet-Hôtel de Ville – Porte de Gentilly).

68 **Place de Clichy** – Trinité – Opéra – Pyramides – Solférino-Bellechasse – Denfert Rochereau – Porte d'Orléans – Montrouge-Place des États Unis/Verdier-République – **Châtillon Montrouge.** (● : Porte d'Orléans – Châtillon Montrouge.)

69 **Gambetta** – Roquette-Père Lachaise – Bastille – Hôtel de Ville – Louvre-Rivoli/Pont Neuf-Quai du Louvre – Solférino-Bellechasse – Esplanade des Invalides – **Champ de Mars.**

70 **Hôtel de Ville** – Pont Neuf – Église Saint-Sulpice – Hôpital des Enfants Malades – Mairie du 15ᵉ – Charles Michels – **Radio-France** (RER).

72 **Hôtel de Ville** – Louvre-Rivoli/Pont des Arts-Quai du Louvre – Concorde – Alma-Marceau – Pont de Bir-Hakeim – Pont Mirabeau – Porte de Saint-Cloud – Pont de Saint-Cloud – **Parc de Saint-Cloud** (● : Concorde – Parc de Saint Cloud : Porte Saint-Cloud – Parc de Saint-Cloud).

73 **Musée d'Orsay** – Concorde – Rond-Point des Champs-Élysées – Charles de Gaulle-Étoile – Porte Maillot – Neuilly-Rue de l'Hôtel de Ville – Pont de Neuilly – **La Défense.**

74 **Hôtel de Ville** – Louvre-Rivoli – Réaumur-Montmartre – Carrefour de Châteaudun – La Fourche – Porte de Clichy – Clichy-Général Leclerc-Victor Hugo – **Clichy – Hôpital Beaujon** (■ ● : Porte Clichy – Hôpital Beaujon).

75 **Pont Neuf** – Archives/Grenier Saint-Lazare – République – Hôpital Saint Louis – Colonel Fabien – Mairie du 19ᵉ – Porte Chaumont – Porte de Pantin – **Porte de la Villette.**

76 **Louvre-Rivoli** – Hôtel de Ville – Bastille – Charonne-Philippe Auguste – Porte de Bagnolet – Mairie de Bagnolet – **Bagnolet – Louise Michel.**

80 ■ **Porte de Versailles** – Mairie du 15ᵉ – École Militaire – Alma-Marceau – Matignon-Saint-Honoré/ Saint-Philippe du Roule – Gare Saint-Lazare – Damrémont-Caulaincourt – **Mairie du 18ᵉ-Jules Joffrin.**

81 **Châtelet** – Palais Royal – Opéra – Trinité/Gare Saint-Lazare – La Fourche – **Porte de Saint-Ouen.**

82 ● **Luxembourg** (RER) – Pl. du 18 Juin 1940 – Duroc – École Militaire – Champ de Mars – Kléber-Boissière – Porte Maillot – Neuilly-Église Saint-Pierre – **Neuilly – Hôpital Américain.**

83 **Friedland-Haussmann** – Rond-Point des Champs Élysées – Invalides – Sèvres-Babylone – Observatoire – Les Gobelins – Place d'Italie – **Porte d'Ivry – Claude Regaud.**

84 **Panthéon** – Luxembourg (RER) – Sèvres-Babylone – Solférino-Bellechasse – Concorde – Saint-Augustin – Courcelles – **Porte de Champerret.**

85 ■ **Luxembourg** (RER) – Châtelet – Louvre-Rivoli – Réaumur-Montmartre – Carrefour de Châteaudun/Cadet – Muller – Mairie du 18ᵉ Jules Joffrin – Porte Clignancourt – **Mairie de Saint-Ouen** (■ ● : Mairie du 18ᵉ – Mairie de Saint-Ouen).

86 **Saint-Germain des Prés** – Mutualité – Bastille – Hôpital Saint Antoine – Nation – Porte de Vincennes – **Saint-Mandé – Demi Lune** (Parc zoologique).

87 **Champ de Mars** – École Militaire – Sèvres-Babylone – Saint-Germain-Odéon – Mutualité – Bastille – Gare de Lyon – Gare de Bercy-TAC – **Porte de Reuilly.**

88 **Cité Universitaire –** Denfert Rochereau – Montparnasse 2-Gare TGV – Institut Pasteur – Mairie du 15ᵉ – Javel – **Hôpital Européen Georges Pompidou.**

89 **Bibliothèque Nationale de France** – Gare d'Austerlitz – Cardinal Lemoine-Monge – Luxembourg – Place du 18 Juin 1940 – Cambronne-Vaugirard – Porte de Plaisance – Vanves-Lycée Michelet – **Gare de Vanves-Malakoff** (SNCF).

91 ■ ● **Montparnasse 2 – Gare TGV** – Observatoire-Port Royal – Gobelins – Gare d'Austerlitz – **Bastille.**

92 ■ ● **Gare Montparnasse** – Oudinot – École Militaire – Alma-Marceau – Charles de Gaulle-Étoile – **Porte de Champerret.**

93 **Invalides** – Saint-Philippe du Roule – Ternes – Porte de Champerret – Neuilly-Hôpital Américain – Pont de Neuilly – Pont de Puteaux – **Suresnes – de Gaulle.**

94 **Gare Montparnasse** – Rennes-Raspail – Solférino-Bellechasse – Concorde – Pasquier-Anjou/Saint-Lazare – Malesherbes-Courcelles – Porte d'Asnières – **Levallois-Louison Bobet.** (● : Levallois-Louison Bobet – Saint-Lazare).

95 ■ ● **Porte de Vanves** – Institut Pasteur – Gare Montparnasse – Musée du Louvre – Gare Saint-Lazare – Place de Clichy -**Porte de Montmartre.**

96 **Gare Montparnasse** – Rennes-Assas – Saint-Michel – Hôtel de Ville – Place des Vosges – Parmentier- République – Pyrénées-Ménilmontant – **Porte des Lilas** (■ : Châtelet – Porte des Lilas). (● : Gare Montparnasse – Porte des Lilas – Pré St-Gervais - Jean Jaurès).

PC1 ■ ● **Porte de Champerret-Berthier** – Porte Maillot-Pershing – Porte d'Auteuil – Porte de Saint-Cloud – Porte de Versailles – Porte d'Orléans – Porte d'Italie – **Porte de Charenton**

PC2 ■ ● **Porte d'Italie** – Porte de Charenton – Porte de Vincennes – Porte de Bagnolet – Porte des Lilas – Porte de Pantin – **Porte de la Villette**

PC3 ■ ● **Porte Maillot-Pershing** – Porte de Champerret-Berthier – Porte de Clichy – Porte de Clignancourt – Porte d'Aubervilliers – Porte de la Villette – Porte de Pantin – **Porte des Lilas.**

Montmartrobus ● **Pigalle** – Sacré-Coeur – **Mairie du 18ᵉ**

Bb (Balabus) ● *Les dimanches et jours fériés de 13 h 30 à 20 h 30 d'avril à septembre.* **Gare de Lyon** – Bastille – Île Saint-Louis/Hôtel de Ville –Saint Michel/Châtelet – Pont Neuf – Musée d'Orsay/Musée du Louvre – Invalides/Concorde – Pont d'Iéna – Rond-Point des Champs Élysées – Charles de Gaulle-Étoile – Porte Maillot – Pont de Neuilly – **Grande Arche de la Défense.**

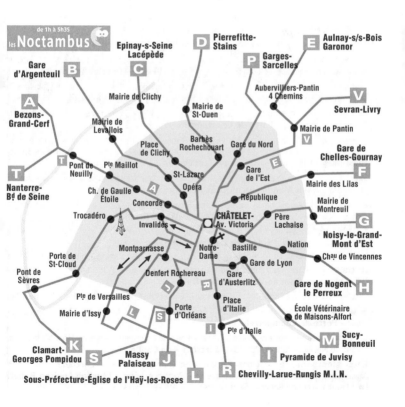

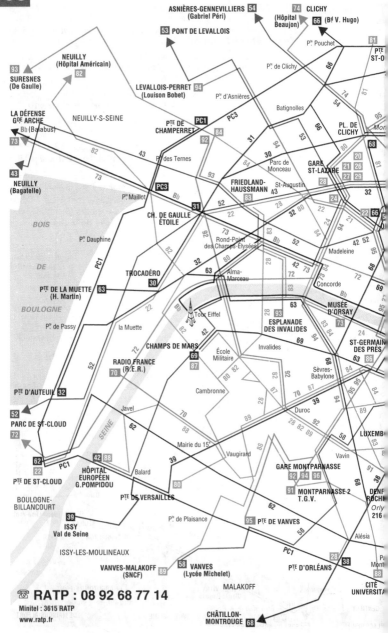

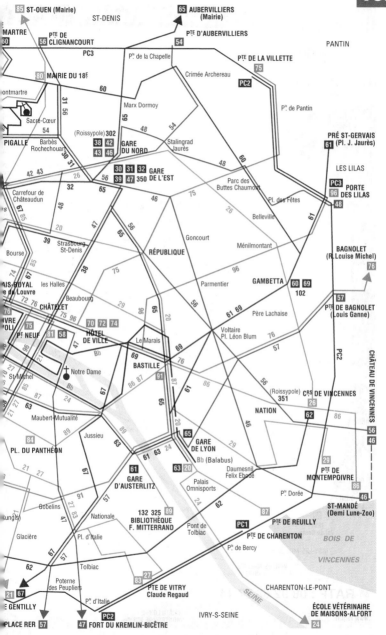

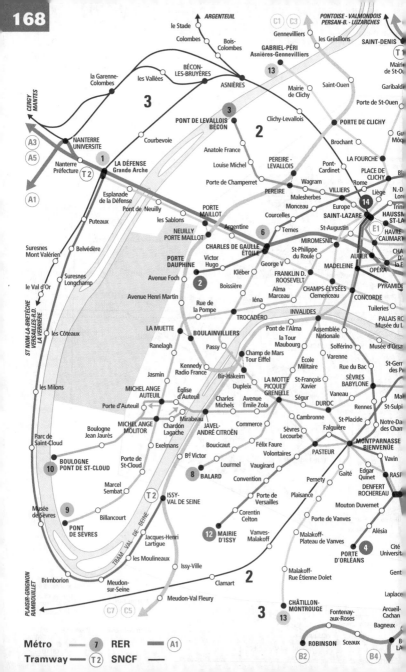

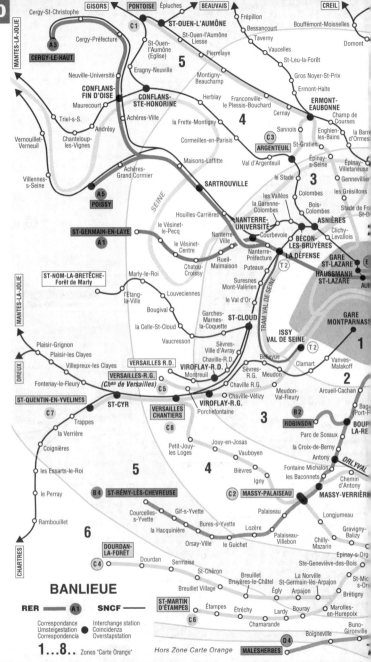

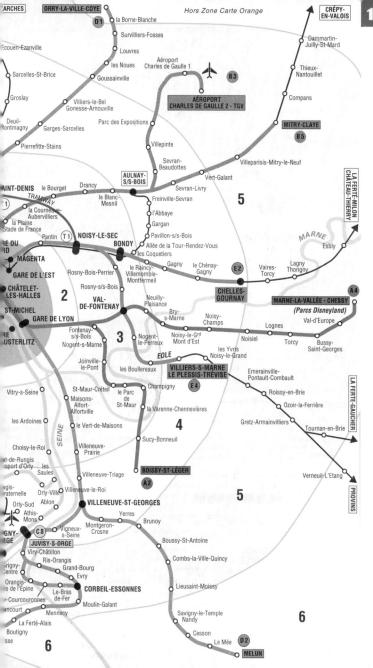

CRÉPY-EN-VALOIS

ORRY-LA-VILLE-COYE
D1
la Borne-Blanche

Survilliers-Fosses

Louvres

les Noues

Goussainville

Aéroport Charles de Gaulle 1

B3

AÉROPORT CHARLES DE GAULLE 2 - TGV

Dammartin-Juilly-St-Mard

Thieux-Nantouillet

Compans

MITRY-CLAYE
B5

Écouen-Ezanville

Sarcelles-St-Brice

Groslay

Villiers-le-Bel Gonesse-Arnouville

Garges-Sarcelles

Parc des Expositions

Villepinte

Deuil-Montmagny

Pierrefitte-Stains

Sevran-Beaudottes

Vert-Galant

Villeparisis-Mitry-le-Neuf

SAINT-DENIS
le Bourget
Drancy

TRAMWAY
T1
la Courneuve-Aubervilliers

la Plaine Stade de France

Pantin
T1

NOISY-LE-SEC
BONDY

le Blanc-Mesnil

Sevran-Livry

Freinville-Sevran

l'Abbaye

Gargan

Pavillon-s/s-Bois

Allée de la Tour-Rendez-Vous

les Coquetiers

5

LA FERTÉ-MILON CHÂTEAU-THIERRY

MARNE

Esbly

RE DU RD

MAGENTA

GARE DE L'EST

CHÂTELET-LES-HALLES

ST-MICHEL

GARE DE LYON

Rosny-Bois-Perrier

Rosny-s/s-Bois

VAL-DE-FONTENAY

2

Neuilly-Plaisance

le Raincy-Villemomble-Montfermeil

Gagny

le Chénay-Gagny
E2

Vaires-Torcy

Lagny Thorigny

CHELLES-GOURNAY

MARNE-LA-VALLÉE - CHESSY
(Parcs Disneyland)
A4

Val-d'Europe

Bry-s-Marne

Noisy-Champs

Lognes

Noisiel

Torcy

Bussy-Saint-Georges

RE AUSTERLITZ

Fontenay-s/s-Bois

Nogent-s-Marne

3

Nogent-le-Perreux

Joinville-le-Pont

EOLE

les Boullereaux

Noisy-le-Grd Mont d'Est

les Yvris Noisy-le-Grand

VILLIERS-S-MARNE LE PLESSIS-TRÉVISE
E4

Emerainville-Pontault-Combault

Roissy-en-Brie

Ozoir-la-Ferrière

LA FERTÉ-GAUCHER

Vitry-s-Seine

St-Maur-Créteil

Maisons-Alfort Alfortville

le Parc de St-Maur

Champigny

la Varenne-Chennevières

4

Gretz-Armainvilliers

Tournan-en-Brie

les Ardoines

SEINE

le Vert-de-Maisons

Sucy-Bonneuil

Choisy-le-Roi

t-de-Rungis oport d'Orly
les Saules

Villeneuve-Prairie

Villeneuve-Triage

BOISSY-ST-LÉGER
A2

Verneuil-L'Etang

PROVINS

gis-raternelle

Orly-Ville

Ablon

Villeneuve-le-Roi

VILLENEUVE-ST-GEORGES

5

Orly-Sud

Athis-Mons

GNY-RGE
C8

JUVISY-S-ORGE

Vigneux-s-Seine

Yerres

Montgeron-Crosne

Brunoy

Boussy-St-Antoine

arigny-Centre

Viry-Châtillon

Ris-Orangis

Grand-Bourg

Evry

Combs-la-Ville-Quincy

Orangis-is de l'Epine

-Courcouronnes

ncourt

Le-Bras-de-Fer

CORBEIL-ESSONNES

Lieusaint-Moissy

Moulin-Galant

Mennecy

La Ferté-Alais

Boutigny

sse

6

Savigny-le-Temple Nandy

Cesson

Le Mée
D2

MELUN

6

GREYSCALE

BIN TRAVELER FORM

Cut By_____ Qty_____Date_____

Scanned By_____ Qty_____Date_____

Scanned Batch IDs

_____   _____   _____

Notes / Exception

_____

_____

_____

_____

_____

GREYSCALE

BIN TRAVELER FORM

Cut By _____ Qty _____ Date _____

Scanned By _____ Qty _____ Date _____

Scanned Batch IDs

_____ _____ _____

Notes / Exception

_____

_____

_____

_____

_____

GREYSCALE

BIN TRAVELER FORM

Cut By_____ Qty_____Date_____

Scanned By_____ Qty_____Date_____

Scanned Batch IDs

_____   _____   _____

Notes / Exception

_____

_____

_____

_____

_____